Killarney Blues

COLIN O'SULLIVAN

Killarney Blues

Traduit de l'anglais (Irlande)
par Ludivine Bouton-Kelly

Collection fondée par François Guérif

Rivages

Retrouvez l'ensemble des parutions
des Éditions Payot & Rivages sur

payot-rivages.fr

Ouvrage publié sous la direction de François Guérif

Titre original : *Killarney Blues*

À Vikki Williams

Note de l'auteur

J'ai pris un grand nombre de libertés pour écrire ce roman. Au moins un des pubs de la ville de Killarney mentionnés dans le texte n'existe plus – avec tout le respect que je dois au Courtney's Bar, le Yer Man's, sa version précédente, plus modeste, portait me semble-t-il un nom plus amusant et plus conforme au cadre ; j'ai donc repris le nom et le décor de certains endroits pour le besoin de la fiction ; que les pinailleurs et les pédants se détendent. Je garde quoi qu'il en soit un souvenir ému de tous les établissements du passé comme du présent identifiés dans le roman, et si un pub existant souhaite offrir une pinte à l'auteur à l'occasion de sa prochaine visite, l'auteur l'acceptera volontiers.

« C'est peut-être le trouble oculaire de [Robert] Johnson qui explique le besoin qu'il avait de s'affirmer auprès des femmes, et il est probable qu'il ait été quelque peu paranoïaque ; qu'il l'ait été ou non, sa musique de blues, elle, marquée par des paroles dures et agressives et la répétition obsessionnelle de nombreux thèmes, le laisse penser indubitablement. »

The Story of the Blues,
Paul Oliver

La seule explication, décida-t-il, revenait à dire que tout était fondamentalement inexplicable. Les secrets en général, la dépravation en particulier. Il ne se considérait pas comme un mauvais homme. Autant qu'il s'en souvenait, il avait toujours aspiré à être vertueux – pour lui-même, pour le monde –, pourtant, à un moment donné, il avait attrapé une infection effroyable qu'aucune purge ou antidote ne pouvait guérir. Il n'en connaissait pas le nom. Peut-être tout simplement un trouble. Une scission morale. Une âme perdue.

In the Lake of the Woods,
Tim O'Brien

Prélude

Deux hommes le rouent de coups. Ils le cognent, le battent, le boxent. Le grand ricane tout en frappant, il rit en frappant du pied. Le plus petit n'arrête ce flot de torture que pour surveiller les alentours ; il fait noir dans l'allée près du pub, mais tout de même, n'importe qui pourrait y jeter un œil et voir Bernard Dunphy au sol en train de se faire rosser, bourrer, cogner.

L'espace d'un instant, Bernard pense qu'ils vont s'arrêter. Ils reprennent peut-être leur souffle tandis que lui tente de retrouver le sien. Il force l'air du soir à pénétrer dans ses poumons, ses poumons qui lui font mal maintenant; ses côtes ne sont peut-être pas encore cassées, mais elles sont sûrement abîmées, la chair qui les entoure est déjà sensible au toucher.

Il lève les yeux sur ses bourreaux, le regard suppliant, le nez sanguinolent. Il sait qui ils sont : l'un d'eux est le cousin de Marian, il le sait, mais il ne sait pas pourquoi on le frappe ; il n'a jamais fait de mal à Marian, pourquoi lui en ferait-il, à sa bien-aimée. Il les reconnaît, ces brutes, et ils le connaissent, et il ne peut rien dire, ne sait pas ce qu'il pourrait bien dire pour que ça s'arrête. Il ne mérite pas ça, il pense que personne ne mérite ça ; ne souhaite cette agression soudaine à personne, pas même à son pire ennemi. Et Bernard n'a pas d'ennemis.

Personne n'a jamais voulu lui faire de mal, enfin jamais jusqu'à maintenant. Cette sorte de violence ne lui traverse jamais l'esprit. Il détourne la tête quand elle surgit à la télé. Il n'a même jamais arraché la patte d'un moucheron, jamais écrasé un pou, et le voilà maintenant, une mouche aux mains de garçons débauchés.

« Tu pues, espèce de connard. »

Bernard leur est reconnaissant d'avoir cessé les coups de pied et de poing. Leurs crachats dans les cheveux, il supporte. Les insultes verbales aussi. Ils peuvent rire et se moquer autant qu'ils veulent. Il est simplement soulagé que les coups se soient arrêtés. Il prie pour qu'ils ne reprennent pas de plus belle. Il a mal partout. Chacun de ses muscles pique, le saisit de douleur, à l'intérieur, s'enflamme, brûle.

Leur respiration pénible lui fait penser qu'ils en ont fini. Ils sont penchés en avant, les mains sur les cuisses et le souffle coupé, la fin d'un marathon. Ils en ont trop fait, ils se sont épuisés à la tâche. Ce sont peut-être des bandits violents mais pas très en forme. Surtout le cousin de Marian, le grand Jim, trop gros et flasque.

Le manteau en laine de Bernard a amorti certains coups. Un bon manteau, ça. Épais et protecteur. Un Petersham ? Ce mot lui revient tout à coup sans savoir pourquoi. C'est comme ça que ça s'appelle, un Petersham ? Vraiment étrange que l'esprit se raccroche à des choses sans importance dans une telle situation. Quel que soit le nom du manteau, il est bien content d'avoir enfilé ce sacré truc. Son passage à tabac aurait pu être bien pire.

Un rat court sous ses yeux et s'arrête près d'une poubelle. Il fut un temps où les rats et les souris auraient déguerpi, pétrifiés à la simple vue de l'ombre d'un homme. Celui-ci le regarde, en remuant le museau, pensant probablement être mieux loti que lui sur cette planète. C'est dire dans quel piètre état se trouve Bernard Dunphy.

Le sang forme un petit ruisseau et ses yeux larmoyants le suivent, un mince filet qui descend la petite pente, presque jusqu'aux minuscules pieds du rongeur téméraire. Le rat en a assez et décide de ficher le camp, assez de temps perdu, en route pour faire les poubelles ailleurs, une existence simple – à fouiller, à dévorer –, il part et son épaisse queue grise trempe d'un coup dans la tache cramoisie.

Notre victime demeure sur le sol froid et humide. Ses agresseurs brossent leurs vêtements de la main et se tapent dans le dos pour saluer un boulot bien fait. Ça n'a pas été compliqué de convaincre Bernard de venir dans l'allée : Jim avait *quelque chose de la part de Marian* qu'il voulait lui montrer. C'était un secret. *Viens, suis-moi.* Facile. Comme d'attirer un chaton avec un bout de ficelle.

Bernard était-il naïf au point de penser qu'ils avaient vraiment quelque chose pour lui de sa part ? Une lettre de remerciements pour la musique ? Un cadeau ? Un mouchoir peut-être, ou une cravate ? Ou est-ce que le simple fait de mentionner son nom l'engourdit au point que le pauvre diable ne peut plus penser clairement ?

Les oreilles de Bernard bourdonnent. C'est ce qui l'alerte le plus. Ils l'ont tapé, frappé, violemment sur l'oreille, sur les deux oreilles ; il a bien essayé de les couvrir avec les bras, mais leurs pieds et leurs poings s'étaient frayé un chemin ; désormais ses oreilles palpitent et bourdonnent. Son cœur bondit de frayeur. Il est peut-être sourd. Ou peut-être qu'il le *devient*. S'il *est* ou s'il *devient* sourd, il n'entendra jamais plus de musique. La panique monte. Il voit les pieds de ses agresseurs s'éloigner. Ils en ont assez de leur proie. Leur corvée leur a donné soif. Bientôt, ils seront assis au bar, à ingurgiter des bières, ou même un whiskey de circonstance dans la foulée pour se requinquer, en regardant la télé surélevée qui montre des invités moralement répugnants occupés à déplorer les voix lamentables de concurrents dénués de talent.

Mais alors que les butors l'abandonnent, la terreur le saisit jusqu'à la moelle : il n'entend pas leurs pas sur le sol ! Il les voit mais il ne les entend pas. Où est passé le bruissement de leurs chaussures dans les flaques ? Il n'entend pas la musique qui sort des pubs non plus. Il y a toujours de la musique dans les pubs environnants. Il n'entend même pas de bruit sourd. Pas même ça.

Il se retourne sur le dos et fixe le ciel, la nuit noire. Il recommence à bruiner. Ce que les gens du coin appellent de la pluie « légère ». C'est pour cela qu'il y a toujours des flaques. S'il ne bruine pas, il pleut à verse, pas de la brume, des flots. Il pourrait rester allongé là comme ça à attendre que le monde le submerge et qu'il se noie.

Une étoile ici ou là dans l'obscurité, dans les espaces entre les filets de crachin. Même si aucune ne scintille. Rien d'aussi spectaculaire. Mais elles sont là. À des millions d'années-lumière. Ou peut-être pas, si elles sont mortes des siècles auparavant. Qui sait ? Le charme meurt en lui, sa lumière s'éteint. S'il ne peut pas entendre, alors il ne vaut plus rien pour lui-même. Plus rien du tout. Des larmes, là, sur ses joues. Il est entouré de liquide : des larmes, du sang, de la pluie, et la pisse d'un millier de passants venus se soulager qui sature le sol au-dessous de lui. Il pense un moment à son père décédé, un *jarvey*[1] comme lui, le plus heureux des hommes quand il descendait de sa calèche pour monter dans son bateau, entouré d'eau, et pêcher. Les lacs. Les profondeurs. Mais Bernard ne s'intéresse pas aux profondeurs, il ne veut pas regarder en bas, pas maintenant, pas en bas, mais en haut, vers le haut, jusqu'aux constellations, et il prie pour que la douleur dans ses oreilles cesse et qu'il retrouve rapidement une ouïe parfaite.

---

1. Un *jarvey* est un conducteur de voiture à cheval, de calèche, qui promène les touristes en Irlande et tout particulièrement à Killarney. *(Toutes les notes sont de la traductrice.)*

Et puis, écoutez ça, un grand fracas de déchets jetés dans la poubelle, des barmans qui vident un sac de détritus dans ce grand réceptacle astringent.

Quelle bénédiction ! Quel merveilleux vacarme dans cette poubelle ! Bernard n'est pas sourd et il y a peu de chances qu'il le devienne. C'était temporaire. Fugitif. Il y aura encore de la musique. Tout va bien. Il va bien. Il entend. Tout ira pour le mieux.

Le barman l'aperçoit à terre, abandonné dans sa flaque de sang et de pluie. Il est sorti pour tirer quelques bouffées d'une clope, comme les autres fumeurs en Irlande, banni de la table, jeté dehors comme un chien galeux. Mais ce barman n'articule pas un *putain* de surprise en voyant l'état de Bernard sur le sol, car il a déjà vu ce genre de choses. De nombreuses fois. Ça revient trop régulièrement dans les villes, partout en Irlande : une violence gratuite, des bagarres, des coups de couteau aussi, des pistolets à Dublin. Et pour quoi ? La drogue très probablement, des gangs, pense-t-il en se penchant désormais pour vérifier l'état de Bernard, sans se préoccuper des gouttes de sang sur sa chemise blanche immaculée. Sans se préoccuper des larmes, de la pisse, du pus, du problème.

Alors que Bernard recrache une dent qui atteint le serveur obligeant sur la joue, il sait que sa drogue, la musique, sera là pour lui. Il a ses oreilles, et c'est peut-être tout ce qu'il lui faut. Ses doigts aussi. Ses doigts pour les cordes bien sûr, mais surtout ses oreilles. Il plie les doigts. Ils vont bien. Ils rejoueront de la guitare. Ses côtes lui font mal et il y a un trou là où sa dent se logeait avant ; il y a quelques instants il avait une dent là, grisâtre, usée, mais une dent tout de même, et maintenant elle est tout bonnement partie. Ainsi va la vie. Les choses peuvent se soustraire tout à coup. Comme ça. Mais il va bien. Vraiment. Il va bien. Des doigts et des oreilles. Bien. Il rejouera de la musique.

Le barman l'aide à se relever et lui demande s'il voit clairement, et Bernard répond qu'il ne sait pas s'il voit clairement,
ou s'il a jamais vu clairement d'ailleurs – la vie a toujours été
un peu penchée, de travers. Mais il entend, il entend, il entend
les étoiles murmurer dans le ciel.

SAMEDI

I can't quit you baby

1

Cajoleuse. Câline. Une mère irlandaise. Il vous suffirait de taper ces mots dans un moteur de recherche pour tomber sur une photo de Brigid Dunphy, le double menton à deux doigts de trembler. Mais quelle mère n'aime pas son fils avec fièvre et férocité ? Elle ne déparait pas parmi toutes les autres.

Son pauvre fils malchanceux, sans père et stupide, qui n'a jamais vraiment eu de veine dans sa misérable vie. Toutes ces railleries au fil des ans, le fils de *Mrs Dumpy, Humpty Dunphy*[1], avec un père mort noyé et une démarche particulière, toujours à l'écart, ce qui ne faisait qu'alimenter les moqueries à la récréation. Regardez-le, là maintenant, qui s'apprête à partir sur sa carriole, son beau garçon. Garçon ? Il a presque trente ans, mais c'est toujours son petit chou, avec les mêmes yeux bleus grands ouverts qui la fixaient quand il se cognait le menton et qu'il pleurait toutes les larmes de son corps, la même innocence. On dirait que c'était hier.

Au moins, le soleil lui veut du bien aujourd'hui. Le soleil à Killarney, il n'y a pas mieux au monde. Un ciel bleu. Du vert luxuriant. Des visages ravis couverts de crème glacée. Des

---

1. Allusion à la comptine *Humpty Dumpty*.

bacs de fleurs éclatantes suspendus au-dessus des enseignes. Le soleil qui dispense sa chaleur dans le plus bel endroit d'Irlande, la plus jolie vallée d'Europe. Oh oui, la fierté surgit à l'idée de sa ville natale, de son fils. Une femme comme elle peut facilement se laisser emporter. Et alors ? On a droit à un peu de joie de temps à autre. Dieu sait qu'il n'y en a pas beaucoup. Et ses jours sont sans doute comptés. Autant en profiter, de la joie et du soleil, avant que les nuages se rapprochent et qu'on se retrouve encore coincés à l'ombre.

La vieille jument continue à trotter. Courageuse sous le soleil. Courageuse malgré son âge, malgré sa maladie. Elle a l'air fatiguée. Ses oreilles tombantes de chaque côté, sa tête qui ne se tient plus haut, mais qui pend de plus en plus bas, péniblement jour après jour. Il ne lui reste plus grand-chose à elle non plus. Elle fait son travail aujourd'hui comme elle l'a toujours fait, son travail pour le *jarvey*, elle tire cette carriole derrière elle. Impossible de ne pas avoir pitié de ce pauvre canasson. Elle est restée sous la pluie, la neige, les dernières gelées d'avril, la première à l'ombre de la statue du Christ roi, à présent rangée dans la file des calèches, entourée d'arbres et près de la façade vert foncé de l'Hôtel de ville, et bien évidemment près de l'agitation du centre-ville lui-même. La tête coincée dans une musette les étés sans soleil et les étés chauds comme celui-ci, et elle est toujours là, elle le fait pour lui, elle traîne les quatre grosses roues derrière elle, elle fait son devoir ; s'il existe un animal noble, pense Brigid Dunphy, c'est le cheval : dévoué, loyal, travailleur, sincère, fort ; Dieu aurait sans doute mieux fait de ne pas s'embêter avec les humains et de donner aux chevaux les pleins pouvoirs.

Deux passagers s'assoient derrière Bernard. Des Américains d'âge moyen à ce qu'on dirait. On les repère à leur tenue, à leur dynamisme. Ils en font trop avec leurs pulls verts, leurs trèfles, mais peu importe, ils ne sont pas méchants. Ils sont peut-être en Irlande pour retrouver leurs racines, peut-être qu'ils prétendent être des O'Brien, ou des O'Donoghue, ou peut-être qu'ils sont juste là pour échapper à l'hystérie et à la folie de New York ou à celle de la trépidante San Francisco. Ils s'arrêtent pour profiter du calme des lacs, de la verdure des vallées. Surtout maintenant que quelques rayons de soleil viennent réchauffer leur peau, et font magnifiquement briller leurs grandes dents blanches. Ça ne va sans doute pas durer. Absorbez les rayons tant que vous pouvez, elle leur dirait bien. En Irlande, mon Dieu, ils en savent quelque chose. Vous devriez voir le changement sur ces visages blancs laiteux les jours fériés du mois de mai, la moindre lueur du soleil sur une fenêtre un matin et on se débarrasse des gilets, on ouvre non-chalamment les chemises, on pourrait croire que les gens éprouvent une sorte de liberté rare, pareille à une épiphanie religieuse. Le soleil rend fou même le plus stable des Irlandais. Et les Britanniques aussi peut-être. Une sorte d'en-chantement enfiévré prend le pas. Elle leur raconterait tout ça, Brigid, ça oui. Les choses sont différentes quand on a grandi avec le soleil méditerranéen sur le visage, ou si on a été habitué à la chaleur de la Côte d'Azur, de l'Algarve ou de l'une de ces destinations ensoleillées bon marché, comme Tenerife, des endroits que l'on peut maintenant découvrir grâce aux vols à bas prix, et seulement à quelques heures de distance. Ces Américains y sont sans doute habitués eux aussi, ils ont tout l'équipement, les visières, les poches ven-trales pour les portefeuilles et les porte-monnaie. Et ils ont Bernard Dunphy pour les guider autour de Muckross. De quoi d'autre ont-ils besoin ? Regardez-le, il leur sourit, de son sou-rire édenté. Cette dent-là a dû sauter un jour dans un pub, notre crétin, là, avait probablement dit une bêtise à un dingue et s'était fait rouer de coups à cause de ça. Ce n'était pas la première fois. Ils ne savent pas ce qui ne va pas chez lui bien sûr. Il est différent, son fils. L'a toujours été. Mais il a fait des progrès. De grands progrès. Au moins il vous regarde dans les yeux maintenant, enfin la plupart du temps en tout cas. Au moins il sait l'amour infini que sa mère lui porte.

Ça n'a pas été facile de l'élever. Tous les deux, ils ont essayé de se débrouiller. Son père n'est jamais revenu du lac. Une journée de pêche qui tourne à la tragédie. Le lac dragué. Son magnifique John, étendu sur une table à la morgue pour qu'elle puisse dire : *Oui, oui, c'est lui, c'est mon mari.* Au salon funéraire ils dévisageaient mère et fils. Bernard récuré comme jamais, avec sa petite cravate noire, une de celles qui se glissent sous le col avec un élastique ; il était bien propre sur lui, les cheveux gominés, les restes de saleté sur son visage essuyés avec un mouchoir mouillé de salive. Les gens les dévisageaient, attendaient qu'ils craquent, qu'ils hurlent. C'est ce qu'ils voulaient, les gens d'ici, un peu d'animation, pour jacasser au café, en ajoutant du piquant à l'histoire : *et alors Brigid est tombée par terre en larmes et le pauvre garçon ne savait pas quoi faire.* Mais ça ne s'est pas déroulé comme ça. Mère et fils étaient restés stoïques, la plupart du temps, en mobilisant autant que possible toute leur dignité. Il n'y avait qu'eux deux en fait, suivis par quelques amis dispersés venus en soutien, pas de grands-parents pour le garçon, ils étaient tous partis trop tôt, à cause d'une maladie ou de l'alcool ou des deux, de son côté aussi, originaires de Fermanagh avant de venir dans le Kerry au tournant du siècle dernier, et plus une trace d'eux aujourd'hui, tous partis depuis longtemps, il n'y avait plus qu'elle, plus que Brigid et son brave garçon en fait. C'est seulement au moment où Bernard aurait dû regarder dans le cercueil qu'il avait reculé. Son solide petit numéro avait fini par flancher.

Allez, Bernard, pour l'amour de Dieu, c'est ton père. Tu ne le reverras plus jamais.

Non, je ne veux pas. Je ne veux pas le voir. Pas après ce qu'il a fait.

Il ne voulait pas le faire. Et il ne l'a pas fait. Et ils s'étaient retrouvés face aux mines renfrognées de vieilles bonnes femmes qui désapprouvaient de la tête, finalement récompensées par un peu de piquant dans l'histoire ; les vieilles femmes râlaient, réprouvaient l'attitude des deux endeuillés en fronçant les sourcils, comme si elles étaient tachées, avariées, rances tout à coup. Brigid avait soutenu le regard d'une vieille femme, sans faillir, en la défiant de ciller la première. Elle se tenait là, comme une pierre, ferme, aussi solide qu'un calvaire, et la vieille dinde boiteuse s'était retirée dans le troupeau qui la cernait, et elle s'en était allée, en cancanant des condoléances feintes. Une petite victoire ce jour-là peut-être, mais malgré tout, dans la vie de Brigid, toute victoire proclamée est sauvegardée, chérie.

Bernard avait fait des cauchemars pendant des années. Il en fait peut-être encore. Il courait dans sa chambre et lui parlait du fantôme en suspens dans les eaux du lac. Il voyait son propre père, qui flottait là, des bulles sortaient de ses lèvres bleuies et le garçon n'y pouvait rien. Elle pouvait le voir elle aussi, les cheveux fins ondulés de John ondoyaient parmi les poissons et la fronde, l'horreur de cette vision, l'horreur immobile et muette. Elle essayait de garder la vérité de cette scène pour elle. Elle essayait de fabriquer d'autres mensonges pour le protéger de la dure réalité. Mais les enfants en savent plus que ce que les adultes croient souvent, oublieux qu'ils sont de ces intuitions propres à l'enfance. Bernard, malgré tous ses problèmes, comprenait l'essentiel de ce qui se passait.

Il est devenu la seule priorité de sa mère, est devenu sa vie, sa propre respiration. Elle tentait de consoler le pauvre petit et lui disait que tout irait bien. Elle était là pour lui. Du lest. Certains soirs elle parvenait à transformer l'histoire en une quête pour le Tír na nÓg avec John qui nageait de plus en plus profond dans le lac pour atteindre la terre qui lui garantirait de rester jeune à tout jamais. Tír na nÓg, Mag Mell,

Ablach, Valhalla même, peu importe l'endroit mythique, tant que Bernard pouvait donner libre cours à son imagination et s'y raccrocher. Appelez ça de l'espoir. Elle lui disait que peut-être un jour Bernard pourrait se rendre là-bas aussi, serrer la main de son père en arrivant, et rencontrer Niamh, et Oisín, tous les autres héros irlandais également. Mais il fallait d'abord qu'il grandisse. Il fallait que ses bras et ses jambes s'allongent. Il avait besoin de stabilité mentale. Besoin de bon sens. De plomb dans la cervelle. Il fallait aller à l'école. Il devait ingurgiter des trucs et tout ça devait lui rester dans la tête. Il faisait des efforts. En demandait aussi. Mais ils s'en étaient sortis d'une façon ou d'une autre. Comme ils avaient pu. Elle l'avait nourri, l'avait habillé et aimé. Qu'est-ce qu'une mère pouvait faire d'autre ?

Elle le gronde à cause du manteau. Regardez-moi ça, ce vieux truc noir énorme, monstrueux. Elle ne sait même pas d'où il sort. Mais il le porte par tous les temps. On pourrait penser qu'un jour comme aujourd'hui il l'enlèverait, pour sentir le vent lui fouetter le cou. Mon Dieu, on aimerait un peu d'air frais un jour comme aujourd'hui. Brigid ne sait pas comment il fait pour le traîner partout où il va. Elle a essayé de le lui prendre pour le nettoyer, mais il dit qu'il en a besoin. Il dégage son odeur, empeste la sueur et le tabac. Ces sales choses roulées à la main qu'il fume. Elle pensait que l'interdiction de fumer dans les bars le ferait arrêter, mais il en a toujours une au bec, une de ces clopes infectes qui lui remplissent les poumons et lui font se racler la gorge. Il dit que c'est bon pour le blues, ce raclement. Ça rend sa voix rageuse et authentique et désabusée. Désabusée ! Il y a déjà assez de blues partout, se dit Brigid, sans qu'on ait à se l'imposer à soi-même. Le blues. Non pas qu'elle y connaisse grand-chose. C'était John qui lui avait donné sa première guitare et qui lui avait appris comment jouer les accords. John avait des disques à ne plus savoir qu'en faire. Des disques de folk américain et de blues que son oncle lui envoyait d'Amérique. Jour et nuit il les passait, il faisait tourner les vieux vinyles et Bernard, l'enfant enthousiaste, impatient, regardait l'aiguille dans le sillon, ressentait les vibrations dans ses petits doigts et chantonnait avec contentement. Il est toujours fou de musique. Même si ses disques de Johnny McEvoy à elle n'ont pas suffi, apparemment. Pas assez de guitare là-dessus, pas assez d'élan ni de balancement selon lui, trop de gravité, trop axé sur le cerveau et pas assez sur les hanches, même s'il n'aurait pas pu l'expliquer avec autant d'éloquence ; un simple haussement d'épaules et un râle, ce qui lui suffisait à elle. C'est son fils, elle sait ce qu'il veut dire. Parfois il n'a même pas besoin de parler.

Et il a donc appris à gratter et racler, matin, midi et soir dans cette chambre, en frappant de grands coups. Il doit bien jouer maintenant. Elle ne saurait le dire. Oh, elle l'entend toujours, parfois même elle fait l'effort de l'écouter et de l'encourager, mais la musique s'est étcintc cn cllc il y a longtemps, quand John s'est échoué dans un banc de sable les bottes remplies d'eau et qu'il a commencé son voyage pour la terre de la jeunesse éternelle.

Le voilà donc, revêtu de son gros manteau noir : Bernard. Le soleil tape à Killarney comme s'il se rattrapait après son absence ces dernières semaines, quand les hôteliers se plaignaient, quand ils scrutaient les nuages gris et espéraient qu'ils laissent place à quelque éclaircie. Peut-être que Dieu se sentant coupable de tant de pluie envoie une petite pièce de monnaie, et les gens du coin sont assez pauvres en ce moment pour se ruer dessus. Le pays tout entier semble à bout de souffle. Comme leur vieille jument. Oui, c'est ça, la jument est une assez bonne métaphore : la tête tombante de lassitude, sellée mais qui ne va nulle part en hâte, qui attend tout bonnement la prochaine musette.

En ce moment, on prend ce qu'on peut, peu importe ce qu'il y a dans la musette, on accepte ce qu'on nous donne. Plus de cupidité là, c'en est fini, juste de la gratitude pour ce qui est vraiment bon.

Nous sommes en juillet. La deuxième partie de l'année, déjà. Le temps passe à toute vitesse, vraiment : il a affaissé le doux menton de bébé de l'homme en habit sale. Les années filent comme des heures, impossible d'arrêter la cadence. En avant, en avant, et sans se retourner. Brigid le sait trop bien.

Les touristes américains prennent les lacs en photo et Bernard se plie au jeu, d'abord en éteignant son mégot sous sa chaussure, puis en prenant leur appareil numérique minuscule et en les plaçant au milieu du cadre. Ils rient du fait qu'il les fasse aller à droite, puis à gauche, pour être exactement au milieu. Et puis, clic. La postérité. Un moment de bonheur. Au bord du lac. Les montagnes augustes, sereines. Les lacs chatoyants, immaculés. Les poches de Bernard remplies d'argent et son large sourire rayonnant. Il n'y a pas mieux. Les boulots, ça va ça vient, les carrières, les gagne-pain, la santé mentale, les civilisations. Mais ces montagnes demeurent, elles sont là depuis un temps infini et elles resteront là, solides, impériales. Cela doit être réconfortant pour le peuple du royaume du Kerry, de savoir qu'au moins quelque chose puisse être inébranlable et robuste, une chose inflexible.

Bernard enlève un brin de tabac resté coincé entre ses dents et s'approche de sa jument bien-aimée. On pourrait penser que rien de mal ne peut advenir un week-end comme celui-là. On pourrait penser que tout va bien dans le monde. Mais on se tromperait, comme se trompent les gens si souvent, comme ils se trompent si souvent sur ce que renferment les nuages sombres et sur le moment où adviendra un nouveau jour sans pluie. Ce week-end, tout va changer pour Brigid et son fils, comme le poisson mort qu'elle a trouvé dans le bateau de John, échoué, à découvert.

2

Marian Yates, une grande brune, déambule d'un magasin de vêtements à l'autre avec ses deux amies mutines aux cheveux blonds. Toutes les trois ont presque trente ans mais l'air juvénile de Marian dément son âge. Elle s'en réjouit bien sûr, elle est contente de se regarder dans les vitrines en passant, même si elle n'est pas du tout du genre à se faire remarquer, qu'elle est plus conventionnelle que les autres, une fille digne de sa mère la conseillère municipale Marcia Yates, une fille gracieuse qui a un bon poste dans un cabinet d'avocats, une fille bien sous tous rapports, une fille bien, vraiment. Si elle était née dans l'Idaho ou à Dallas, elle aurait été pom-pom girl, elle aurait défilé et montré ses mollets athlétiques en levant la jambe. Oh oui, elle applaudirait s'il y avait quelque chose à applaudir. Mais le monde est en récession, l'argent se fait rare, il n'y a aucune raison de faire tournoyer des pompons, ni en Amérique ni ailleurs dans le monde. Et certainement pas en Irlande. Le tigre celtique est bien mort, sa carcasse en putréfaction enlisée dans les tourbières noires. À la place du tigre se trouve un chaton qui miaule, rachitique et nerveux, prêt à déféquer.

Étonnant donc que ces femmes se conduisent comme des filles d'à peine vingt ans, qui dépensent trop d'argent en vêtements, accessoires et frivolités. Qui boivent encore dans les pubs alors que ce n'est plus trop la mode, qui se raccrochent aux derniers tisons de leur jeunesse. Les vêtements, pour elles, c'est important, et les sous-vêtements plus encore peut-être. Le trio triomphant peut faire du shopping toute la journée, et elles peuvent *faire* tout Killarney en un rien de temps. Parfois, elles doivent aller plus loin, à Cork par exemple, ou même à Dublin, pour des dépenses plus folles, plus substantielles, pour le plaisir de regarder, pour une bonne affaire. Marian se plaît à penser qu'elle est au-dessus de tout ça, qu'elle est somme toute plus mûre, mais il est parfois difficile de dépasser cela. Parfois, c'est juste une fille. Une fille qui n'a toujours pas jeté ses vieilles peluches, il y en a encore une ou deux près du coffre au pied de son lit : un phoque, un chiot tout fripé. Parfois juste une fille. Une autre enfant à qui Papa manque.

Mags secoue la tête quand Marian essaie un T-shirt avec un slogan stupide dessus. Cathy aime celui-là et approuve de la tête. Quand Marian chausse des lunettes de soleil noires, c'est au tour de Mags de donner son approbation tandis que Cathy fait non, non, non, catégoriquement. Elles n'ont même pas besoin de parler, dans ce triumvirat de la mode : des yeux, des sourcils, des haussements d'épaules, des secousses, des hochements de tête et des pouces, c'est tout ce dont elles ont besoin. Ce pourrait être un film muet.

Le café dans lequel elles entrent n'a rien de silencieux, la musique beugle tandis qu'elles passent nonchalamment devant le comptoir en commandant *comme d'hab, comme d'hab, comme d'hab* à la jeune fille souriante occupée à tartiner un bagel de mayonnaise. Voilà à quoi ressemble Killarney à l'aube de ce siècle nouveau. Il y a des bagels. Et c'est le genre d'endroit dans lequel elles viennent prendre un café : un bistrot élégant, bien éclairé, minimaliste, avec des tableaux de bon goût sur les murs, des décorations végétales spectrales en forme de bâtons sur les tables et des fauteuils qui vous aspirent, des fauteuils qui vous vaudront des problèmes de vertèbres à terme mais qui sont paradisiaques le temps de ce bref répit, alors que les sacs de shopping lacèrent atrocement les bras fins.

« Putain, ils pourraient pas baisser la musique, j'arrive à peine à m'entendre », dit Cathy.

Mags et Marian se regardent pour décider qui va commencer à charrier la première.

« T'inquiète, t'as pas vraiment besoin de tes oreilles, on ne va rien dire de très intéressant. Demande juste à la serveuse de baisser un peu quand elle viendra », dit Mags.

Cathy tripote ses sacs. C'est trop voyant si les noms des marques sont affichés clairement ; c'est trop prétentieux de montrer dans quels magasins elles sont allées ? Elle les pousse du pied sous la table. Là. Cachés.

« Demande-lui, toi.

– Non, toi.

– Non, toi, t'es meilleure pour ces trucs-là. »

Moment de silence jusqu'à ce que Marian soupire.

« Oh, bordel, je vais lui demander. »

Marian sourit à la serveuse qui arrive, une grande blonde avec une queue-de-cheval, manifestement, évidemment plus jeune qu'elles. La serveuse apporte le plateau à la table : de grands mokas mousseux, un mélange sombre pour des filles qui ont parfois des idées noires, mais une boisson assez stimulante pour les renvoyer encore une heure dans les magasins si besoin. Des cafés chauds leur conviennent, même un jour d'été ; l'air conditionné dans cet endroit semble réguler la température de leur corps.

« Salut les filles, comment va ? »

Le sourire de Linda est sincère. Il y a tellement de sourires feints dans le tourisme : les hôtels, les bars, les restaurants, tout le personnel formé à sourire et à proférer des platitudes.

Mais cette fille a l'air de sourire pour de vrai. Elle semble même aimer son boulot.

« Linda, on veut pas faire d'histoires mais cette musique nous rend dingues. Tu pourrais baisser un peu ?

– Sans problème. Je l'entends même plus. Je travaille ici depuis seulement quelques semaines mais je suis déjà immunisée. »

Marian lui sourit aussi pour la remercier. Essaie d'égaler la sincérité de Linda.

Cathy ne comprend pas. Comment Marian la connaît ? C'est encore une de ces copines de musique branchée qu'elle rencontre au Yer Man's Pub ? Encore une qui se balade avec un iPod rempli de chansons que personne ne connaît ? La serveuse se dirige vers la chaîne radio derrière le comptoir pour apaiser ses clientes.

Mags ne peut retenir sa curiosité.

« Elle est pas d'ici, hein ?

– Non, elle vient de Cork, par là. Elle vient chez Machin chose des fois, elle chante là-bas de temps en temps, elle et Mike Daly à la guitare. Elle a une belle voix. Très expressive. Elle joue ce soir en fait. »

Mags pense un instant à Amy Winehouse, en voilà une qui avait une voix expressive, mais cette pépette de Linda ne serait pas du genre à se mettre dans le même pétrin. Elle semblait plutôt bien organisée, mûre pour son âge. Pas de drogue dans sa vie à elle, c'était évident, sa peau éclatante et sans imperfections le prouvait.

Cathy savoure l'occasion de se moquer de Marian.

« Marian connaît tous les musicos. À force de traîner dans tous les bars tendance avec tous les gens branchés, n'est-ce pas ? »

Mags, assise en face des deux autres, glousse de complicité, mais ce gloussement l'oblige en fait à se moucher de plus belle. On dirait qu'elle n'arrive pas à s'arrêter. Elle savait en se réveillant ce matin que sa gorge la picotait, elle savait qu'elle aurait bientôt la tête carrément farcie, qu'elle aurait mal dans la poitrine et qu'elle tousserait : les rhumes d'été, des saloperies de premier ordre.

Cathy continue de se moquer. « Elle aime pas la musique d'ici, en fait. Pas assez *authentique* ? C'est juste de la pop légère, hein ? »

Marian grogne, elle est habituée à se faire mettre en boîte.

Mags continue de se moucher le nez, essaie de le déboucher, mais son travail de plomberie ne fonctionne pas très bien. Malgré les reniflements, elle est prête à lancer des piques elle aussi.

« Et bien entendu, c'est là que son chanteur, le célèbre Bernard Dunphy, va boire des coups. Accoudé au bout du comptoir avec sa larme de whiskey. Pas du Jameson, non, pas assez bon, j'imagine. Plutôt du Jack Daniel's ou autre, hein ? Du bourbon. Un truc américain de toute façon. Est-ce que ce cinglé te suit toujours partout ?

– Ah, il est inoffensif. C'est juste un type qui en pince pour moi. On peut le comprendre, non ? »

Marian rejette ses cheveux en arrière comme dans les pubs pour shampoings. Mais ses copines-de-shopping ne marchent pas. Marian a honte de sa minute de pastiche façon pépette.

« C'est un putain de malade, un Martien, dit Cathy. Tu te souviens comment il était à l'école. Il y a un truc qui tourne pas rond chez lui, y a toujours eu. Il t'envoie toujours ses cassettes ? »

Marian acquiesce, et ses joues commencent à rougir. Ça fait longtemps maintenant. Ça avait commencé quand ils étaient adolescents et qu'ils habitaient tous les deux dans le même lotissement. Tous les voisins étaient proches, tout le monde se connaissait bien, les garçons et les filles jouaient volontiers ensemble. Mais Bernard était différent, distant, plus content de jouer de la guitare dans sa chambre que de rejoindre les gars au foot ou de se balancer sur un pneu accroché à un arbre. Puis quand tous ces jeunes gens eurent l'âge où les garçons audacieux remplis de testostérone vivent des expériences avec des filles audacieuses remplies d'œstrogènes, font tourner des bouteilles et s'embarquent dans des étreintes furtives derrière des cabanes à l'écart et les murs des jardins, Bernard ne faisait pas partie de la bande. Peut-être ne savait-il rien de ce qui se passait. Au lieu de ça, il écrivait des chansons pour sa voisine, gribouillait des paroles sur des carnets et les glissait dans sa boîte aux lettres à la Saint-Valentin, et n'importe quel autre jour à sa convenance. Des années après, alors qu'ils vivent dans des quartiers opposés de la ville, il lui envoie toujours ses enregistrements et elle se penche toujours sous la boîte aux lettres pour ramasser le dernier arrivage sous le paillasson.

« Honnêtement, les chansons sont assez pourries. Mais c'est bien d'avoir un hobby. C'est mieux que vous deux. Qui passez votre temps à faire du shopping. Et qui dépensez tout l'argent que vous avez durement gagné. »

Cathy et Mags se regardent, lèvent leurs sourcils de la largeur d'un trait de crayon et posent leurs yeux au sol, là où Marian a clairement plus de sacs qu'elles.

En vérité, elles culpabilisent de dépenser de l'argent. Elles devraient épargner. Ce n'est pas le moment de lâcher du fric, surtout quand on va être imposé jusqu'au cou dans les années à venir. Mais dès qu'elles se sentent un tant soit peu déprimées, les filles croient qu'elles ont besoin d'un remontant et ce remontant consiste à dépenser, et quand dépenser les fait de nouveau culpabiliser et déprimer, c'est là qu'elles ressentent le besoin d'une autre dépense-éclair. C'est un cercle vicieux qu'elles ne semblent pas réussir à enrayer. Enfin, bon.

« OK, je me suis un peu lâchée aujourd'hui, mais une fille célibataire comme moi mérite de se faire plaisir de temps en temps. »

Mags ajoute un mouchoir au tas qui s'élève sur la table. Elle n'en est plus à se demander si ses amies voient ou non ses mucosités vertes. Elle tousse et crache mais elle n'en a pas fini avec Bernard.

« Peut-être que ton ami *jarvey* pourrait t'acheter de jolies choses. Peut-être qu'il va vendre ses chansons et faire fortune. Mais bon, c'est pas sûr qu'il y ait un marché pour des types comme lui, des drôles d'Irlandais qui chantent du simili blues américain. Pas sûre qu'il ait ce *je ne sais quoi*, pour être honnête. Et puis, où il veut en venir avec ce blues à la con, hein ? Il croit qu'il est né où, bordel ? Dans le Mississippi ? »

Elles la fixent du regard, faussement sérieuses, mais Marian demeure imperturbable.

« La Nouvelle-Orléans ? dit Cathy.

– A-la-ba-ma ? » renchérit Mags.

Pourquoi est-ce que Marian éprouve le besoin de le défendre ? Pourquoi est-ce qu'elle plaide en faveur d'un homme qui, il faut l'admettre, était, *est*, comme elles l'ont si bien dit, un *cinglé*, un type qui la traque pour ainsi dire.

« Son père écoutait cette musique-là. Il en avait une sacrée collection apparemment. »

Cathy s'empare aussitôt de cette information.

« Pas étonnant qu'il se soit noyé, à force d'écouter ces vieilles merdes.

– Putain ! dit Marian.

– Désolée, je reconnais que c'est un peu dur.

– Bernard prend son pied avec ça. On a tous nos trucs. Ça lui plaît, j'imagine.

– Tant qu'il ne prend son pied qu'avec ça ! » dit Cathy.

Elles pouffent de rire toutes les trois, ce qui force malheureusement Mags à chercher un nouveau paquet de mouchoirs en papier. Les écoulements ne tarissent pas.

« Il est juste un peu différent, un point c'est tout, dit Marian.

– Différent ? dit Mags. Genre différent-bizarre, quoi ?

– Genre carrément taré-dégénéré, putain ? dit Cathy. Bon, tu veux bien enlever les mouchoirs de la table s'il te plaît, c'est vraiment dégueulasse, bordel. »

Mags les rassemble en boule et menace de les lancer droit sur Cathy, une lueur de malice, une pointe de rancœur dans les yeux.

Les gens regardent le manteau de Bernard en passant près de lui dans la cohue sur High Street. Comment peut-il se trimballer avec ça sur le dos un jour comme aujourd'hui ? Il doit mourir de chaud. Mais Bernard ne s'en rend pas compte. Il a ses gros écouteurs noirs sur les oreilles, qui sont toutes rouges, chaudes et moites de sueur. Il écoute *Death Letter Blues* de Son House et il chantonne sur les accords de guitare slide, parfois il marmonne les paroles. Il ne sait pas qu'on peut l'entendre. Ou bien il le sait mais s'en moque complètement. C'est son monde.

« Didn't know I loved her till they put her in the ground. »

Eddie « Son » House chantait d'une voix brute, passionnée ; c'était un artiste exubérant, cinglé, qui mettait tout son corps et toute son âme dans la vie de la chanson. Ce n'était pas un saint. En fait, Bernard sait qu'il avait été condamné à la prison pour homicide. L'histoire raconte qu'il jouait dans un *juke-joint* de seconde zone quand un homme affolé et ivre était tout à coup devenu fou furieux, s'était mis à tirer dans tous les sens et avait touché Son à la jambe. Aussi vivement qu'il jouait de la guitare avec sa bouteille, il avait dégainé, visé l'homme et l'avait tué. Il avait pris quinze ans à Parchman Farm pour avoir réagi avec vivacité. Bernard ne voit aucun crime là-dedans, seulement le charme d'une histoire où on sauve la vie des bons et où on tue un méchant. Les méchants sont censés mourir. S'ils avaient mal agi, alors ils avaient eu ce qu'ils méritaient. Le blues marchait comme l'Ancien Testament, et Bernard considère que c'est normal et juste.

Il pense à la chanson *Death Letter Blues*. Comme ça a dû être triste de les voir déposer le corps de la jeune fille pour toujours. Et de ne plus jamais la voir. Bernard comprend ces paroles. Ça fait des années qu'il écoute ce genre de chansons.

Il voit un lien entre la maladie de la pomme de terre en Irlande qui a donné lieu à l'atroce famine, la catastrophe des inondations du Mississippi et l'assaut insidieux du charançon des pommiers. Il a lu des trucs là-dessus. Toutes ces heures passées dans sa chambre lui ont rempli la tête de telles correspondances. Il entend la joie dans ces chansons, pas la morosité, il y voit une spiritualité qu'il ne trouve nulle part ailleurs, pas à l'église, pas dans les jacasseries des prêtres. Le blues contient tout à ses yeux. S'il écoute un vieil enregistrement de Lomax sur lequel on entend un fermier brailler et taper du pied sur le sol de sa cabane en bardeaux, eh bien, ce rythme est celui du cœur de Bernard.

Quand il arrive au café, il regarde à travers la vitrine. Il sait qu'elles seront là. Elles sont toujours là le samedi après-midi ; elles vont toujours prendre un café après leurs heures de shopping. Elles commandent à boire puis s'affalent, bavardent et sirotent. Bernard se contente de regarder. Il est heureux de les voir heureuses, et de savoir qu'elles sont amies, proches, des femmes modernes à l'aise dans leur vie. Il observe de l'extérieur. C'est difficile car le soleil se reflète dans la vitrine et on peut difficilement discerner les détails, mais il voit Marian et ses compagnes sans problème. Elles sont bien là. Entourées de sacs et les lèvres posées sur leurs tasses de café.

Il enlève son casque et écoute les bruits de la rue. Des familles se promènent, des gens du coin, des touristes, tous se mêlent joyeusement sous le soleil. Ils ont de quoi s'occuper. Ne serait-ce qu'hier soir, les rues accueillaient un festival : des jongleurs, des clowns du cirque voisin et des magiciens professionnels bordaient les rues, bientôt entourés par une foule de badauds, des enfants pour la plupart, amusés, et des adultes ravis que leur progéniture ait quelque chose pour se divertir avant la fin des vacances et la rentrée. La ville a la chance d'accueillir ces manifestations, conventions, rallyes, tournois de golf ; ce doit être bien plus ennuyeux dans d'autres villes du pays, où il ne se passe rien, pas de festival, pas de quoi s'amuser ; les habitants ici sont, ou du moins *devraient être* satisfaits. Ils n'ont pas besoin d'écouter *Death Letter Blues* de Son House ; ils n'ont pas besoin de réfléchir à leur finitude, à la nature transitoire de la vie, pas un jour comme aujourd'hui. La musique métallique qu'on passe à la radio leur va sans doute mieux. Un peu de pop ne leur fera pas de mal. Ils ont des glaces et des canettes de Coca et ils vont bien. Il est content qu'aucun visage n'exprime la tristesse, content que leurs ombres penchent dans la même direction.

Il jette encore un œil à l'intérieur, se demande de quoi elles parlent. Il plie les doigts, encore endoloris après les coups qu'il a reçus il y a quelques semaines. Mais il peut jouer de la guitare et il peut tenir les rênes de sa calèche, guider la jument un peu partout, et il peut entendre les CD de sa collection et certains des vinyles qui tournent encore, et il peut entendre les accords qu'il joue quand il gratte, les notes qu'il pince et tord. Que veut-il de plus ? Marian.

« S'il prenait un bain de temps en temps et enlevait ce foutu manteau ! Je me demande comment Jack fait pour continuer à lui parler, il a la patience d'un saint, mon homme », dit Mags.

Marian en a assez de parler de Bernard. Elle ne sait pas pourquoi elles ne laissent pas tomber. Elles n'ont donc rien d'autre à dire ? La plaisanterie a assez duré. Elle a compris.

Mags boit son deuxième café et entortille un mouchoir autour de ses doigts. Cathy n'est pas prête à abandonner le sujet.

« Non mais écoute-la !? *Mon homme* ! Mais t'as raison, comment fait-il pour aller boire des coups avec lui encore aujourd'hui, je me le demande. Je ne pourrais pas supporter l'odeur. La sueur et le crottin toute la journée. »

Elle affiche une mine dégoûtée avant de reprendre :

« Au moins Ninny ne l'ignore pas, elle. »

Mags examine leurs visages. Elle a raté quelque chose ? On lui a caché un truc ? Elle déteste quand ça arrive.

« Putain, mais qui est Ninny ? »

Marian se sent obligée de la renseigner, mais elle sait qu'elle ne va faire qu'alimenter la conversation.

« Ninny, c'est sa jument. »

Le trio se tord de rire. C'est la meilleure de la journée, et même peut-être de toute la semaine. Les autres clients se retournent vers leur table, se demandant ce qu'il peut y avoir de si hilarant un samedi après-midi comme celui-ci, quelle est la chose ou la personne susceptible de provoquer de tels éclats de rire.

Bernard lorgne toujours du dehors. Si seulement il savait qu'il était l'objet de leur hilarité. S'il savait qu'il était la cible de leur plaisanterie, une fois de plus. Il a du mal à distinguer leurs visages, mais d'après leur gestuelle, elles ont l'air de bien s'amuser. Il est content de voir ça. La musique qui sort des écouteurs autour de son cou est métallique, le grognement saisissant de Son House se trouve réduit à une petite voix qui explique : « *Don't you mind, people grinnin' in your face*[1]. »

---

1. « T'occupe pas de ceux qui se moquent de toi. »

« Et on pourrait pas arrêter avec tous ces *putain*, tous ces *jurons* ? On est censées être des jeunes filles convenables, sophistiquées », dit Marian.

Cathy manque de renverser son café, et Mags se tient le ventre. Le mot « sophistiquées » a suffi à raviver les rires.

« Oh mon Dieu, je vais me pisser dessus », dit Mags, en se tenant les flancs. Elle a les larmes aux yeux et la morve lui sort du nez, et si le nom de Ninny est encore une fois mentionné, l'urine s'ajoutera à la liste de ses sécrétions.

Linda passe devant leur table une pelle à ordures à la main et elle ramasse le tas de mouchoirs.

« Et la musique était trop forte ? »

Mags fourre ses deux derniers morceaux de mouchoir dans ses narines, se lève et court aux toilettes en s'exclamant :

« Ninny, oh Ninny, mon amour. J'ai le blues ! »

Les filles continuent de jacasser tandis que Linda essuie une table voisine, en hochant la tête comme pour désapprouver leur attitude. Quand elle regarde par la fenêtre du fond, elle aperçoit la silhouette sombre de Bernard qui observe depuis la rue, et lorsqu'il lit sur son visage l'inquiétude qu'elle ressent, il s'éloigne, replace ses écouteurs sur ses oreilles échauffées, et intègre un monde où le son le met à l'abri.

3

Barbecue Bob, Homesick James, Howlin' Wolf, Sleepy John Estes, elle aime vraiment les noms de ces types et elle rit en les lisant sur les CD qu'il a éparpillés partout dans la chambre. D'habitude il est ordonné, d'habitude plutôt tatillon sur le rangement de ses affaires. Il garde les choses en ordre. Mais de temps à autre, il se relâche et compte sur sa mère pour faire un grand nettoyage, ramasser les débris, épousseter les étagères. Les posters au mur l'amusent aussi : Robert Johnson, Muddy Waters – elle aime bien ce nom-là, ça lui rappelle son enfance quand elle jouait dans le sable et la boue sur les plages de Sandy Bottom –, ce sont ses héros à lui. Elle ne connaît rien de la musique qu'ils jouent. Il lui dit souvent, mais elle décroche si facilement, elle a l'esprit toujours occupé à penser au détergent qu'elle doit acheter, ou aux légumes qu'il lui faut pour le dîner, à des choses plus philoso-phiques aussi, comme le temps, le temps, et le fait qu'il tire à sa fin. Pour elle, toutes les chansons de blues se ressemblent, larmoyantes, sentimentales. Et avec le temps qui passe, se complaire dans l'apitoiement sur soi-même est bien la der-nière chose qu'il lui faut. Mieux vaut continuer. Rester active, jusqu'au bout.

Elle aimerait croire qu'elle est son héroïne, puisque son père n'est pas là pour être un héros, mais elle n'en est pas une, vraiment pas du tout. Les mères ne sont pas censées en être. Elles sont censées être mères. Elle cuisine. Elle le nourrit. Que peut-elle faire d'autre en ce moment sinon se concentrer sur le prix et la fraîcheur des carottes ou des oignons ? Elle n'a jamais laissé son fils avec la faim au ventre, ça c'est certain, de larges portions de ragoût, des sandwiches gigantesques, il n'a jamais manqué de rien. Ils discutent, à l'occasion, et il s'ouvre à elle quand il en a envie. Mais avec un gars comme Bern, parler d'émotions, ça ne vient pas facilement, il n'a jamais été très fort pour exprimer ses pensées et ses sentiments ; plus simple de marmonner, et d'ignorer les choses, d'espérer que ça passe et ne revienne plus jamais. Malgré tout, il s'est amélioré : la musique l'a peut-être aidé à mieux se comprendre. Si ces types noirs venus d'Amérique chantent de leurs voix rauques le chagrin et la perte, alors Bernard doit se sentir concerné d'une façon ou d'une autre.

Il ne parle pas de John, et il s'assombrit dès qu'on mentionne son nom. Il ne s'en est jamais remis. Son médecin, Dr. Tadhg Brady, d'un naturel doux quoiqu'un peu vieux jeu, lui a vivement conseillé de parler, et il le lui rappelle à chacune de leurs rencontres, il croit au pouvoir thérapeutique de la parole, au fait de tout dire, de purifier l'esprit, il va jusqu'à fermer les yeux sur les quelques pintes consommées au pub du moment qu'on discute avec les amis et qu'on se défoule un peu, mais en vain. Ce qui est verrouillé chez Bernard reste verrouillé. Personne n'a la clé.

Il ne parle pas de Marian non plus, et sa mère est au courant de tout. C'est regrettable, cet engouement qu'il a pour elle. Mais elle est incapable d'y mettre fin ou de le dissuader, et Dieu sait qu'elle essaie depuis des années. Elle se souvient de s'être assise une fois avec lui sur son lit pour lui dire à quel point il se montrait ridicule et têtu. Lui dire qu'il y avait des centaines d'autres filles sur terre et que beaucoup seraient ravies de sortir avec un joli garçon comme lui. Quel âge avait-il alors ? Quinze ans ? Seize ? Est-ce qu'il l'a écoutée ? Pas le moins du monde ! Il n'a jamais fait de mal à cette fille heureusement, et elle ne pense pas qu'il lui en fasse un jour. Il ne ferait pas de mal à une mouche. Mais quand même, Brigid croise souvent sa mère, Marcia, l'austère conseillère, au supermarché, ou dans la file d'attente à la poste, et qu'est-elle censée dire ?

Je regrette que mon clown de fils tourmente votre ravissante fille depuis des années.

Et que dirait Mrs Yates en retour ?

Oh, ce n'est rien. On sait tous qu'il est un peu simplet. Ne vous en faites pas.

Brigid a trouvé une photo de Marian dans son tiroir, sous un CD ; une photo de classe, où l'on voit dix ou onze élèves en uniforme, tous à Rossbeigh en sortie scolaire pour la journée, partis étudier l'érosion littorale ou un autre phénomène géographique du même genre, la photo doit avoir quinze ans. Elle se demande qui a bien pu la prendre, et comment Bernard l'a récupérée. Il se tient sur la gauche et regarde dans le vague, mais Marian se trouve au centre avec quelques amies. Elle est belle, les cheveux bruns, raides et brillants, quelques taches de rousseur discrètes sous les yeux et sur le nez, un joli brin de fille, vraiment. Brigid voit bien comment on peut être séduit. Mais, mon chéri, tu ne fais pas le poids. Tu ne le faisais pas quand tu avais seize ans et c'est pire encore maintenant. Elle lui dit de laisser tomber mais c'est inutile. Il ne l'écoute pas. Alors que faire d'autre, sinon retourner à ses affaires, ramasser les chaussettes sales, vider les mouchoirs en papier de la corbeille, replacer la photo de sa muse sous le CD, attendre que la tragédie se déroule.

Tout comme cette photo cachée sous le CD de Mr. Buddy Guy, beaucoup de choses sont dissimulées dans leurs vies, tellement de choses qui leur font honte et sur lesquelles ils ne veulent pas faire la lumière. C'est le genre de honte dont une vie pourrait se passer. Le père noyé dans le lac, le fils un chanteur simple d'esprit. N'est-ce pas formidable de s'engager dans la vie avec ça sur le dos ? N'est-ce pas une croix lourde à porter, Mrs. Dumpy ? Elle ne saura jamais pourquoi John n'est jamais rentré à la maison ce jour-là. Elle sait que le temps s'était gâté tout à coup, une rafale soudaine, ou qu'il a dû rester coincé dans un banc de sable. Ah non, pour l'amour de Dieu, elle doit cesser de se cacher elle aussi à un moment donné, elle doit sortir et braver la tempête.

Ils regardent le journal télévisé ensemble quasiment tous les soirs mais elle ne sait pas s'il se concentre vraiment sur ce qu'il voit. Quand ils parlent de la récession, des pertes d'emploi, quand ils parlent du pétrole déversé accidentellement, des tremblements de terre, des alliances et des tribunaux, que retient son cerveau de tout ça, qu'est-ce qui lui passe au-dessus ? Peut-être vaut-il mieux qu'il vive sa vie ainsi. Dans son cocon de blues. Il n'a jamais été doué pour les études, c'est sûr, et les Frères lui ont donné des coups sur la tête. Frère Martin désespérait à son sujet : le garçon était bon en géographie et il savait nommer et placer tous les pays et toutes les villes du monde, mais c'était un *amadán*[1] en ce qui concerne les additions, et quant à l'écriture, il savait à peine tenir son crayon correctement, on aurait dit qu'un jeune coq fougueux avait pris la plume et avait attaqué le papier avec ferveur. Oh, pour ça, il avait reçu des coups, à l'époque où il était normal de tirer un garçon par les oreilles, ou de lui botter le cul à coups de bâton ou avec le tuyau d'arrosage si besoin. Mais tout cela ne l'avait pas rendu complètement stupide. Il

1. Idiot, simplet.

retenait les poèmes rapidement, et il retenait plus rapidement encore les paroles des chansons. Il apprenait à jouer de la guitare facilement et il savait aussi jouer un peu de piano. Ses rédactions et ses dissertations ne manquaient pas d'imagination, une fois qu'on avait réussi à les déchiffrer bien entendu. Non, c'était loin d'être un crétin.

Elle le soutenait. Disait qu'il fallait lui donner une chance. Restait à ses côtés. Encore aujourd'hui. Elle croit. Elle s'était inspirée de la mère de Christy Brown dans ce film, comment ça s'appelait déjà – *My Left Foot*. Une mère n'abandonne jamais. Et son fils à elle, cet homme, n'est pas infirme. Juste un peu différent. Un peu, c'est tout.

Dans le sermon de dimanche dernier, le père Kennedy a dit que les faibles hériteraient un jour de la terre. C'est une déclaration extraordinaire et difficile à imaginer pour elle. C'est vrai ? Si ça l'est, alors ça la console un peu. Bernard n'a pas hérité de grand-chose jusque-là.

John Dunphy se tient debout sur son bateau, il regarde devant lui d'un air absent. Il jette la canne à pêche dans l'eau calme, il n'en a plus besoin, et Bernard ne lancera jamais sa ligne. Les montagnes qui cernent le lac ressemblent à d'immenses moines solennels qui s'inclinent en pleine incantation, des druides en tunique, encapuchonnés, tous identiques, occupés à prier pour une âme en peine. À ses chevilles sont attachés des blocs de béton avec une corde toute neuve, une corde achetée à la quincaillerie pour l'occasion, et à côté de ses pieds nus, une bouteille de whiskey vide vert foncé et des comprimés éparpillés. Il pense aux pieds du Christ avant la crucifixion, les clous en acier qui l'ont transpercé. Mais il n'a pas le droit de penser au Christ à cet instant, il ne faut surtout pas comparer, car le Christ était irréfutablement bon. Il soulève ses pieds alourdis vers le côté du bateau et se jette dans l'eau. C'est un jour calme et l'homme est calme et en quelques secondes le bateau est calme lui aussi à la surface, il tangue à peine. Les montagnes moines ne murmurent pas, elles n'ont rien à psalmodier. Que dire ? Tout est fini. Pas de prières pour lui. Pas la peine.

Noyé, il flotte parmi les débris et les poissons, les yeux et la bouche grands ouverts, comme frappé d'horreur par sa vie.

4

Dans la chambre de Bernard, on ne trouve pas seulement la photo de Marian Yates mais aussi celle de Bernard aux côtés de son ami de toujours, Jack Moriarty. Bernard a passé son bras autour des épaules de Jack et son sourire resplendit, Jack semble retenu. Cette photo des deux jeunes garçons se voit d'emblée. Posée sur sa commode. En évidence. À la vue de tous. Il n'en a pas honte ; en fait, s'il y a une chose qu'il n'a pas de mal à mettre en valeur, c'est sans doute ça. Personne n'entre dans sa chambre pourtant. Seulement lui et sa mère. Bien sûr, sa mère la voit souvent, même si elle essaie de ne pas la regarder du tout. La culpabilité. La honte.

Il n'y a pas grand-chose d'autre dans la chambre. Des piles de CD, la guitare Gibson, des médiators de toutes les couleurs ici et là. Cette photo trône en bonne place, au centre de son univers personnel. Les photos de famille – en particulier celles de son père souriant, en train de dire ouistiti – ont dû disparaître dans un trou noir.

Et si on traversait la ville à vol d'oiseau pour atterrir dans la chambre de son « ami », ce Jack Moriarty, le prince un peu crispé sur la photo ? Qu'y a-t-il dans *son* univers ? Quelles étoiles y brillent ? Quelle matière noire ? Jack se tient devant la glace, passe son teint en revue, se toilette, brosse sa chevelure noire, épaisse, s'apprête à sortir une fois encore faire la fête. Pas de posters, certainement pas de chanteurs de blues, pas de tableaux, de bibelots, une chaîne stéréo et quelques CD, la pièce est un peu terne, sans intérêt, mais de toute façon il n'y fait que dormir et baiser.

C'est la maison dans laquelle il a grandi. Celle où il est tombé dans les escaliers à l'âge de dix ans, après quoi il a dû se faire remettre la clavicule, celle où il a mangé des frites avec tellement de ketchup que de loin on aurait cru qu'il avalait un bol de sang. Il est seul désormais, il vit selon ses propres règles, ses parents habitent dans une maison beaucoup plus grande à la campagne. Tous deux à la retraite, ils se promènent tous les jours dans les champs, ils franchissent des murs de pierre, bravent les vents, tout le monde s'accorde à dire qu'ils reprennent des forces, le grand air a ravivé le teint de son père et sa mère ne fait pas du tout ses soixante-huit ans, avec ses jambes musclées et son dos bien droit. Il règne seul sur ce petit royaume. Il peut faire ce qui lui plaît dans cette maison. Et Jack *est* le genre de gars, d'homme, à faire ce qui lui plaît. Il pulvérise du déodorant au creux de ses aisselles brunes que surplombent ses bras forts, puis tire sur la ceinture de son jean pour en mettre un peu aussi par là, il ne sait jamais à l'avance quand il va se retrouver avec une poule sur les genoux. Faut être optimiste. C'est toujours mieux de sentir bon. Pour ça, Jack suit ses règles à lui. Il s'asperge le cou d'eau de Cologne, mais pas un truc bon marché, non, de la bonne marchandise qu'on lui a rapportée d'Italie. Un truc cher. Les filles, elles savent tout de suite quand ça vaut rien. Elles le sentent à des kilomètres. La bonne came, ça les excite : Armani, Calvin Klein, ça vaut la peine de payer un peu plus cher. Il tire la langue et frétille, genre SMACK. Ooooh ouais, payez-vous une tranche de Jack Moriarty :

amant, boxeur, footballeur, bagarreur. Comment pourrait-on lui résister ?

Jack entre en flânant dans le pub mal éclairé, bruyant, salue les autres clients au passage avant d'atteindre le bar, se penche au-dessus du comptoir, discute avec Dermot le barman, et tape des doigts au son de la musique rock comme s'il connaissait la chanson et l'appréciait. La pendule au-dessus de l'étalage de bouteilles d'alcools forts affiche huit heures et Jack peut s'enorgueillir de sa routine. Le dernier samedi où il ne s'est pas trouvé en ce même endroit à huit heures pétantes ? Il ne sait même plus à quand ça remonte. Ça lui est égal si c'est toujours la même chose, quelques pintes, deux trois mots échangés avec les gars sur place, ceux qui sont de sortie, et toujours la possibilité que ça devienne un peu plus excitant s'il branche une touriste pleine d'entrain. Mais il n'aurait pas de mal à s'accommoder de n'importe quel bout de chair qu'il connaît déjà. Un coup est un coup.

Une tape sur l'épaule le fait se retourner, sachant qu'il se doute bien de qui ça peut être.

Bernard.

« Te voilà, toi », dit le *jarvey*.

Jack soupire. Son soupir équivaut à un *oui*. Il soupire tout le temps quand il voit Bernard. Ça fait des années maintenant, il ne peut pas s'en empêcher on dirait. Il a tenté de changer ce soupir de déception en un soupir de persévérance, et ça doit marcher car Bernard n'entend jamais la déception dans ce soupir, même si ses oreilles sont parfaitement en phase avec les notes, les accords, les tons.

« Bernard. »

Un jour, il pourrait juste le sortir comme ça : *Fous le camp !* Ou mieux : *Va te faire foutre, putain !* Ou il pourrait aussi s'y prendre poliment, le faire asseoir et lui dire calmement : *OK, voilà ce que je te propose. On a grandi ensemble dans le même lotissement, et on aimait les mêmes choses comme tous les gosses de huit ans, mais le temps a passé, et je ne pense pas qu'on ait besoin de continuer à se parler ; on a des styles de vie différents, des habitudes, des préoccupations diffé-rentes, et chaque moment que je passe à discuter avec toi dans ce pub, ou n'importe quel autre pub, me donne envie de t'étrangler, de m'étrangler, d'étrangler le premier venu, tel-lement je me sens assailli par la frustration et l'ennui. Je ne veux pas être grossier mais s'il te plaît, pars, va chanter tes chansons dans ton coin et laisse-moi en paix. Tu me fais perdre mes moyens. Tu me rends dingue, et j'en ai marre de soupirer.*

Quand il y pense en ces termes, c'en est presque éloquent, étonnamment, la colère du juste doit lui convenir. Normale-ment, il n'est pas très doué avec les mots, il n'a pas une très bonne diction, ce n'est sûrement pas grâce à son bagout qu'il finit au lit avec les filles. Ce doit être son physique. Et sa capacité à faire des blagues courtes et mordantes qui les mettent à l'aise. Ou peut-être que c'est juste son physique.

Il ne dit rien de tout ça à voix haute à Bernard bien sûr. Il met le couvercle là-dessus. Au lieu de ça, il dit :

« Je viens de commander, Bern, je t'offre quelque chose ?

— Allez, vas-y tant que t'y es ! »

Jack fait signe à Dermot de tirer une autre pinte et le flot brun s'écoule dans le verre, dans un tourbillon trouble qui monte. Il préférerait de loin rester assis à regarder la bière se transformer en un breuvage noir couvert d'une mousse fine et crémeuse que de faire face à cet homme étrange qu'il connaît depuis des années. Il y a plein d'autres bars en ville où il pourrait aller. Plein plein d'autres. Mais dans ce pub, il connaît les gens, les gens à qui il veut *vraiment* parler, et il sait, par-dessus tout, que les touristes de la gent féminine viennent dans ce bar assez régulièrement, pour admirer la façade d'époque et jeter un œil à l'intérieur pour voir si c'est bien l'endroit branché où ils passent de la musique branchée. Et Jack Moriarty, branché lui aussi, veut être là quand elles entreront dans son repaire.

« Tu veux t'asseoir, Jack ? »

Jack obtempère, réprime un autre soupir et salue d'autres clients qui lui font signe dans le coin du bar. Il hésite à regarder Bernard dans les yeux, de peur de trop l'encourager. Il se montrait patient pour tout ça quand il était enfant, alors même qu'il savait que Bernard n'avait pas toute sa tête. Il savait déjà tout petit que quelque chose clochait, que l'engrenage était défaillant, que le garçon était un peu cinglé. Les enfants se montrent exceptionnellement perspicaces, et Jack voyait clair quand il s'agissait de comprendre les autres. Il était conscient de ceux qui l'entouraient. Il supportait Bernard. Jouait à côté de lui. Pendant des années, il avait affiché cette sorte de stoïcisme, cette patience. Et il l'avait encore, jusqu'à un certain degré. Mais il est passé à autre chose. La vie est trop courte. Il ne veut plus rien savoir de cette période fondatrice. C'est le futur qui l'intéresse, et les points qu'il peut marquer. Sa vie se résume à ça. Les points. Sur le terrain et au pub avec les femmes faciles.

Pas plus tard que le mois dernier, il s'est tapé une Française qui venait de la Champagne, rien que ça, dans sa piaule au B&B. En la pénétrant, il avait imaginé un bouchon qui sautait d'une bouteille en gage de célébration. Le champagne de la victoire. Effervescent. Comme elle. Il l'avait rencontrée en plein centre de la ville, à Market Cross, elle était assise sur un mur de pierres en train d'écouter un musicien assassiner une chanson d'Oasis dans la rue. Jack, tel un chat sauvage, la reluquait – il ne faut pas se précipiter pour ne pas les effrayer. Et donc il avait marché tranquillement puis s'était assis près d'elle et s'était présenté. Aussi simple que ça. L'avait regardée dans les yeux. Deux trois mots, deux trois sourires et quelques heures plus tard elle était sur le dos et lui chuchotait de faire moins de bruit pour ne pas réveiller la propriétaire, tentait de réprimer ses râles, alors même qu'il savait pertinemment qu'elle aurait voulu pousser des hurlements.

Elles préfèrent l'honnêteté, il a remarqué ça. Inutile de tourner *autour* du pot, il suffit de viser *directement* le pot, les filles d'aujourd'hui n'ont pas de temps à perdre elles non plus. Toute cette comédie, ce machisme déguisé, elles n'y croient pas. Mieux vaut parler simplement. Leur faire savoir qu'on est intéressé, mais pas trop brutalement quand même, pas trop bestial ou prédateur, ça les effraierait. Franc, honnête, simple, direct, et avec une petite couche d'humour pour vernir la stratégie, le tour est joué. Si tu les fais rire dès la première minute, tu es gagnant. Il n'est peut-être pas très doué pour faire des belles phrases, il ne brille pas par son vocabulaire, mais il raconte des blagues aussi bien que les autres. Et c'est un bon commencement. Il suffit de lire n'importe quelle enquête dans *Vogue* ou *Cosmopolitan*. En tête de liste à chaque fois : *un homme ayant le sens de l'humour*. Testé et approuvé. Si elle ne rit pas dès la première minute ? Il ne reste plus qu'à fuir, elle n'est pas intéressée, inutile de perdre son temps. Et Jack n'aime pas perdre son temps. Il est habitué à ramasser des filles, il sait comment s'y prendre, il fait bon usage de ses attributs, son sourire, ses yeux, tous ses atouts. Il sait ce qui a toujours attiré les gens. Il compense ses défauts, sa petite taille, son manque d'éducation, il compense avec des choses simples, les yeux, les dents ; elles le trouvent honnête, sympa, un Irlandais bavard et accueillant sans arrière-pensées.

Tout petit déjà, Jack savait que tout le monde avait des arrière-pensées. Tout le monde désire quelque chose. Son père était représentant, il vendait des manuels scolaires, il voulait que les écoles les lui achètent et c'est ce qu'elles faisaient. Il savait les amadouer. Il leur servait son baratin et elles piochaient dans leurs économies. Sa mère voulait plus d'argent pour ça et ça, puis pour *tout* ça et *encore* tout ça ; on aurait dit qu'elle ne désirait qu'une chose, accumuler, et c'est ce qu'elle a obtenu. La maison s'est retrouvée tellement remplie de trucs qu'ils ont dû déménager. Jack se demande ce qu'ils peuvent désirer à la campagne, difficile de vouloir toujours plus de grand air. Sa mère allait-elle vouloir des champs plus grands, ses propres fermes, un comté pour elle toute seule ?

Tout le monde désire quelque chose.

Peut-être qu'un jour Jack sera un guide spirituel pour quelqu'un. Il raconterait ses secrets. Ses stratégies. S'il était plus instruit, il écrirait un livre à ce sujet. Il y a bien des gens qui ont écrit des livres merdiques sur des sujets moins intéressants. Peut-être qu'il réussirait. Ce serait un moyen d'aider les jeunes Irlandais à devenir des hommes cupides qui prennent ce qu'ils désirent. Un manuel pratique, pour ainsi dire.

Non, pas un écrivain, s'il en avait eu les capacités intellectuelles, il aurait fait de la politique. Il sait qu'il est aussi corrompu moralement que la plupart d'entre eux. Il s'y voit : un beau costume, une cravate foncée, un petit signe de tête faussement sincère à l'attention d'un électeur infortuné, ce qui ne l'empêche pas de glisser avec bonheur l'enveloppe Kraft dans sa poche de veste.

Mais pourtant il est là, il soutient la conversation, la supporte, il n'est pas si mauvais après tout, n'importe quel autre connard aurait tourné les talons et aurait laissé Bernard en rade. Jack n'a jamais fait ça. Il reste jusqu'au bout. Peut-être que ce n'est pas un salaud finalement.

« Comment s'est passé le match ?

– On a gagné. Mais je me suis attiré des ennuis. »

Jack est content que Bernard ne cherche pas à en savoir plus. Il ne connaît rien au football gaélique, il n'y comprend rien en fait. Les cartons rouges et jaunes ne signifient rien pour Bernard. Mieux vaut oublier les problèmes sur le terrain. Laisser tomber.

« Du monde au garage ?

– Correct, ça tourne. N'importe quel boulot est bon à prendre en ce moment.

– Et comment. Je suis sorti un peu cet après-midi. Pas de répit pour Ninny, elle souffre de la chaleur. À son âge, tu sais. »

Jack a remarqué les progrès de Bernard au fil des ans. Quand il était jeune, sa maladie l'affaiblissait, maintenant au moins il peut formuler quelques phrases et soutenir le regard. Aucune comparaison.

Dermot pose la pinte devant Bernard qui continue son histoire.

« Je suis allé à Muckross et Knockrear aujourd'hui. C'est le beau temps qui les fait tous sortir se balader. »

Le visage de Jack ne tarde pas à montrer son indifférence. Même s'il ne veut pas rester là-dessus, il repense à la chaleur qu'il faisait plus tôt cet après-midi sur le terrain de foot.

Jack épaule contre épaule avec un joueur de Laune Ranger au milieu du terrain, au milieu d'un match fatigant un jour de grande chaleur, les rayons du soleil chauffent au point que leurs postillons s'évaporent presque dans leur trajectoire. Les gouttes de sueur coulent de ses sourcils et lui tombent dans les yeux si bien qu'il doit continuellement s'essuyer avec son bras. Une balle en hauteur arrive et Jack, malgré sa petite stature, saute devant son adversaire baraqué pour l'attraper. En l'air, la balle éclipse le soleil, mais c'est le plus fugace des moments, la beauté est bientôt remplacée par la brutalité du jeu. Pas le temps de ruminer. Surtout pour celui qui prétend ne pas avoir un seul os de poésie dans son corps de béton. Il a un boulot à exécuter. Il esquive et zigzague devant les joueurs. Il est difficile à attraper. Jack le crack. Finalement, il tente un défi de taille et tombe au sol, dégoûté ; ce type va payer pour ce coup, il a son numéro. Il reçoit de nouveau la balle, une belle passe de John O'Donoghue. Il est à même de filer jusqu'à la ligne de touche et de renvoyer un centre dans les mains du grand Brian Sheridan qui attend. Sheridan l'envoie bien au-dessus de la barre. Il est complet et il a l'œil, ce joueur. C'est un plaisir de jouer avec lui. Jack l'aime bien, le considère comme un ami. Jack a marqué un but aussi dans ce match, et il reste vingt minutes. Ils donnent une bonne raclée à leurs adversaires, comme prévu. Ils pourraient continuer comme ça et gagner tout du long cette année encore s'ils maintiennent ces performances semaine après semaine. Et c'est à prévoir.

Le manager ne l'aime pas. Jack le sait. Il lui a dit en face : « Je t'aime pas, Moriarty. Il y a un truc pas clair chez toi. J'aime les joueurs honnêtes. Durs mais honnêtes. »

Jack a provoqué trop d'altercations, sur le terrain, à l'entraînement, dans les vestiaires, partout où il va. Moynihan, l'entraîneur, pense que Jack est trop égoïste, qu'il court toujours après la gloire pour lui-même. Il a probablement raison. Mais Jack sait qu'il est indispensable. – s'il n'est pas là, l'équipe en souffre. Il est en bonne position. Dans sa tête, il est Clint Eastwood, le fanfaron, celui qui plisse les yeux face au soleil dans le western spaghetti. Mais pour tous les autres sur le terrain, c'est juste un trou du cul.

Le match se déroule à toute allure, même si l'équipe adverse montre des signes de fatigue, leurs passes sont moins soignées, plus facile pour Jack et ses coéquipiers de ramasser les balles perdues. Alors que Jack bondit devant un autre joueur, un adversaire l'attrape par le maillot, il est trop lent pour suivre le rythme. Jack n'apprécie pas le geste et tente de l'ignorer. Comme le joueur ne lâche pas, Jack lui donne un coup de coude dans le visage, hors du champ de vision de l'arbitre. Un craquement se fait entendre, os contre os, et Jack ressent un frisson lui monter le long du dos ; trop immédiat pour savoir si c'est un frisson de plaisir ou de regret. Le sang jaillit de son nez et le joueur se laisse tomber sur les genoux en hurlant, s'ensuit une bonne grosse bagarre entre les deux équipes et l'arbitre, maigrichon et chauve, arrive en soufflant furieusement dans son sifflet argenté pour tenter de disperser les joueurs et de rétablir l'ordre après ce chaos soudain.

« C'est une fois de trop, Jack. »

Jack n'aime pas ce carton rouge brandi devant lui. Le chiffon rouge d'un matador.

« Foutaises. Je l'ai pas touché.

— Si ça continue, ils te vireront définitivement, mon gars. Ils ne te laisseront plus jamais jouer.

— Comme si j'en avais quelque chose à foutre.

— T'es allé trop loin cette fois, Jack. C'est terminé. »

Jack fait un doigt d'honneur à l'arbitre et part en furie. Il enlève son maillot noir et ambré et le jette sur le côté ; il reste là sur le terrain, sous le soleil brûlant de l'après-midi, comme s'il allait s'enflammer, brûler et se réduire en cendres d'un moment à l'autre. Il marche torse nu jusqu'à la ligne de touche, en arborant une allure de guerrier, épaules carrées, menton levé. L'arbitre et les autres joueurs restent bouche bée, certains choqués, d'autres déçus ; les adversaires à l'évidence ravis, tous très certainement contents de profiter d'une petite pause. Le sang s'écoule entre les doigts du joueur blessé alors qu'il tient son nez tout cabossé.

En dehors du terrain de football, il relève un défi du même acabit. Alors que les joueurs s'en vont, Mags le pousse contre sa voiture, se penche et l'embrasse à pleine bouche. Il sort un paquet de cigarettes et ouvre son Zippo d'un coup de pouce. Il sait qu'il ne devrait pas fumer. Personne d'ailleurs. Encore moins les joueurs de foot. Mais il se peut qu'il ne joue plus jamais au foot, ce connard d'arbitre est peut-être sérieux. On sait jamais avec ces abrutis. Et ce sont vraiment des abrutis au bout du compte. Qui d'autre s'acquitterait de cette tâche ingrate ?

On l'avait déjà menacé. Il s'était fait remonter les bretelles, il avait mauvaise presse. Patrick Culloty, journaliste sportif pour un torchon local, le décrivait comme un « footballeur-né, imprévisible, talentueux, une boule d'énergie comme on en trouvait dans le Kerry, mais enclin à réagir de manière explosive, ce qui finirait par faire de lui son pire ennemi ». Jack avait appris ça par cœur, il trouve ça plutôt drôle. Tôt ou tard, ils en auront tous assez ; il aura exaspéré tout le monde pour de bon. La presse s'en délectera, et la période creuse sera soudain ravivée par les ragots du coin. L'équipe de football du Kerry sera traînée dans la boue. Culloty innocenté. Et Jack dans tout ça ? Comme il le leur a déjà dit, il n'en a vraiment rien à foutre.

Il pense à offrir une cigarette à Mags, mais elle secoue la tête en signe de refus. Elle a envie d'autre chose.

« Alors tu étais là. »

Elle lui attrape la main et la fourre entre ses jambes.

« Je suis toujours là. »

Il exhale deux traits de fumée de ses narines, un dragon qui s'échauffe. Qui pourrait si facilement s'enflammer.

« OK, ça suffit. Dégage. On pourrait te voir. »

Elle regarde autour d'elle, le parking est désert, personne en vue, et même s'il y avait quelqu'un, elle prendrait bien le risque. Elle veut tellement qu'il la touche, ne serait-ce qu'une petite tape de la main sur les fesses, la moindre titillation, un truc qui lui fouette le sang, la promesse de plus à venir.

« Qu'est-ce qui se passe ? dit-elle.

– T'as un rhume. Je veux pas l'attraper.

– Prends le risque. »

Ce n'est pas la première fois qu'il l'entend dire ça. C'est elle tout craché.

« On va pas baiser ici en public pour être vus si c'est ça que tu veux. »

Elle l'énerve. Ses vêtements froissés l'énervent. Il redresse le col de sa chemise.

Ça l'énerve d'être associé à ces voyeurs, ce tas de pervers qui font du *dogging* et qui prennent plaisir à s'exhiber en public pour faire l'amour, des traînées et des salopes qui aiment baiser dans les voitures ou sur les voitures pendant que les spectateurs se masturbent devant leur performance. Un concept malsain. Tout le monde avait parlé du scandale de ce couple il y a quelques années, et ces pervers existent toujours aujourd'hui, même s'il y en a moins. Les gens se sont lassés, comme pour tout.

« Je rentre à la maison manger un truc. J'irai en ville après. »

Ça ne la surprend pas. C'est toujours ce qu'il fait. Parfois elle le suit, mais ces temps-ci, il n'est pas disposé à l'inviter.

« Je te rejoindrai peut-être.

— Je crois que tu ferais mieux de rester chez toi, et de soigner ton rhume. »

Mags prend un mouchoir dans son sac et s'essuie le nez tout en regardant Jack entrer dans la voiture. Son envie va devoir patienter. Elle ne va pas obtenir grande satisfaction avec cette saloperie de rhume, le nez bouché.

« Attends, je ne suis pas venue en voiture. Marian m'a déposée ici. Tu peux au moins me ramener. »

Mais Jack a déjà embrayé et il démarre. Il lui fait un petit signe de la main et la regarde rétrécir dans le rétroviseur. Il aime bien commander. Leur faire de la peine. Il pense au nez de son adversaire, le craquement qu'il a produit, comme une branche qui se brise dans le silence d'une forêt. Oui, ce frisson qu'il a ressenti sur le terrain, ce n'était pas du regret, c'était du plaisir, une gratification pure et simple, immédiate, pas de compassion, pas de remords. Il va se repasser la scène encore et encore. On déconne pas avec Jack Moriarty.

Voilà les images qu'il passe en revue dans sa tête alors qu'il fait semblant d'écouter son soi-disant ami Bernard Dunphy au Yer Man's Pub un samedi soir ; le niveau de mousse crémeuse baisse de minute en minute et laisse sur le verre des traces de bière blanc cassé, Bernard décrit le déclin progressif de sa vieille jument, Ninny, le vieux canasson au nom ridicule. Comment se fait-il que cet animal soit encore en vie ? Elle était déjà là quand Bernard était adolescent et elle vit toujours ? Elles vivent combien de temps, ces bêtes ? Vingt, trente ans ? Jack se souvient du cheval qu'ils avaient avant Ninny. Celui sur lequel Bernard a appris à monter, Captain Nestor. Jack n'a jamais su d'où lui venait son nom. Quel génie avait suggéré un nom pareil ? Mais les deux jeunes garçons jouaient sur lui comme le font de jeunes freluquets : aux cow-boys, aux Indiens, à la cavalerie de deux officiers, jusqu'à ce que le shérif John Dunphy arrive et les fasse déguerpir, leur dise de laisser le cheval et la voiture tranquilles, sinon il les enfermerait tous les deux dans une cellule pour de bon.

Jack porte sa pinte à ses lèvres et boit tout doucement. Il est presque temps d'en commander une autre. C'est comme ça. On en vide une et on passe à une autre. Un nouveau cheval. Une nouvelle pinte. Un nouvel adversaire à battre, à vaincre. Une nouvelle greluche, pour passer le temps. C'était les affaires, ce qui est à faire doit être fait, et si ça implique d'être glacial, c'est ainsi. C'est comme ça que les affaires marchent, comme ça que le cerveau de Jack fonctionne aussi. Ça lui rappelle une autre affaire dont il doit s'occuper le lendemain. Un service à rendre à quelqu'un. Mais il s'en souciera plus tard. Chaque chose en son temps. Pour l'instant, bière. Et y aura-t-il un peu d'excitation ce soir ? Peut-être. Il aime se dire que c'est possible en tout cas. De l'excitation. De l'ambiance. Os contre os. Ils déconneront plus avec Jack Moriarty et s'ils essaient, ils le paieront, c'est sûr.

Linda et Mike installent des enceintes dans le coin au fond du bar. Ils ont hâte de jouer, toujours tendus avant de commencer, mais le trac se dissipera dès qu'ils joueront les premiers accords. Ils font ça depuis qu'ils sont tout jeunes. Linda Mackey chantait à Bantry, là où elle a grandi, avec sa mère, une très bonne violoniste, et son père, le ténor. Et Mike Daly gratte de la guitare depuis l'âge de dix ans, il a participé à des compétitions de jeunes talents un peu partout dans le pays, et là à nouveau, il se prépare à monter sur scène. Même si bien sûr il n'y a pas vraiment de scène, rien d'aussi ostentatoire au Yer Man's, juste un coin réservé avec deux chaises, un ampli ou deux, deux enceintes. En toute simplicité. On trouve ça complètement prétentieux ou pas du tout, tout dépend si on est un habitué ou pas : certains, les frimeurs de première, n'y voient que du faux et restent bien à l'écart, les autres appré-cient le côté sans fioritures, simple et plaisant, et sont ravis de s'asseoir, de boire et de se plonger dans l'ambiance.

Deux hommes d'âge moyen jouent aux échecs en silence, les pintes de Guinness trônent à côté du plateau, une bouteille de vin recouverte de cire sert de bougeoir et la lueur fébrile éclaire leurs visages. Ils viennent aussi souvent que Mike et Linda dans ce bar, aussi souvent que Jack et Bernard. Aussi souvent que Marian Yates qui entre à l'instant accompagnée de Cathy Connor, la porte se referme derrière elles comme dans un saloon de flingueurs. La flamme de la bougie vacille mais les joueurs d'échecs ne se déconcentrent pas. Celui à la barbe blanche, Marty, s'apprête à prendre le cavalier de Jeremy, un petit sourire narquois froisse le bord de sa bouche. Ce pourrait être le coup qui lui fait gagner la partie, si tout se passe comme il l'a prévu dans sa tête.

Mais ici-bas, même quand il fait soleil un week-end à Killarney, tout ne se passe pas toujours comme chacun le voudrait. Un mauvais pas, et tout peut s'en aller à vau-l'eau. Peut-être pas aujourd'hui. Peut-être que la journée d'au-jourd'hui finira sans histoires, sans bagarre ni dispute ; il fai-sait soleil après tout, un grand soleil qui a chauffé sans faillir, une chose rare ; il brille toujours dans leurs yeux. Mais bientôt, il n'y aura plus de lumière, pour certains du moins, comme lorsqu'on jette un vieux tapis ramolli sur un feu de joie et qu'aucune étincelle ne crépite. Bientôt, l'obscurité tombera sur les malheureux, les faibles peut-être, les méprisés ou les maltraités, ou simplement les malchanceux. Bientôt l'obscurité à jamais.

John Dunphy attache la corde à ses chevilles. C'est serré, tellement serré que ça devrait faire mal. Mais ça ne fait pas mal. Plus maintenant. Il a dépassé la douleur. Les comprimés et le whiskey s'en sont chargés. Il pleure, des grosses larmes salées ; il en a assez versé tout l'après-midi pour faire déborder le lac. Il regarde la bouteille vide de Jameson, écœuré à l'idée de la quantité qu'il a ingurgitée, et de la vitesse à laquelle il l'a fait. Le fléau du pays : des hommes vertueux qui boivent du bon whiskey, de la bonne bière brune. Mais ça peut mal tourner tellement vite, le démon prend la main, des cohortes d'hommes en peine, à genoux, des épouses et des enfants à la dérive, à l'abandon. Il pense un instant qu'il pourrait fracasser la bouteille et s'ouvrir les veines avec un morceau de verre ébréché. Pas pour la douleur mais pour le côté symbolique. Simplement pour confirmer la chose quand on trouvera son corps, pour que personne ne doute une seconde de ce qui s'est passé. Mais il ne le fait pas. Il a déjà assez fait pour mettre fin à ses jours. Et au moins, il est content de sa décision.

Il y a un poisson mort dans le bateau avec lui. Il ne sait pas combien de jours il l'a gardé là. Sa bouche est grande ouverte, ses yeux aussi, définitivement, il a l'air bizarrement animé, même raide mort. Il n'a probablement jamais fait de mal, et John l'a remonté, l'a vu s'agiter au bout de sa ligne, se débattre pour retrouver la liberté. Tellement de vie autour de lui, un combat pour trouver l'air et la lumière, et lui qui s'engage dans une voie totalement opposée. Anti. Le poisson a échoué dans les affres de la mort. Un exemple supplémentaire du tort de John Dunphy. Un autre exemple de sa cruauté gratuite. Peut-être que c'est pour ça qu'il l'a gardé là. Pour s'en souvenir.

Il se lève. Le bateau tangue. Serait-il capable de soulever les blocs de béton, de les poser sur le côté du bateau et de se jeter à l'eau ? Oui. Ou il mourrait en essayant. Voilà. Comique en fin de compte. Une dernière plaisanterie grinçante qu'il réussit à faire. Et qu'a été sa vie de toute façon sinon cela ? Une bonne grosse blague. Il a honte. Il déshonore tous ceux qui le connaissent.

Il retrouve son équilibre même si c'est chose difficile vu tout ce qu'il a ingéré, le whiskey et les comprimés en masse et à toute allure. Sa tête tourne. Mais les vagues sont inexistantes et cela le stabilise. Et bientôt il sera inexistant lui aussi. Pour le mieux-être de tous. Cela le stabilise encore plus.

Il s'approche du bord, regarde les profondeurs troubles. Il n'y a pas de sirènes, pas d'enchanteresses pour le calmer, tout juste l'attrait du dernier déluge, la fin du sang palpitant.

Nous y voilà, dit-il. Et puis, désolé. Et puis, il répète, désolé. Une dernière larme et puis il expire une toute dernière fois, cette larme se mêle à toutes les autres larmes du lac Muckross, englouties et oubliées, indétectables, comme si elles n'avaient jamais même été versées.

DIMANCHE

woke up this morning

5

La conseillère municipale Marcia Yates, une femme élégante de cinquante-cinq ans, emprunte l'allée qui mène à la maison de sa fille. C'était la sienne avant, cette maison mitoyenne de trois chambres, et avec son mari Marcus, ils y ont élevé deux jolies filles, Marian et Georgina. Marian s'était réjouie de pouvoir passer un marché avec elle, de pouvoir acheter à si bas prix, le premier échelon de l'accès à la propriété, comme ils disent aujourd'hui de manière plus ou moins imagée. Et Marcia était contente de la vendre, et de savoir que sa fille habitait dans un endroit à elle, qu'elle était indépendante, en sécurité sur son échelon. Marcia habite désormais dans ce que certains appelleraient la campagne, même si ce n'est qu'à un kilomètre ou deux de la ville. Georgina est à Dublin, elle avance bien dans ses études, a presque terminé en fait, et son petit ami, un avocat fortuné, l'adore ; elle s'en sortira très bien. Marcia Yates ne s'est pas mal débrouillée donc, à tous égards, ses filles ont une situation stable, sa nouvelle maison est magnifiquement aménagée – une amie s'était occupée de la décoration intérieure avec un goût si assuré qu'elle pouvait figurer dans un magazine haut de gamme.

Si seulement elle avait quelqu'un avec qui y vivre. Marcus était parti avec sa secrétaire, une pute à gros seins, assez négligente pour lui laisser des messages que Marcia pouvait lire le soir quand son mari prenait sa douche ou dormait. Connasse. Si elle avait été blonde, elle aurait parfaitement collé au cliché. Enfin, lui aussi, un idiot fini vraiment, se dit Marcia, de ne pas avoir gardé son portable sous ses yeux dès le début. Peut-être qu'il voulait juste se faire surprendre. C'était ça, son jeu ? En tout cas, il n'avait pas mis longtemps à faire ses valises, il ne s'était pas laissé impressionner par le coup de fouet verbal de sa femme, comme s'il s'y attendait et s'y était préparé pour mieux laisser derrière lui sa vie à Killarney et tout ce qui allait avec, bien loin derrière lui. S'il s'était repenti, elle aurait même envisagé de revivre avec lui, elle ne l'aurait sans doute pas fait, mais au moins elle aurait eu le choix. Mais il ne s'était pas repenti le moins du monde, étonnamment, ce qui ne lui avait pas laissé le choix, il ressemblait à un assassin sans remords, au banc des accusés, fier de son massacre. Voilà ce que c'était pour Marcia : le matraquage d'une famille parfaite. Le démantèlement d'une structure stable.

Marcus mène une vie heureuse à Dublin, dans un appartement avec sa poule, il travaille pour une nouvelle société, dont Marcia ignore même le nom, ou elle l'a su mais ne s'est pas souciée de se le rappeler. Ainsi, il voit Georgina régulièrement. Marian sait qu'ils se sont retrouvés pour un Irish coffee la semaine passée, à Temple Bar, et qu'ils ont mangé une pizza à Ballsbridge le mois précédent. Marian critique sa sœur au bout du fil, lui dit qu'elle devrait faire souffrir son père, pour tout le mal qu'il a causé, pour avoir détruit leurs vies. Marian sait entretenir l'amertume, être rancunière et refuser de passer à autre chose. Elle pourrait faire carrière dans la politique elle aussi.

Et qu'en est-il de la pauvre mère ? Eh bien, la pauvre mère s'occupe avec son travail de conseillère, et quand elle a terminé, elle rentre chez elle dans sa jolie maison vide, ouvre la porte et contemple les meubles neufs qui prennent déjà la poussière. C'est ce qui arrive dans une maison inhabitée ; on ne pose ses fesses que sur un siège à la fois, la tasse de café ne laisse qu'un cercle mince sur le bois, tout le reste est intact comme dans une maison fantôme, les particules dans l'air se font de plus en plus visibles dans les rayons du soleil.

C'est un plaisir, donc, de voir sa fille aînée si souvent. Elle a ça, au moins, pense-t-elle alors qu'elle se tient devant son ancienne porte d'entrée et qu'elle sonne avec impatience, attendant que Marian vienne lui ouvrir, probablement les yeux bouffis et en pyjama. Avant, elle avait une clé bien sûr, mais elle l'a rendue, elle ne veut pas arriver en plein milieu d'une scène qu'elle n'a pas à voir, Dieu l'en préserve. Les jeunes gens ont besoin d'intimité de nos jours. Tout le monde en a besoin.

Sa mère l'avait élevée de manière stricte. Il fallait toujours faire ses devoirs avec soin, en traçant les lignes à la règle, en mettant la date, sans bavures. La messe tous les dimanches : qu'il pleuve, grêle ou qu'on préfère lancer des boules de neige. Les chaussures étaient cirées et brillaient si bien qu'on pouvait s'y voir comme dans un miroir. Le visage resplendissant lui aussi bien entendu. Les joues roses, rayonnantes. Tout était dans la présentation. Tout ce nettoyage et ce cirage a dû déteindre sur elle.

Elle regarde l'embrasure de la porte, la peinture s'écaille, il faudrait passer une couche, partout d'ailleurs. Marcia respire un grand coup. Elle va essayer de ne pas contrarier sa fille cette fois, elle va essayer de ne pas rouspéter ni de donner de leçon ; elle a tendance à faire ça. Peut-être que c'est la raison initiale pour laquelle elle est devenue conseillère, ce sens de l'autorité, souvent fondé bien sûr, mais souvent aussi totalement déplacé. Il faut qu'elle fasse attention. Si elle perd sa fille, elle sera vraiment très seule.

« Maman.

– Tu t'es décidée à te lever, pour finir ?

– C'est dimanche.

– Je sais quel jour on est, Marian, je reviens de la messe.
Je me suis dit que j'allais passer pour un café avant que tu ne
t'éclipses pour la journée. Encore au pub sans doute. »

Et voilà. C'est parti. Comme d'habitude, ses paroles ont
devancé ses pensées.

Marian sait que si sa mère va à l'église, ce n'est pas par
conviction religieuse ; elle est aussi athée que ses filles. Ses
apparitions à la messe du dimanche lui permettent de se montrer en public et de récolter des votes ; les gens qui la voient
s'agenouiller et prier pensent qu'elle est respectable, loyale et
solide. N'importe quoi bien sûr, mais Marcia est un stratège
politique, elle connaît les règles de ces jeux. Elle perd rarement. Elle n'a connu qu'un seul véritable échec, contre une
plus grosse paire de seins. Et elle ne pouvait rien y faire. Si
Marcus ne se satisfaisait pas de sa poitrine affaissée par l'âge,
alors c'est lui qui s'était montré superficiel. Naturellement, le
sentiment de perte n'a fait que raviver sa combativité.

« Entre. Je vais faire chauffer de l'eau. »

Marcia se penche pour ramasser le courrier par terre. Qui
date de deux jours au moins.

« T'es trop flemmarde ou trop décontractée pour ramasser
et lire ton courrier ? »

Le ton de Marcia se veut léger mais c'est rarement l'idée
qu'on s'en fait. Elle ne peut pas s'en empêcher. La politique a
endurci sa langue, l'a rendue caustique. Les gens l'ont vue se
battre pour gagner des élections souvent enflammées et serrées,
et son verbe cinglant, son venin, valent le détour, des hommes
mûrs se sont vus reculer et ramper, beaucoup d'autres préfèrent
se tenir à l'écart.

Elle conduit sa fille dans le couloir, c'est comme ça qu'elle
aime mener sa vie ; en coureur de tête, en leader. Quand elles

entrent dans la cuisine, Marian se met à préparer le café, mais son esprit n'est pas encore tout à fait prêt à attaquer la journée, elle a du mal à réfléchir à ce qu'il lui faut pour mener à bien sa mission : des tasses, des cuillères, et bien sûr de l'eau dans la bouilloire pour commencer.

Marcia adore se retrouver dans son ancienne demeure ; il fut un temps où tous les quatre y étaient extrêmement heureux. Marcus installait le sapin de Noël dans ce coin-là. Tous les ans, il finissait par s'empêtrer dans les guirlandes électriques comme un personnage de dessin animé maladroit et les enfants, dans l'excitation de Noël, se disputaient pour le libérer. Dans le coin opposé, ils regardaient la télévision, la première télé qu'ils avaient achetée, une Hitachi, leur avait servi pendant des années : *Dynasty*, *Falcon Crest*, les enfants et leur *Bosco* et tous les samedis matin, *Anything Goes*. Elle voudrait bien revenir en arrière, même une journée, toucher les joues douces et remplies de ses filles, charrier son mari sur sa moustache de Village People, au début des années quatre-vingt, il faisait gay. Une journée : retourner en arrière juste une journée. Même ça, ce ne serait pas suffisant. Mais on ne peut pas rentrer à la maison. Impossible de faire marche arrière. Même pour retourner au jour où elle a lu les messages sur le portable de Marcus. Changerait-elle quelque chose si elle pouvait revenir en arrière, juste au moment où elle avait vraiment compris que son mari la trompait ? Ferait-elle semblant de ne rien savoir ? Le laisserait-elle vivre son aventure, pour qu'il se libère de tout ça ? Sa maison ne serait pas aussi vide. Il rentrerait après le travail, certains jours en tout cas.

Elle ne sait pas. Difficile de réfléchir en élaborant de telles suppositions. Et puis ça n'a pas d'importance. Tout ça reste emprisonné dans son passé. Sous clé. Bon débarras. En fait, le rôle de la victime dans son ensemble, le fait d'avoir été maltraitée, n'a fait qu'accroître son pouvoir d'attraction, a nourri la compassion des électeurs, les gens aiment voir les opprimés se relever, sortir de la crise avec succès ; Marcia est bien placée pour le savoir, et elle va en tirer profit autant que possible.

« T'as encore la gueule de bois ?

– Ne commence pas. J'ai seulement bu deux trois verres hier soir avec une fille du boulot.

– Deux trois ? »

Marcia ne peut réprimer le ton amer de sa voix. C'est comme s'il était toujours là, prêt à sortir, pour réprimander à n'importe quelle occasion. Elle doit se dominer. Sa fille n'est pas parfaite. Personne ne l'est. Elle pousse les lettres vers Marian.

« Ouvre celle-ci d'abord. Je sais ce que c'est. »

Marian regarde l'enveloppe toute décorée.

« C'est quoi ? »

Elle l'ouvre et lit l'invitation.

« Ton cousin, Jim, il se marie. Et il a deux ans de moins que toi. Ils se marient tous. Même cet imbécile s'est trouvé une femme. »

Marian connaît la chanson. Elle espère que ce n'est pas un de ces dimanches matin qui virent au sermon sur l'importance de se marier avant l'âge de trente ans, et sur les trentenaires qui feraient aussi bien d'escalader une montagne, de se coucher au sommet et d'y mourir, comme le font les vieux Amérindiens. Rendre l'âme.

« La pauvre fille, qui qu'elle soit. Enfin, je ne vais pas me lancer dans une discussion sur le mariage. »

S'ensuit un moment de silence gêné, toutes deux évitent de se regarder. Le grand mot a été prononcé et il peut causer toutes sortes de ravages si on le laisse en liberté.

« Tu vas y aller ? demande Marcia.

– Au mariage ? Ben, je vais y réfléchir. Il n'est pas exactement la personne que je préfère au monde.

– C'est ton cousin, et tu devrais y aller. »

Marian sait que c'est une stratégie politique, mère et fille souriant sur les photos de mariage, comme si rien de mal ne pouvait leur arriver dans la vie. Mais elle n'aime pas son cousin. Elle connaît sa réputation, les bagarres dans les pubs, un hooligan depuis toujours. Quand ils avaient dix ans, il avait cassé le doigt d'un autre garçon, exprès, l'avait coincé dans un étau, dans la cabane du jardin. À l'âge de dix-huit ans, on le soupçonnait de faire partie d'un gang républicain, rattaché à l'I.R.A. Rien de tout cela n'a été prouvé et la plupart pensent que c'est une pitoyable tentative pour revendiquer un statut de gros dur, une propagande grotesque. Cela dit, un Anglais en visite à Tralee pour le festival de la Rose avait été frappé brutalement, tard ce vendredi-là, le soir même où Jim avait pris le bus pour aller se saouler la gueule dans la capitale du comté. Personne n'avait été condamné, mais Marian avait entendu les rumeurs, et elle connaît son cousin.

« Tu devrais venir accompagnée. »

Marian hausse les épaules.

Marcia regarde la bouilloire immobile encore froide : « Il faut la brancher d'abord. »

Marian obéit, vexée de ne pas savoir faire les choses les plus simples, vexée qu'on lui dise quoi faire, vexée de ne pas être bien réveillée. Elle appuie sur le bouton. Mais elle sait que c'est sa mère qui appuie sur *ses* boutons, qui manie ses interrupteurs. Elle croise les bras et la regarde, comme pour anticiper l'attaque. S'ensuit un autre moment de silence, que seul vient interrompre le bruit de l'eau dans la bouilloire qui commence à frémir.

« Et Martin, qu'est-ce qui lui est arrivé ? »

Rien ne pourrait l'arrêter de vrombir désormais. Marian doit soit l'ignorer, soit l'écraser comme elle ferait avec une bestiole agaçante.

« Rien. On a rompu. Il est parti.

– Pourquoi ? T'étais pas capable de t'accrocher ? »

C'est donc ça que les femmes sont censées faire ? *S'accrocher*, comme on s'accroche à un cheval de rodéo, même quand il rue pour se libérer, *s'accrocher*, même quand il vous traîne dans la saleté.

« Je ne sais pas pourquoi je n'ai pas pu *m'accrocher* à lui. C'est ce que font les hommes. Ils partent. Pourquoi tu demandes pas à papa ? Tu lui ramasses toujours son courrier par terre ? Ou c'est réexpédié là où il habite, Dieu seul sait où ? »

Une autre minute ou deux de lourd silence précèdent le bruit de la vapeur qui sort du bec de la bouilloire. Ni l'une ni l'autre ne pensait que l'eau aurait bouilli si vite.

Marcia se lève rapidement. Aussi rapidement que lorsqu'elle se dirige vers l'estrade où on compte les bulletins, où la conquête lui appartient, déjà prête pour le discours de clôture et les sourires aux électeurs en contrebas.

« Bien. Ne t'embête pas avec le café. J'en ai assez entendu, surtout pour un dimanche matin ensoleillé, juste après la messe. »

Marian regarde sa mère se lever et quitter la cuisine. Le show habituel. Un dimanche comme les autres. Tellement prometteur, et pourtant vite réduit à néant, par trop d'orgueil et d'absurdité, comme d'habitude. L'espace d'un instant, elle envisage de la rappeler et de lui dire de venir s'asseoir, pour qu'elles arrêtent toutes les deux de se montrer si mesquines et qu'elles s'expliquent comme des grandes personnes, de vrais adultes.

« À dimanche prochain, alors. »

Elle ne peut rien offrir de plus. Elle ne sait pas si c'est le contrecoup des festivités du samedi soir qui l'abrutit ou si c'est l'ennui de vivre la même chose toutes les semaines.

La porte d'entrée s'ouvre bruyamment et Marian écoute le petit bruit sec des chaussures de Marcia dans l'allée. La maison revêt un calme étonnant. Peut-être qu'elle préférait elle aussi quand ils étaient quatre, plutôt que de se retrouver seule comme ça. Le bruit que quatre personnes peuvent faire dans une petite maison lui manque, les allées et venues incessantes, les portes qui se ferment, qui claquent parfois, la télé toujours en bruit de fond et les disputes pour maîtriser ce bruit. Son père l'adorait. Les adorait toutes les deux. Cette façon qu'il avait de leur sourire quand elles dessinaient, ou confectionnaient une babiole pour la fête des pères. Comme si elles ne pouvaient rien faire de mal. Et à cette époque, elles ne pouvaient rien faire de mal. Leur mère rouspétait, punissait, leur père était plus doux, influençable, invariablement. Et pourquoi tout cela a-t-il pris fin ? Pourquoi est-ce que cette salope de secrétaire s'est révélée plus importante que sa famille ? Pourquoi les hommes sont ainsi faits ?

Elle débranche la bouilloire. De toute façon, elle ne voulait pas de café. Elle ne veut rien. Elle veut juste oublier l'incident, retourner au lit et ne pas penser à sa mère, à son père absent, à sa brute de cousin et son épouse-qui-va-en-baver. Elle prend le paquet sur la table, sort de la cuisine, se traîne dans les escaliers, et l'ouvre sur la commode de sa chambre, en faisant voler l'enveloppe, qui tombe sur la corbeille et en renverse le contenu par terre. Elle a la flemme de ramasser. C'est le gros intérêt de vivre seul : le bazar que tu mets, c'est *ton* bazar. Tu ramasses quand tu es fin prêt à le faire. Personne ne regarde par-dessus ton épaule l'air consterné, personne ne te secoue pour te dire de faire les choses, et plus vite que ça.

Elle regarde la collection de photos qu'elle a fixée sur un panneau de liège, juste à côté de son lit. Plein de clichés : Mags et Cathy. Les photos sont censées donner l'impression qu'elles ont été prises de manière spontanée, sur le moment, mais elles ont été soigneusement orchestrées, répétées, sont toutes fausses. Les amies dans différentes villes et métropoles : Amsterdam, trois jours passés à fumer du cannabis et à se moquer des prostituées en vitrine ; Magaluf, en virée dans les bars en compagnie d'affreuses garces de Coventry ; Dublin, une sortie shopping plutôt tranquille en comparaison, la photo a été prise devant Brown Thomas, avec d'énormes sacs du magasin à leurs pieds, les anses des sacs relevées, comme des enfants qui réclament de l'attention et les mères à moitié éméchées qui les ignorent. Elle sort la cassette de sa boîte et la glisse dans le lecteur de la chaîne. Puis elle enlève sa mince robe de chambre et se glisse dans son lit. Ses jambes sont lourdes. Elle ne sait pas si elle couve quelque chose ou si ce sont les conséquences de la danse de la veille. Elle n'est pas aussi jeune qu'elle aimerait le penser. Il y a un moment où ça siffle sur la cassette et elle sourit légèrement, puis elle entend le son de la voix de Bernard.

« La chanson suivante est une reprise, OK, Marian. Elle s'appelle *Blood in my Eyes*. C'est une vieille chanson traditionnelle rendue célèbre par les Mississippi Sheiks. Mais j'aime aussi la version que Bob Dylan a enregistrée. »

Un raclement de guitare. Qui s'arrête de manière abrupte.

« Merde, c'est pas le bon accord. Je recommence. »

Elle n'arrive pas à croire qu'elle glousse comme une petite fille dans son lit. Si on la voyait. Sa mère la critiquerait sûrement pour ce manque de sophistication.

Elle est étendue les mains derrière la nuque. Autant qu'elle savoure le divertissement.

La guitare reprend, et Bernard chante doucement.
Woke up this morning, feeling blue.
Seen a good looking girl, can I make love to you ?
Hey, hey babe I've got, blood in my eyes for you,
Hey, hey babe I've got, blood in my eyes for you[1].

---

1. Je m'suis réveillé ce matin avec le blues,
   J'ai vu une jolie fille, dis, j'peux te faire l'amour ?
   Hé, hé, baby, j'ai les yeux qui saignent pour toi,
   Hé, hé, baby, j'ai les yeux qui saignent pour toi.

Marian relève sa couverture jusqu'au menton et ferme les yeux. Il fait assez noir dans la pièce et elle va peut-être réussir à se rendormir. Même si Bernard fredonne, elle pourra peut-être s'assoupir une fois de plus, une heure peut-être, deux qui sait, elle est fatiguée. Ils étaient allés dans un club en sortant du pub hier soir, ils avaient beaucoup dansé, beaucoup bu, beaucoup dansé. Elle est encore fatiguée. Et elle a toujours mal à la tête : trop d'alcool hier soir, et sa bouche est pâteuse, elle est déshydratée, beaucoup trop de cette saloperie d'alcool. Ce n'est pas un début de grippe. Elle n'a pas attrapé le rhume de Mags. C'est une foutue gueule de bois. Encore une. Le rideau cache l'étoile rougeoyante, vaporeuse, orange, qui a décidé de briller là-haut ce matin encore et de chauffer, chauffer effrontément et de mille feux dans le ciel presque sans nuages. Killarney a de la veine, il semblerait. Quelle chance.

Mais Marian Yates n'est pas encore prête à sourire et à saluer le soleil, ou sa ville, ou qui que ce soit qui habite dans cette ville.

Blood in my eyes for you.

Sa respiration ralentit, devient plus profonde.

Blood in my eyes for you.

Ses paupières alourdies ne peuvent s'empêcher de se fermer et son esprit plonge immanquablement dans un noir profond.

6

Une petite écurie, vieille, boueuse, avec un toit en tôle ondulée. Des bottes de paille et des cageots jonchent le sol. Ce pourrait être l'écurie d'un vieux joueur de blues pendant la Dépression en Amérique, celle où Blind Willie Johnson ou Tommy Johnson auraient répété avant de partir jouer dans un de ces *juke-joints* bondés ou celle où ils se seraient endormis après la bouteille de gnôle en trop. Mais en fait, c'est la maison d'un seul cheval, Ninny, une jument guidée par un seul propriétaire, Bernard Dunphy.

« Fin prête ce matin, ma chérie, parée pour se mettre en route. »

Bernard n'a pas encore enfilé son gros manteau. Mais il arbore un large sourire, ravi par le temps qu'il fait.

« On est bénis des cieux, y a pas à dire. Une autre journée comme ça. Ils vont être de sortie aujourd'hui, Nin, c'est certain. Et c'est qui, le *jarvey* avec qui ils voudront se balader ? »

Il s'arrête un moment, comme s'il voulait véritablement se donner la réplique.

« Et ce n'est pas juste parce que c'est le meilleur *jarvey* de la ville, ils voudront naturellement l'entendre leur raconter des vieux contes mythologiques et folkloriques et tout le tralala. »

Bernard rit en lui-même de son soliloque, qu'il apprécie. Il apprécie cette complaisance. Il est rare que quelqu'un chante ses louanges, autant qu'il les chante lui-même. Quelques paroles de *Mannish Boy* lui viennent à l'esprit tandis qu'il brosse la crinière de sa jument, et il ne peut s'empêcher de les fredonner. Personne n'est là pour en profiter bien sûr, mais Ninny est un public suffisant.

Now when I was a young boy,
At the age of five,
My momma said I was gonna be
The greatest man alive [1].

Il s'arrête de chanter, fredonne un peu, puis prend le temps d'observer l'écurie. Il sait qu'elle aurait bien besoin d'être récurée. Au diable. Il devrait faire mieux. La jument mérite mieux. Quand sa mère était jeune, elle l'aurait fait, et avec plaisir, en sifflant elle aurait travaillé, enlevé les toiles d'araignées, dérangé les chauves-souris ensommeillées. Du jamais vu, ça : une femme qui siffle, mais sa mère n'était pas une femme ordinaire, redoutable, dure, tous les rats et les chauves-souris qu'elle délogeait en attesteraient. Mais elle n'est plus toute jeune cela dit. Il ne peut s'attendre à ce qu'elle se penche pour ratisser le crottin. Elle mérite mieux, elle aussi. Bernard s'en veut de manquer autant de considération. Il va arranger ça. Il va le faire. Il se console en replongeant dans son monologue.

« Oh, c'est ce qu'ils veulent, bien sûr, et je suis l'homme qu'il leur faut pour ça. Mais ce n'est pas la seule raison qui

---

1. Quand j'étais petit garçon,
   À l'âge de cinq ans,
   Maman m'a dit que j'serai
   Des hommes sur terre le plus grand.

les fait choisir ma calèche. Ninny, c'est toi qu'ils choisissent en réalité. C'est toi qu'ils aiment, ma jolie, c'est toi qu'ils veulent. Ils voient la plus belle jument qui soit en Irlande. Et ça te ne gêne pas qu'ils reluquent ton bon vieux gros cul, hein ? »

Il lui claque le derrière pour s'amuser. La jument remue la queue et dérange quelques mouches qui s'envolent en vrille dans le ciel.

« Tu n'es pas si vieille, hein, beauté ? Mère dit que tu es malade et qu'il ne te reste plus beaucoup de réserves. Mais peut-être qu'elle parle d'elle en fait. Tu n'es pas si malade, hein, beauté ? Tu tiens toujours sur tes pattes. »

En entendant « pattes », la jument frappe son sabot sur le sol pour le plus grand bonheur de Bernard.

« Non, mon ange, ce n'est pas encore l'heure de changer de chaussures. J'ai simplement dit que tu tenais encore sur tes pattes. C'est tout. »

La jument frappe son sabot sur le sol à nouveau et Bernard pouffe de rire. Elle a toujours été comme ça, depuis le premier jour où Bernard l'a rencontrée adolescent. Une sorte d'intuition étonnante pour ce qui est du langage. Ou peut-être que c'est juste la voix de Bernard. Il est capable de l'amadouer pour lui faire faire exactement ce qu'il veut, grimper des collines sacrément raides, aller au petit galop, au trot, ou rester calme et ne pas bouger pour un bon brossage ou de nouvelles chaussures. Elle connaît sa voix, de la même façon qu'elle connaît celle de Brigid, et elle secoue la crinière et hennit quand elle les entend arriver le matin, sa tête se lève d'excitation en poussant de forts ébrouements. Son père n'a jamais connu Ninny, il était parti avant qu'elle n'arrive. Mais la vieille Nestor était aussi du genre futée ; on pouvait savoir ce qu'elle pensait en regardant ses oreilles. Bernard adorait Nestor, sa première jument, même son nom de cheval ridicule, et il pensait qu'il ne se remettrait jamais de sa mort.

Mais quand sa mère est arrivée avec Ninny, la nouvelle jument, vive et sensible, eh bien il est tombé amoureux de la même façon.

« Tu sais toujours de quoi je parle, n'est-ce pas, ma fille. Tu parles mieux anglais que la moitié des types de cette ville de nos jours. Allez, vaudrait mieux se bouger. Aller gagner quelques sous. »

Il lui tient la tête et l'embrasse sur le museau. Il sort sa blague à tabac et commence à se rouler une cigarette, de ses doigts vifs. Il aime le talent que cela implique, la patience qu'il faut pour former une belle cigarette. Il aime ce genre de choses, les choses qui prennent du temps pour être parfaites, une pinte de Guinness qu'il faut attendre, ou les doigts qui s'étirent pour jouer un accord de guitare difficile. Au début, c'était compliqué de commander les doigts pour qu'ils fassent les choses exactes. Mais avec une pratique soutenue, ils ont bientôt suivi les instructions du cerveau et ont serré la touchette au bon endroit, produisant ainsi un son parfait. On faisait les choses plus vite. Avec la pratique.

Il souffle une bouffée, tout content, fier de ses prouesses. Ça n'a pas été facile pour lui. Rien de tout ça. Tout petit, on le traînait de médecin en médecin, pour trouver ce qui « n'allait pas » chez lui. Test après test : à regarder des gribouillis, à faire du calcul mental, à parler avec des psychiatres. Ils n'ont rien trouvé de bien méchant, ils ont séché tout un temps, jusqu'à ce qu'un bêcheur venu de Cork dise que c'était le syndrome d'Asperger. Sa mère ne savait pas ce que c'était et ne pouvait pas lui expliquer. Cela voulait-il dire qu'il était malade ? Fou ? Qu'il avait une araignée au plafond ? Pas vraiment. Cela voulait juste dire qu'il était maladroit en société, qu'il préférait rester seul dans son coin. Qu'il préférait sans doute les jeux de puzzle en solitaire aux jeux de poursuite dans la cour de l'école. Qu'il était recroquevillé, pas aussi tenu ou gracieux dans ses mouvements que les autres enfants, inconvenant, un bossu sans véritable bosse sur le dos.

Il ne savait rien de tout ça à l'époque, leur terminologie l'embrouillait. Mais il comprend maintenant. Il a lu sur le sujet. Ce n'est pas un imbécile. Il sait ce qui ne va pas chez lui. Ou ce qui *n'allait* pas. Car Bernard Dunphy pense qu'il est quasiment guéri. Il a suivi les séances. Il a parlé aux experts. Il relevait d'un cas léger. Il aurait pu avoir bien pire. Il a lu des livres sur les cas sévères, les gens qui ont des formes de langage particulières, des fixations sur certains objets, et une chose le terrifiait complètement : le Trouble du Traitement Auditif, celui qui en souffre est incapable de traduire l'information qu'il entend de la façon dont les autres l'entendent, sorte de problème d'audition qui conduit à des difficultés à reconnaître et à interpréter les sons, en particulier les sons langagiers. La première fois qu'il a lu ça, il n'y a pas compris grand-chose. Mais en s'y penchant plus attentivement, il avait fini par comprendre. Cela voulait dire que même si ses oreilles fonctionnaient normalement, il pouvait percevoir des sons d'une manière totalement différente des autres. Était-ce si grave ? Peut-être que cette passion pour le blues venait du fait qu'il entendait des sons différents. Il ne pouvait en être certain.

Ils se souciaient de savoir s'il était capable de répondre aux émotions. Ils se souciaient de savoir s'il n'allait pas se mettre à parler très fort ou à entonner des paroles de manière bizarre, comme les drôles de Martiens qu'on voit à la télé. Mais il semble qu'il ait évité tous ces problèmes. Il n'allait pas si mal. Il marchait un peu le corps en avant. Et il s'effarouchait facilement. Mais il va bien maintenant, ses réticences se voient moins. Il s'intègre. Il est toujours plus heureux tout seul, évidemment, ou juste avec Ninny. Plus heureux quand il fantasme sur ce qui *pourrait* être plutôt que sur ce qui *est*. Mais il va bien, se porte bien. Il a des amis, et se comporte naturellement en société. Il retrouve Jack pour boire des pintes. Au pub il bavarde avec les types sur les chevaux et le football et la façon dont marche le monde, même s'il n'a que faire de tout ça.

Il pense à tous les musiciens aveugles qui l'ont inspiré : Blind Arthur Blake, Blind Willie McTell, Blind Lemon Jefferson, Blind Willie Johnson. Ces pauvres bougres ne pouvaient même pas voir. Alors, de quoi se souciait-il ? Non seulement il pouvait entendre sa guitare, mais il pouvait voir les cordes qu'il pinçait et les regarder vibrer. Et qu'aurait-il fait s'il n'avait jamais posé les yeux sur Marian Yates ? Là, ç'aurait été une tragédie.

Il pense qu'il y est presque, qu'il sera romantique un de ces jours prochains. Il est libre de fantasmer là-dessus, comme il lui plaît, il peut passer des heures à penser à la jolie demoiselle Yates et à ce qui adviendrait dans un monde parfait. Ça passe le temps. Ça le fait frissonner au-dedans.

« On ne pourra pas continuer à revêtir Marian de belles parures et de jolis bijoux si on ne gagne pas notre croûte. »

Ninny le regarde, sans ciller, de ses grands yeux tristes. Elle semble pénétrer son âme au plus profond. Elle voit ce garçon maladroit, cet adolescent mal à l'aise, cet homme encore-empoté-mais-moins. Peut-être voit-elle son histoire dans ses yeux, ses yeux tout aussi tristes que les siens. Cette vidéo amateur, tremblante et fantomatique se déroule sous leurs yeux : un garçon qui se vautre dans la boue, qui construit des châteaux de sable avec son seau et sa pelle rouges, de plus en plus haut, des châteaux aussi grands que possible, et il faisait de son mieux pour qu'ils ne s'écroulent pas, ravi de ne pas avoir de frère ou sœur qui vienne les écraser. Ou ce môme de quatre ans, qui pousse sa petite brouette bleue, vide son arrosoir, tout occupé à sa tâche, son ouvrage, cet enfant de huit ans qui aide sa mère à étendre le linge, et tous les deux regardent le ciel en espérant qu'il ne se mette pas soudain à pleuvoir à verse. Et la bande sonore de ce film : des discussions dans la maison, des bruits de chamailleries conjugales, des pleurs, ceux d'enfants comme d'adultes, et la musique, les rythmes réguliers qu'on entend par la fenêtre ouverte de la chambre, ça pince, ça gratte, des voix d'hommes venus de terres éloignées chantent peines et malheurs, d'étranges plaintes gutturales nées en pays étranger.

La vieille jument le regarde maintenant, d'un air de bien le connaître, elle voit au fond de lui, son histoire, son état.

Il écrase sa cigarette du pied, s'assurant qu'il n'y ait pas d'étincelle. Sa mère l'a prévenu sur le risque de fumer près du foin. Une évidence. Mais ce n'est plus un enfant. Il peut prendre garde à ce qu'il fait et ne fait pas dans la vie.

Il enfile le lourd manteau, grimpe dans la calèche et défroisse les couvertures. Les touristes ont souvent froid. Surtout au mois de septembre ou octobre, quand un vent fort se lève sans prévenir depuis le lac, et qu'on n'a qu'une petite veste sur le dos. Le vent peut vous prendre au dépourvu. Les couvertures font l'affaire. Même s'il n'en a sans doute pas besoin aujourd'hui. Chaude journée, il semblerait. Quelle chance, encore. Peut-être qu'un jour il étendra une couverture dans les jardins de Muckross et que Marian viendra s'allonger à côté de lui, pour lui dire qu'elle attend ce moment depuis longtemps, son bras autour de ses épaules, tandis qu'ils contemplent les rosiers en fleurs et le lac qui scintille au soleil pareil à une myriade de diamants.

Il monte sur le siège du conducteur et tire délicatement sur les rênes. Ninny réagit, fidèlement, comme toujours. Ce qui lui donne une grande sensation de bien-être, comme d'ordonner le monde selon ses désirs. Selon ce qui fonctionne pour lui. Ils sortent doucement de l'écurie et entament la journée.

7

Cathy est assise dans son lit, la tête posée au bord du montant. De la musique pop passe à la radio, une musique matinale enjouée, un présentateur plein de peps règle le tempo et l'humeur de la journée avec son baratin savoureux ; branchez-vous sur cette émission et vous penserez que tout va pour le mieux en Irlande, et dans le monde.

Elle parcourt la chambre des yeux, sait qu'elle aurait besoin d'être rangée. Des vêtements partout, éparpillés n'importe comment, une chaussette par ici, un soutien-gorge par là, et un caleçon d'homme par terre à côté de son lit. Le propriétaire de ce caleçon est en train de prendre une douche dans la salle de bains adjacente et Cathy lui crie de la chambre :

« On pourrait faire une balade en voiture. Aller à Dingle par exemple. Changer d'air pour la journée. »

Le bruit de l'eau qui jaillit de la douche, combiné à celui de la musique endiablée, l'empêche de bien comprendre ce qu'elle est en train de dire. Il n'entend que des sons étouffés. Il arrête l'eau un instant pour voir s'il comprend mieux, mais décide que, quoi qu'elle dise, ça peut attendre. Il aura fini dans une minute. Elle peut patienter.

« Alors ? Tu m'écoutes ? »

Il n'en a pas envie. Il est occupé à se savonner le corps, en faisant attention à ses côtes abîmées. Il grimace quand il touche sa peau près de la clavicule.

« T'as faim ? Tu veux que je fasse le petit déjeuner ? »

Il croit avoir entendu le mot « petit déjeuner ». Il espère qu'elle le préparera pour lui. Il a faim. Il a beaucoup bu hier soir. Il mangerait bien une bonne grosse plâtrée ce matin. Du bacon. Des saucisses. Des œufs. Du boudin noir. Un truc plein de graisse pour lui éclaircir les idées, le réveiller et le préparer pour la journée. Et bien sûr, une tasse de thé bien fort et sucré. Deux sucres.

« Bon alors, c'est moi qui vais décider. D'abord, on déjeune, et puis on part faire un tour en voiture. Je me fiche d'où on va, n'importe où fera l'affaire. Pas de shopping, promis. Je vais conduire si tu n'es pas d'humeur. »

Putain, mais de quoi elle parle ? Il sort de la douche et n'entend que la musique à présent. Il commence à se sécher, encore sensible quand il frôle sa poitrine. Ces côtes lui font plus mal qu'il ne le pensait au départ.

À moitié sec, il se dirige vers la chambre et se tient dans l'embrasure, une serviette autour de la taille, il sèche sa chevelure épaisse avec une autre serviette plus petite. Alors comme ça, il se retrouve encore ici. Rien d'étonnant. Ça fait quelque temps que ça dure. Elle est facile. Elles le sont toutes. Elles ont juste besoin d'entendre ce qu'il faut. Mags n'est pas au courant, évidemment. Elle pense qu'elle est la seule. L'élue. *Petite amie*. Mon cul, oui. Il aime bien en avoir deux en même temps. Ça rend les choses intéressantes. Il aime laisser les gens dans l'obscurité.

« Jack, t'as entendu un mot de ce que j'ai dit ?

— Nan. T'as dit un truc intéressant ?

— Ouais, je disais que je coucherai plus jamais avec toi si tu ne romps pas avec Mags pour de bon et que tu ne fais pas de moi une femme respectable.

« – Tu plaisantes, j'espère ?

– Bah, ouais, si on veut. Mais j'en ai marre de baiser en cachette, tu sais ? »

C'est ce que Jack préfère. En cachette. Un bon coup vite fait par-ci. Un coup de coude dans le nez par là, quand l'arbitre est loin.

« Faut vraiment qu'on parle de ça maintenant ? On peut pas en reparler plus tard ?

– C'est toujours plus tard, hein, Jack ? »

Il se doutait que ça arriverait. C'est arrivé la semaine dernière aussi. Il voit son bacon s'évaporer. Pas de friture. Pas de saucisses.

« On pourrait pas juste profiter du week-end ? Il fait beau, putain.

– Mais il faut que j'attende que Mags soit partie ou qu'elle ait un rhume ou je ne sais quoi pour réussir à te voir. »

Il faut qu'il rende cette scène plus légère. Qu'il change de sujet. La mettre sur le dos, et la convaincre de faire ce qu'elle fait de mieux.

« Tu ne peux tout bonnement pas résister à ça, hein ? »

Jack pointe du doigt son corps, ses abdos, ses muscles raffermis.

« Tu es un véritable Adonis, dit-elle, en se mettant à rire.

– Un quoi ?

– Peu importe.

– Tu ne résistes pas à ça non plus, hein ? »

Sa serviette tombe au sol et il montre son pénis. Déjà à moitié en érection et prenant de la vigueur à chaque seconde qui passe, prêt à l'action.

« Il est pas mal, j'avoue.

– Pas mal ? Il est plus gros que la moyenne. »

Il arrive à le faire bouger, se contracter légèrement, tout seul, sans le toucher, comme un pantin enragé manipulé en silence.

Elle trouve ça amusant, de voir ce qu'il peut faire, ravie de l'examiner pendant des heures, de découvrir le secret de son fonctionnement interne.

« Vraiment ? Je ne suis pas capable de le dire.

– Oh je suis sûr que tu en as vu un paquet.

– Et d'où tu sors ça, toi ? Et d'ailleurs, comment est-ce que tu sais que les bites des autres sont plus petites ?

– Je joue au football. On se douche après les matchs, tu sais.

– Et tu zieutes les bijoux des autres types, hein ! Je te connaissais pas comme ça. »

Jack n'apprécie pas la façon dont cette conversation évolue. Elle ne prend pas le bon chemin. Son érection commence à faiblir. Il ne veut pas. Il veut bander et la pénétrer, vite. Il n'y a qu'une seule façon de s'y prendre avec ces stupides garces. Leur dire quoi faire. En termes clairs. Leur faire savoir qui est le chef.

« Remonte ton T-shirt.

– Pardon ?

– Tu m'as entendu. Allez, montre-moi ça. »

Cathy réfléchit un instant. C'est déjà arrivé. Ce tournant impitoyable. Il est drôle une minute, et la suivante, son visage se glace et cède la place à une violence sinistre. Ça la terrifie. Mieux vaut céder, donc. Mieux vaut obtempérer et commencer la journée, sortir de cette foutue maison et prendre le soleil. Elle attrape la télécommande et éteint la musique. Elle le regarde à nouveau et se demande jusqu'à quel point il pourrait être dangereux. Pourrait-il craquer complètement ? Et carrément la frapper ? Pourquoi est-ce qu'elle s'entiche toujours de mecs comme lui ? Pourquoi des sales types ? Lisa Duignan a épousé un dentiste, l'homme le plus charmant qui soit, et riche en plus. Patricia O'Leary, au gymnase, est mariée au propriétaire d'un hôtel, merde, et lui aussi, il a l'air pas mal. On le voit souvent se promener avec les enfants au parc, les pousser sur la balançoire. Est-ce que ces hommes donnent des ordres à leurs femmes dans leur chambre ? Les bousculent ?

Elle décide de faire ce qu'il demande, remonte son T-shirt au-dessus de ses seins nus. Elle préférerait sentir le soleil sur son visage, le vent dans ses cheveux. Mais elle se laisse faire. Pourquoi ?

« Satisfait ?

– Pas tout à fait. Tripote-toi les tétons.

– Putain. »

Elle n'a pas envie, mais elle sait qu'il ne rigole pas. Elle ne sait pas ce qui pourrait lui passer par la tête si elle refuse. Il se tient la verge, pour retrouver son érection maximale. Tandis qu'elle se caresse les seins et presse ses mamelons, il la regarde bien décidé, les yeux rivés sur eux, il ne croise pas son regard, mais fixe juste là, ses seins tout entiers ; plus elle tire sur ses larges mamelons roses, plus il se masturbe.

« Tu ferais mieux de fermer la porte ; Janet pourrait passer devant en allant aux toilettes. Tu ne veux pas qu'elle te voie, non ? »

Bien entendu, cela ne ferait qu'accélérer le processus pour Jack. Il se taperait bien sa sœur, aussi facilement qu'il se tape Cathy. Il rêve de les avoir toutes les deux dans ce lit. Il n'a pas encore trouvé le moyen d'y arriver. Il proposerait bien une partie à trois à Mags. Ces stupides garces seraient peut-être d'accord. Il suffit de trouver les mots adéquats. Tout le monde veut sortir avec Jack Moriarty.

Il aime cette façon de donner des ordres. Il voit ça dans les films porno sur les DVD que son coéquipier Brian lui donne. Des hommes qui fourrent leur énorme bite dans la gorge de putes à gros seins jusqu'à ce qu'elles en étouffent presque. La sodomie. Toutes sortes de choses qu'il n'a pas encore faites. Mais qu'il fera. Les mots adéquats. Ainsi va le monde. Si tu veux quelque chose, vas-y, prends-le. Ne laisse personne te dire que tu ne peux pas. Il y a peut-être des cartons jaunes et rouges sur le terrain, mais en dehors, tu es rarement puni, il faut juste faire attention à ne pas se faire prendre.

Il continue à se masturber, son visage est un masque de pierre. Quand il se sent prêt, il s'avance vers le lit et repousse les couvertures. Il la retourne pour la mettre sur le ventre, ce qui lui fait mal aux côtes et à la poitrine. Elle prend ses gémissements pour du désir. Quand il la pénètre, elle grogne car elle est gênée, sa tête est trop près du mur. Alors qu'il s'agite, son front cogne la tête de lit, et alors qu'elle essaie de reculer pour que sa tête soit dans une position plus confortable, il pense qu'elle se rue sur lui par désir, par pulsion, par envie, et il accélère. Il va vite maintenant, très vite, et il fait tellement de bruit que Janet entend sûrement, et le visage de Cathy grimace sous l'effet du déplaisir et de la peur.

Janet entend. Elle est dans la chambre au bout du couloir et elle écoute les gémissements et les coups contre la tête de lit. Elle pourrait envoyer un message à Mags et lui dire de venir ici tout de suite. Elles ont besoin d'un truc… et…, ah, Cathy veut qu'elle fasse… quelque chose. Elle n'arrive pas à trouver une excuse pour faire venir Mags à la maison. Elle veut qu'elle les prenne sur le fait. Pour mettre fin à tout ça. Elle sait de quoi Jack est capable. Il l'a draguée assez de fois quand Cathy n'était pas dans les parages. Il lui a dit une fois qu'il les aimait plus jeunes, vingt-trois ans, l'âge de Janet, l'âge parfait, assez mûres pour savoir quoi faire, assez jeunes pour avoir un corps ferme, un corps qui n'a pas succombé à la chair flasque, détendue, toutes choses qui rebutent n'importe quel homme vigoureux. Cathy est presque trop vieille, une année ou deux encore, fini. Janet ne lui a quasiment pas adressé la parole depuis. Elle ne veut pas savoir qu'il existe. Elle tient le portable à la main. Elle a le numéro de Mags. Envoyer un message ne prend que quelques secondes. C'est pour le bien de Cathy. Mieux vaut se débarrasser de ce salaud. Mais elle n'arrive pas à trouver une raison d'envoyer un message à Mags. N'arrive pas à penser à temps. Il aura bientôt tiré son coup et il sera parti loin en voiture avant qu'elle ne reçoive le message. Elle jette le téléphone sur le lit, enfouit la tête sous les couvertures, pour faire obstacle au raffut, aux gémissements, à ce putain de grabuge.

En ville, Bernard Dunphy conduit sa calèche le long de Port Road. Les arbres du parc national se dressent sur sa droite et il entend le gargouillis de la rivière Deenach sous les arches ombragées qu'ils forment. Son large sourire dit son plaisir, celui d'être dehors à travailler par une si belle journée.

Un vieil homme avec une canne lui fait signe de la main,

« Ah, te voilà, Bernard. Une belle journée pour la balade.

– Une belle journée, c'est certain, Seamus. Mais je suis pas sûr que ce soit une belle journée pour travailler ! »

L'homme repart à pied dans la direction opposée, il s'esclaffe, entre le rire et la toux du gros fumeur.

Bernard ne peut s'empêcher de chanter.

I'm a man, I'm a full grown man.

Jack pilonne Cathy. Ses côtes lui font mal. La sueur lui coule du front et s'égoutte sur elle.

I'm a natural born lover's man.

La tête de Cathy ne cogne plus le lit. Elle est sur le dos à présent, les yeux fermés.

I'm a rolling stone.

Jack voudrait être dans un porno, il aimerait que tout ça soit filmé. Il veut éjaculer sur son visage, et que ça lui colle aux paupières, et que ça lui gicle dans la bouche, et dégouline le long du menton. Mais il sait qu'elle ne voudra pas, et s'il essaie, elle ne le laissera peut-être jamais plus l'approcher. Il ne veut pas gâcher cette belle viande. Voilà ce qu'elle est. De la chair attirante. Il peut se payer ce corps chaque fois qu'il en a envie. Si elle a encore un an ou deux devant elle, il l'appréciera, profitera d'elle au maximum. Puis il passera peut-être à Janet.

I'm a hoochie coochie man.

Bernard regarde vers le ciel. Presque entièrement dégagé. Bleu.

That mean Mannish Boy.

Un seul énorme nuage noir loin à l'opposé. Il fera peut-être des ravages plus tard. Il pleuvra peut-être. À moins que ça se maintienne. Bernard espère que ça va se maintenir.

Jack, lui, ne peut plus se maintenir.

8

Le 14 septembre 1969, John Dunphy avait terminé sa journée de travail à l'usine de chaussures et était parti au pub boire une pinte. Un ami à lui devait venir le chercher une heure plus tard pour l'emmener jusqu'à la propriété familiale à Firies. Il avait soif, se réjouissait d'avoir une heure devant lui pour descendre au moins deux pintes. La première ne suffisait jamais. La première vous donnait juste envie d'en boire une autre. La deuxième, même si elle ne suffisait pas vraiment non plus, faisait l'affaire quand il était pressé, si on le ramenait. Deux, c'était pas trop mal. Suffisant. Ça le remplissait et lui donnait faim. Ça lessivait la journée de travail. Plus besoin de penser aux machines, aux commandes, aux délais. La deuxième pinte purgeait.

Il était juché sur le haut tabouret et lisait les nouvelles du jour. La première page relatait les problèmes grandissants dans le nord. La Bataille du Bogside avait eu lieu quelques semaines plus tôt seulement et la tension régnait encore après les émeutes. Il les plaignait, là-haut. Il ne comprenait pas vraiment la situation, ne voulait pas vraiment la comprendre non plus. Il était content de ne rien avoir à faire là-dedans et que ce soit loin. Il n'avait pas trop à se soucier de ce genre de choses, au calme dans le Kerry. Pendant longtemps, il n'avait pas su ce que voulait même dire le mot « sectaire ».

Il était plongé dans son journal, les coudes écartés sur le comptoir poisseux quand elle est entrée, Brigid McGuire, elle faisait des courses, ceci cela, un torchon en plus dont elle avait besoin, ou un seau, pour le restaurant d'à côté, quelque chose d'assez urgent pour qu'elle soit obligée de se faufiler parmi les habitués et de demander à Tom le barman s'il pouvait la dépanner. John Dunphy ne l'avait jamais vue, mais ce qu'il a vu ce jour-là l'a ravi. Elle était petite, nerveuse, une sorte de sourire enfantin qui lui collerait aux lèvres toute sa vie, des dents blanches bien rangées et des fossettes dans les joues. Les cheveux strictement tirés en arrière, pas une ride ni un bouton sur le front, elle rayonnait, brillait vraiment. Les problèmes dans le monde en première page devant lui avaient perdu leur importance, tous les titres s'étaient brouillés, et les photos évanouies, il n'accordait plus d'attention qu'à une chose, cette belle jeune femme.

Elle bougeait d'un pied sur l'autre alors qu'elle attendait la serpillière (c'est ce qu'elle cherchait, une serpillière, il s'en souviendrait des années après quand il raconterait leur première rencontre). Elle essayait de ne pas regarder les clients occupés à boire à grand bruit, absorbés par leur conversation comme s'ils complotaient quelque chose. John Dunphy faisait tout son possible pour ne pas la dévorer des yeux, mais échouait immanquablement. Une fois ou deux, elle l'avait surpris en train de la regarder et elle s'était détournée pudiquement, comme il convient, mais à la troisième fois peut-être, elle l'avait regardé droit dans les yeux, la timidité, ou la timidité soigneusement étudiée, évaporée d'un coup, et son sourire lui avait déclenché des feux d'artifice dans le ventre ; une décharge d'adrénaline, la nervosité et un vague espoir romantique. Il avait fait un petit signe de la tête, gêné de son évidente attirance, ou de son affolement plutôt, et il avait continué à boire sa Guinness. Elle avait meilleur goût qu'avant. Plus crémeuse. Plus savoureuse. Même la lumière du soleil à travers la vitre, qui luttait contre l'épaisse fumée de cigarette, était plus belle, délicieuse en fait, et il l'avait regardée tandis qu'elle prenait la serpillière des mains de Tom Cronin, le saluait d'une petite révérence pour le remercier élégamment et quittait l'établissement. Le cœur de John Dunphy avait franchi la porte avec elle.

Il n'avait pas mis longtemps à obtenir tous les détails auprès de Tom. Il avait essayé de se montrer évasif, de poser des questions sur la *p'tite* qui venait de partir, non pas qu'elle l'intéresse vraiment bien sûr, juste histoire de discuter deux minutes avec Tom le temps qu'il tire une autre pinte. Mais Tom Cronin était un barman qui avait du métier et savait tout des désirs obstinés des hommes, qui en avait vu plus d'un la langue pendue au-dessus du comptoir à reluquer une jolie pouliche ; c'était l'endroit où ils pouvaient parler des femmes, ou du moins en avoir quelque idée. Peu de membres de la gent féminine avaient déjà posé le pied dans ce bar, mais on en parlait souvent, des épouses, des copines, ou plus souvent encore, de la femme d'un autre, ou de la copine d'un autre, l'alcool aidant à faire monter la libido, jusqu'au moment où ils avaient trop bu, ce qui noyait la chose complètement et les pauvres bougres repartaient en titubant, pour se coucher seuls dans leur lit.

John Dunphy en était au point où les choses commencent tout juste à prendre, seulement deux pintes dans la soirée, et il se réjouissait d'apprendre que la jeune Brigid McGuire était célibataire, qu'elle avait environ vingt-trois ans, et qu'elle venait d'une bonne famille, de Gneevguila, enfin du comté de Fermanagh à l'origine. Son père possédait une petite ferme et c'était une fille pleine d'humour, bavarde, qui n'avait pas peur de travailler dur, et elle faisait tourner les têtes chaque fois qu'elle venait chercher une chose ou une autre. Même s'il l'avait voulu, John n'aurait pu écrire de portrait plus flatteur. Rien ne clochait chez cette jeune femme, rien de négatif dans le rapport, et c'est pour cela qu'il ne comprenait pas pourquoi elle n'était pas déjà prise.

Tom avait son idée sur la question – seul un barman pouvait faire preuve d'une telle sagacité sociologique et comportementaliste. Voilà comment il voyait les choses : on croit souvent que les jeunes femmes célibataires sont le lot d'une ligue d'idiots, du premier imbécile qui les reluque avec respect et considération, et aussi les yeux remplis de désir, mais qui pense rationnellement, euh, elle est trop bien pour moi, bien trop bien, elle doit avoir une centaine de prétendants, qu'elle doit comparer, et elle va sans doute céder au plus beau et au plus riche d'entre eux. Comment pourrait-il rivaliser ? Mais en fait, ces filles célibataires ne comparaient souvent rien du tout, personne n'osait les approcher, les croyant intouchables, leur visage lumineux n'attirait pas les phalènes frétillantes, au contraire : il repoussait les sales types et les fumiers. Les pauvres chéries en tablier pleuraient sans doute en espérant qu'on les invite à danser. Pleuraient toutes les larmes de leur corps ! Eh bien, John Dunphy ne voulait voir aucune de ces femmes pleurer – ce serait un péché de les laisser dans un tel pétrin – et il a juré en silence ce jour-là qu'il ne laisserait jamais cette jolie fille pleurer, et il a décidé aussi qu'il serait celui qui l'attraperait, avant qu'elle soit prise, avant qu'un autre bel homme, les poches bien remplies, vienne à passer et lui offre des caresses et de douces promesses. Tout n'était qu'affaire de temps. Et elle habitait juste à côté.

La chose à faire, la plus courageuse, était de finir cette pinte et d'entrer à visage découvert dans le restaurant pour demander à parler à Brigid McGuire, une minute s'il vous plaît, si elle n'était pas trop occupée, et alors qu'elle apparaîtrait sous ses yeux, surprise, perplexe peut-être, il prendrait une grande inspiration et lui formulerait sa proposition d'aller danser avec elle, ou de l'emmener en promenade s'il faisait beau, peut-être dans le domaine, si elle était disponible et n'avait rien de prévu. C'était la chose à faire et la plus courageuse. Seulement voilà, John Dunphy n'était pas si hardi du haut de ses vingt-quatre ans, et il savait rarement ce qu'il y fallait faire, et il n'était donc pas allé frapper à la porte de la cuisine du restaurant ce soir-là, ou le soir suivant, ni même le soir d'après. Il avait mis environ une semaine pour réussir à prendre son courage à deux mains et, après quelques allées et venues devant le miroir, il s'était finalement tenu en face d'elle et lui avait fait son honnête requête. La bonne nouvelle pour un jeune homme qui n'était ni courageux ni très clair d'esprit, c'est que la chance croisait parfois votre chemin, et elle avait répondu oui, sans aucune hésitation, conformément aux théories de Tom, et il avait crié de joie tout le long de la route jusqu'à Firies dans la voiture, et il avait raconté à son ami Davy ce coup de chance incroyable, qui augurait que désormais tout irait forcément pour le mieux.

Ils s'étaient promenés dans les rues de Killarney, avaient regardé les vitrines, Brigid parlait de tout ce qu'elle achèterait si elle était riche un jour, John lui promettait qu'il lui achèterait volontiers tout ça le jour où il serait riche, qu'il en serait ravi. Il faisait des grands discours. Elle aimait ça. Il rêvait. Elle aimait ça aussi. Elle disait qu'elle s'imaginait dans une belle maison, avec des enfants, trois peut-être, deux filles et un garçon robuste pour les surveiller. Elle pensait qu'elle ferait un jour une bonne mère, et elle avait hâte d'en être une, pourquoi attendre, elle débordait d'énergie, et les enfants avaient besoin de mères dynamiques, de mères strictes pour les maintenir dans le droit chemin. John avait dit qu'elle ne lui paraissait pas si stricte, mais elle avait ri et lui avait assuré qu'on ne plaisantait pas avec elle, qu'elle avait plein de couteaux dans la cuisine de ce restaurant et qu'elle savait s'en servir ! Elle avait dit qu'elle pourrait devenir violente un de ces jours, comme folle à lier. Ils avaient ri tous les deux en imaginant cette fille douce les cheveux ébouriffés, les yeux exorbités, une arme à la main, prête à frapper. Ça ne pourrait jamais arriver. Ça ne collait pas. Brigid mènerait une vie heureuse et John s'assurerait qu'aucun malheur ne leur arrive.

Un vent froid soufflait ce jour-là, même si le soleil brillait haut dans le ciel. Elle était contente d'avoir emporté son gros gilet et de l'avoir noué sur ses épaules, sachant que le mois de septembre mordait quand on s'y attendait le moins, qu'un vent froid fouettait parfois, venu de nulle part, qu'une brise intrépide vous hérissait les cheveux dans la nuque. L'hiver arriverait bien assez tôt, mieux valait profiter encore du peu de soleil avant les mois de pluie, voire de neige. Les mémés qui venaient déjeuner le dimanche pour pas cher prédisaient que l'hiver serait rude ; elles le sentaient dans leurs os, leur lumbago se réveillait et leurs rhumatismes les titillaient. Et Brigid n'allait pas contrarier de vieux os !

Ils s'étaient arrêtés pour contempler la splendeur de la cathédrale St. Mary. Elle ne manquait jamais de les ravir tous les deux. Ils n'avaient jamais pu comprendre comment une chose aussi massive pouvait sembler si légère, elle ne paraissait pas volumineuse, alors qu'elle était énorme et en pierre – cela tenait peut-être au génie de sa conception. John avait dit qu'il espérait s'y marier un jour et il plaisantait sur la bonne épouse à trouver. Brigid avait renchéri en disant qu'il n'était pas facile de se trouver une épouse ces temps-ci. Les meilleures étaient en général déjà prises, et celles qui restaient étaient souvent des femmes compliquées, pas faites pour le lit conjugal, un peu inadaptées ou revêches. John se demandait si ses plaisanteries contenaient une once de vérité. Elle avait l'air assez normale, elle n'avait pas l'air inadaptée du tout, il n'arrivait pas à croire qu'il avait l'honneur de la courtiser, il s'attendait à ce que tout chavire soudain sous lui, comme le bateau de Bill Moynihan avait chaviré le mois dernier, en heurtant un rocher, ne faisant qu'un petit trou, mais l'eau avait vite rempli la coque, et bientôt elle avait formé une flaque sous ses bottes, et le fichu rafiot avait coulé. Cela arriverait-il à John Dunphy ? Est-ce qu'un trou viendrait percer tout cela avant même le commencement, avant qu'il ne lance sa ligne, lui faudrait-il écoper, saurait-il réparer un trou s'il le voyait à temps ?

La journée avait échappé à tout ça. Tout s'était bien passé en fait. Pas de trous. Rien n'avait coulé. Plus ils avançaient dans le parc, entourés par les chants des oiseaux et les croassements des corbeaux à l'affût, plus ils se sentaient à l'aise en compagnie l'un de l'autre. Leurs mains s'étaient frôlées par moments, John avait ressenti chaque fois un frisson le long du dos à ce contact électrique, et Brigid, consciente de cela, se félicitait de ses talents. Ils avaient parlé du restaurant et de l'usine de chaussures. Ils avaient parlé de Killarney et du tourisme. Ils avaient parlé du temps et du football et de la pêche et des endroits où ils étaient allés. Peu d'endroits. Il y avait peu d'endroits intéressants où ils étaient allés, plus d'endroits où ils souhaitaient aller, des endroits qu'ils voulaient visiter, partout dans le pays, dans le monde, ou du moins dans ce qu'ils connaissaient du monde. Si seulement. Si seulement ils avaient le temps. Et essentiellement, s'ils avaient les moyens. Mais bon, ils avaient des rêves, et on avait besoin de rêves pour avancer, besoin d'espoir.

Un des sujets qu'ils avaient abordés était son amour profond pour le blues. Quand il l'avait mentionné la première fois, elle avait cru qu'il parlait d'art ou de peinture, quelque chose comme ça. Mais quand il avait commencé à parler de la guitare et des disques étrangers qui venaient d'Amérique et que ses oncles lui envoyaient dans de grandes boîtes, là, elle n'avait jamais rien entendu de pareil. Que voulait-il faire avec ? Qu'est-ce qu'il trouvait de mal à la musique d'ici ? Ou même les trucs qu'ils écoutaient à la radio. Elle aimait les sons modernes qu'elle entendait sur le poste dans la cuisine du restaurant, c'était tellement extravagant, excitant, ces trucs qui venaient d'Angleterre, et ce qu'elle préférait par-dessus tout, c'était les groupes en concert, elle était allée en voir un ou deux pendant l'été. Mais John persévérait à lui donner des explications pressantes et à lui parler de ces vieux types noirs en Amérique, qui n'ont qu'une guitare mais qui en sortent des sons dignes d'un groupe entier. Il disait qu'il lui ferait écouter ses disques si elle le voulait. Alors elle avait dit qu'elle voulait bien, qu'elle aimerait les écouter un soir ; c'est l'un des rares mensonges qu'elle lui avait jamais faits.

9

Cathy est assise dans la voiture de Jack, elle attend qu'il ait fini de parler au téléphone. Il fait des allées et venues devant la voiture, fait souvent de grands gestes, hausse les épaules aussi, rien à voir avec un homme comblé, rien d'un homme qui vient juste de faire l'amour de manière satisfaisante avec sa maîtresse. Une de ses. Nombreuses maîtresses.

Elle cherche dans ses CD mais elle ne trouve rien qu'elle aime. Elle laisse la musique enjouée de la radio tout bas, et se demande pourquoi il ne se gare jamais hors de vue. Aussi improbable que cela puisse être, si Mags passait la voir un dimanche matin, la voiture de Jack serait en évidence. Mags ne pourrait pas la rater. Pourquoi ne se gare-t-il pas à quelques pâtés de maisons de là ? Pourquoi est-ce que tout est toujours criard avec lui ? La voiture : rouge flamboyant. Tout le monde sait qu'elle appartient au joueur de football qui travaille au garage Gallagher. Jack anticipe-t-il même les choses, se soucie-t-il des conséquences ? Ça lui ferait quoi, si Mags était au courant ? S'il se faisait prendre, s'ils se faisaient prendre tous les deux, alors quoi ? Lèveraient-ils les bras en l'air en disant : *Ouais, ça fait des mois qu'on baise comme des lapins, désolés.* Ou est-ce qu'il s'en irait en laissant Cathy et Mags, et en trouverait une autre pour s'amuser le week-end, trouverait quelqu'un à qui donner des ordres.

Enlève ton T-shirt. Tripote-toi les tétons.

Va te faire foutre.

Elle baisse la vitre de la voiture pour écouter ses piètres excuses. Baisse la climatisation.

« Ouais, d'accord. Ben, je vais regarder le match avec les gars cet après-midi. Ouais, ouais, ça marche. »

Et Mags va le croire ? Quel match ? Mags va gober ça ?

« Si ton rhume est guéri, ouais, carrément. Je serai au Yer Man's, ou au Murphy's ou autre, plus tard dans la soirée. Non, je sais pas où est Cathy. »

Elle est juste là à écouter tes conneries, comme d'habitude.

« Je ne sais pas pourquoi elle répond pas au téléphone. »

Parce qu'elle est trop occupée à se faire baiser, vingt-quatre heures sur vingt-quatre, par toi. Pas le temps d'appeler, chérie. Elle ne sait pas pourquoi elle ressent cette animosité à l'égard de Mags. Elles sont *amies*. Mais ce sont aussi des rivales, qui se disputent l'affection de Jack. Si ce n'est que Mags ne sait rien de tout ça. Mags est sympa, vraiment, loin d'être la pire au monde ; elles ne seraient pas proches sans Marian qui fait le lien. Elles ont déjà eu des différends par le passé, après avoir bu un coup de trop, l'une d'elles dit quelque chose qu'elle n'aurait pas dû dire, l'autre réagit du tac au tac, aussi vindicative. Il en est ainsi. La contrariété et le mutisme entêté jusqu'à ce que l'une marmonne une excuse, ou jusqu'à ce que Marian les réunisse. Le problème, c'est qu'elles se ressemblent sans doute trop. Deux gouttes d'eau. Elles aiment le même genre d'hommes. Cathy l'aime vraiment bien, honnêtement, elle la considère comme une amie, et une amie proche, oui, Mags est sympa, dommage qu'elle soit perdante à ce jeu-là.

Elle remonte sa vitre et il s'assoit à côté d'elle, démarre le moteur.

« C'était Mags ?

– C'était Mags.

– Et ?

– Et quoi ?

– Elle a dit quoi ?

– Rien.

– Vous avez parlé longtemps pour rien, alors. »

Jack allume une cigarette, exhale la fumée par la fenêtre. Il se demande s'il pourrait suggérer à Janet de les accompagner pour la journée.

« Alors, dis-moi, elle est toujours enrhumée ? Elle guérit plutôt vite, en général, à se demander où elle trouve les médocs. »

Jack hausse les épaules, il s'en fout. Il glisse un CD dans le lecteur, John Lee Hooker, *Boom Boom*.

« Putain, c'est quoi, ça ? »

Jack continue à fumer, ne répond pas. Il lui tend le boîtier.

« C'est Bernard, je présume.

– C'est bien lui », dit-il.

Le *jarvey* fourre toujours des CD dans les mains de Jack. Il les glisse même dans les poches de son manteau. Jack les accepte, c'est tout. Il y en a encore plusieurs dans le coffre de la voiture : Sonny Boy Williamson, Skip James, Lightnin' Hopkins. C'est peut-être le premier CD qu'il écoute correctement. Après toutes ces années.

« Quelle merde. »

Jack n'a pas envie de vraiment défendre sa valeur, il se contente de dire :

« C'est pas mal, en fait. »

Cathy jette le boîtier sur le siège arrière et Jack s'éloigne du trottoir. Depuis la fenêtre de la maison à l'étage, Janet les épie, le visage tourmenté, tiraillée entre la déception et la colère.

Bernard arrête la calèche devant la cathédrale St. Mary. Il pourrait contempler sa splendeur à jamais, sa magnifique solidité, cette flèche qui élève l'âme. Il remarque que les mots « gris » et « pierre » sont des mots froids d'ordinaire, mais avec ce bâtiment, ils deviennent incroyablement chauds. Peut-être est-ce le beau temps, le ciel bleu qui le met superbement en valeur. Mais ce n'est pas la merveilleuse église de Pugin qui a cloué sur place Bernard aujourd'hui. C'est le fait qu'une cérémonie de mariage s'y déroule, et il ne peut s'empêcher de s'extasier devant la procession.

« Inhabituel, Ninny. Un mariage un dimanche. Enfin, quelle importance ? Samedi ? Dimanche ? Nous, on travaille tous les jours, de toute façon. C'est chouette à voir, quand même, hein ? J'espère qu'ils seront heureux ensemble. »

Bernard perd vite son sourire alors qu'il regarde à travers la grille les jeunes mariés dans l'allée étroite qui posent pour les photos devant la porte brune de l'église majestueuse, entourés des parents, amis et admirateurs, tous réjouis. C'est ce qu'il veut pour lui-même. Il a sa mère. Il a ses amis. Il a sa musique et sa guitare. Il a une jument digne de confiance, même si elle décline. Mais il aimerait se tenir là un jour, se tenir juste là, sa belle mariée au bras. Voilà ce qu'il n'a pas. Et ça, bien entendu, c'est ce qu'il désire le plus au monde.

Les jeunes mariés resplendissent dans le soleil de juillet. Toutes les dix secondes ou presque, de nouveaux invités arrivent pour se tenir à leurs côtés à la demande du photographe enthousiaste. Bernard regarde attentivement. Son expression est sombre, mais il essaie de se fendre d'un sourire, en s'imaginant dans ce rôle, en marié, radieux et beau.

« Un jour peut-être, Ninny. Quand j'aurai un peu plus d'argent, qui sait. C'est moi qui me tiendrai là avec Marian. Elle ne le sait pas encore, mais tôt ou tard, elle n'y résistera pas. Elle dira simplement : "Bien sûr, Bernard Dunphy, j'ai cru que tu ne me le demanderais jamais." Elle sera plus jolie que cette mariée, en plus. Et je serai plus beau que ce type là-bas, Ninny. Attends donc de voir. Ce sera une sacrée fête.

Mère, Jack, Cathy et Margaret, Mike Daly jouera de la guitare pour nous. Et je chanterai même quelques chansons moi aussi. »

La longue tête de Ninny est triste. Comme si elle savait de quoi il parle, sait que le vrai ton monocorde de la voix de Bernard ne reflète pas la joie ou l'espoir, mais bien plutôt le deuil.

« Ce sera une journée romantique, c'est certain. Tous les gens qu'on invitera seront là. Et tous les gens qu'on n'invitera pas… ne seront pas là. »

John Dunphy largue les amarres. C'est une journée calme. Le 14 septembre. Le jour où il a rencontré Brigid McGuire la première fois. C'est seulement à ce moment qu'il se rend compte du fait : la même date exactement. Ce jour-là, il était question d'étoiles qui s'alignent, de deux âmes qui se rencontrent et tombent amoureuses l'une de l'autre. Et aujourd'hui il est question de mettre fin à tout, les étoiles se consument, de grandes constellations s'écrasent au sol. Mais il n'y a pas d'autre issue. Il faut que ça se fasse. Il aurait dû le faire il y a des années de ça. Il ne mérite pas l'amour de Brigid et de son propre fils, Bernard. Ce petit garçon ira très bien. On pourra toujours rire, il leur montrera. Ce garçon s'en sortira sans aucun doute. Il trouvera son chemin. Mais ce père minable, ce n'est pas lui qui le guidera dans la vie.

John entend le blues dans sa tête et il éloigne le bateau des branches des arbres en surplomb, de ce quai abrité près du hangar à bateaux. Une douzaine de chansons lui viennent à l'esprit en bataille ; il veut toutes les écouter. Il les a écoutées avec bonheur pendant de nombreuses années, en esclave. Rien ne lui a donné plus de plaisir que de voir le vinyle noir tourner sur la platine. Et cet endroit aussi, cet endroit, ici, lui a donné beaucoup de plaisir. Les journées en solitaire au calme, le doux balancement sur les vagues, les sinistres ruminations de son cerveau quelque peu apaisées par le doux claquement de l'eau contre le flanc du bateau. Pourquoi fallait-il qu'il parte et gâche tout ça ? Pourquoi y avait-il ce démon tapi en lui ? Il n'était pas aussi pieux que sa femme, mais il avait prié Dieu de le sauver et il avait prié avec ferveur. Pour ne plus continuer ainsi. Pour chasser ces pensées qui naissaient en lui. Mais elles n'ont pas cessé. Et quand il les a mises à exécution un jour, une fois seulement, il savait que c'en était fini de lui.

Il rame. Ses bras forts soulèvent les rames en l'air comme si elles ne pesaient pas plus lourd qu'une plume, puis il brise la surface de l'eau, les rames au-dessous, puis il tire dur pour faire avancer le bateau. Il va attendre un moment qu'il n'y ait plus de bateaux en vue. Attendre d'être assez éloigné du rivage pour ne pas être vu. L'invisibilité finale.

De l'autre côté du lac, il voit une équipe qui avance sur l'eau à la rame, le barreur leur crie dessus à coup sûr pour les forcer à y aller. Crie pour leur donner du cran et du cœur à l'ouvrage. Mais aucun son ne parvient aux oreilles de John, les rameurs sont trop éloignés, le seul son qu'il entend est le murmure d'un doux zéphyr, même pas assez fort pour l'appeler brise, et c'est la quiétude dont il a besoin. Les rameurs tirent à l'unisson, glissent majestueusement, il envie leur but, leur sillage unique, inébranlable. Il les regarde un moment, jusqu'à ce qu'ils deviennent tout petits et s'évaporent dans l'atmosphère. Voilà ce qu'il aimerait pouvoir faire. Se volatiliser. Mais c'est impossible dans le rude monde physique qui est le sien. Il a choisi l'eau à la place.

Brigid arrange la fleur au revers de Bernard et se met sur la pointe des pieds pour lui faire une bise sur la joue. Fière de son fils en ce jour tout à fait exceptionnel. Le mariage. Il sourit, largement, follement heureux de tenir la main de Marian. Il serre ses petits doigts, il ne la laissera jamais partir.

Des amis et parents lui tapent dans le dos et embrassent la mariée. *Félicitations*, s'écrient-ils. Et : *Bonne chance à tous les deux !* Mais le rêve de Bernard ne peut se prolonger plus longtemps et petit à petit, son visage reprend l'expression de ce veinard de marié du dimanche et de son épouse rougissante, et de ce que le futur leur promet.

Il claque la langue, tire sur les rênes et fait avancer sa carriole. La jument trotte et ils tournent au parc Knockrear, les grilles de l'entrée sont grandes ouvertes exceptionnellement aujourd'hui, il est plus facile de se faufiler. Ils passent devant la demeure de Knockrear, devenue un magnifique salon de thé, où les touristes s'installent gaiement au soleil en terrasse et discutent, profitant d'une matinée estivale avant qu'elle ne leur file entre les doigts.

« Un jour, peut-être, se dit-il comme en lui-même. Un jour. Si tout se passe bien. »

Bernard aimerait ne pas entendre les rires et les acclamations de la noce devant la cathédrale, mais il entend, ses oreilles le déçoivent une fois encore, comme dans cette allée, l'espace d'un instant, alors qu'il venait de se faire battre, cogner, humilier. Ses oreilles le déçoivent à présent, car il ne peut s'empêcher d'entendre les rires des invités et leur grande joie qui résonne, qui résonne.

10

Marian et Mags entrent dans le café et disent *comme d'hab, comme d'hab*, à la même serveuse souriante qui est toujours là. Linda les voit et s'approche d'elles, un sourire narquois au coin des lèvres, elle sait que ces filles peuvent aussi bien être drôles que bruyantes et assez dérangeantes pour faire déguerpir les autres clients. Elles ne sont pas exactement comme les filles de leur âge, elles semblent immatures, même aux yeux d'une femme plus jeune qu'elles ; cela dit, Linda apprécie leur bonhomie, elle envie leur amitié féminine. Elle n'habite la ville que depuis quelques mois, elle travaille à Killarney pour l'été comme beaucoup d'autres. Elle aurait aussi bien pu rester chez elle à Bantry, trouver un job dans un restaurant là-bas. Kinsale offre tout autant d'opportunités, mais Linda avait décidé de parcourir quelques kilomètres supplémentaires et de traverser la frontière pour aller dans le comté voisin, et surtout pour fuir son ex, Declan : le pauvre idiot ne sait même pas où elle est, et mieux vaut qu'il en soit ainsi. Elle est heureuse de passer ses vacances d'été loin de ses études à l'université de Cork, heureuse d'être loin de Declan, de sa mauvaise humeur, de ses injures occasionnelles, imprévisibles, qu'il lui envoie, ou plus souvent qu'il s'envoie à lui-même, et par-dessus tout, elle est contente de chanter, son plus grand plaisir, avec son nouveau pote, Mike.

Elle l'avait entendu jouer plusieurs fois tout seul et quand ils avaient commencé à parler – Linda lui avait dit qu'elle aimait beaucoup son jeu à la guitare – il lui avait demandé de se joindre à lui, pour voir s'ils pouvaient faire un truc ensemble. Et ça a marché. Une véritable alchimie musicale en fait. Et même si parfois il semblerait que Mike souhaite plus qu'une alchimie musicale, rien ne s'est encore passé de ce côté-là. Non pas qu'elle s'y opposerait. Mike est cool, pas mal de sa personne, de compagnie agréable, gentil, et surtout, ce n'est pas Declan. Si Mike se débrouille bien pour lui faire des avances, elle se laissera peut-être tenter. Mais ça ne la préoccupe pas plus que ça. Chanter lui plaît de toute façon. Elle a déjà hâte d'être à ce soir au Yer Man's et elle réfléchit à ce qu'ils devraient jouer. Elle aime bien mélanger : du folk, des ballades traditionnelles irlandaises, et quelques chansons pop plus enlevées aussi. Il en faut pour tous les goûts. Mais avant de sortir une note, il faut commencer par abattre sa journée de boulot. Il y a des tables à débarrasser, des commandes à prendre, il se peut qu'il y ait du monde plus tard, si ça se trouve elle va courir dans tous les sens.

Et voilà des clientes difficiles, deux filles du groupe de trois qui viennent souvent ici, qui adorent faire du shopping et rigoler fort, elles attendent leur moka avec impatience.

« Bon, les filles, vous vous la coulez douce, hein.

– Bah, c'est dimanche, dit Marian, la gorge encore enrouée après la soirée de la veille, elle regrette maintenant amèrement le café qu'elle n'a pas pris ce matin.

– Dimanche, vraiment ? C'est tous les jours pareil, ici. Vous travaillez où ? »

C'est la dernière chose dont Marian veut parler, mais elle fait plaisir à la serveuse affable.

« Je travaille dans un cabinet d'avocats. Mags est secrétaire à St. Brendan's. Tu vois, l'école secondaire.

— Ouah, entourée de tous ces adolescents tous les jours. C'est comment ?

— Des branleurs. Tous autant les uns que les autres.

— Aïe, j'ai touché un point sensible ? »

Marian pose la main sur le bras de Mags.

« On n'est pas censées parler de l'école pendant les vacances d'été. Et en plus, on a des soucis avec les mecs en ce moment.

— Oups, désolée. Le joueur de foot ?

— Mon Dieu, comment tu sais ça ?

— Je t'ai vue au pub avec lui.

— Mais comment tu sais qu'il joue au foot ?

— Mike a dû me le dire. Et puis il ressemble à un joueur de foot, non ? Je veux dire, il est musclé. Il est réputé pour être un dur sur le terrain.

— Il est réputé pour beaucoup de choses », soupire Mags.

Mags ne cherche pas à dissimuler sa mauvaise humeur. Elle se demande ce qui ne va pas ces temps-ci. Ils étaient vraiment proches avant. Il y a quelques mois de ça, Jack ne la lâchait pas une seconde. Ils se voyaient pratiquement tous les jours, s'il n'avait pas entraînement. Elle le voit de moins en moins maintenant. Et il est fuyant. Comme s'il avait l'esprit ailleurs. Comme si elle n'était plus assez bien pour lui et qu'il voulait s'enfuir. Qu'est-ce qu'elle a ? Comment a-t-il pu se désintéresser d'elle ? Ça ne fait que quelques mois. Il s'ennuie déjà ? Elle a essayé de lui donner ce qu'il voulait. C'est sûr qu'il est un peu brutal au lit des fois, mais c'est un footballeur, un homme qui pratique un sport physique et exigeant, il est habitué à la bousculade, peut-être que c'est difficile pour lui d'être doux. Enfin, ça lui est égal, elle aime bien être rudoyée et culbutée elle aussi. C'est Mags qui avait suggéré de s'enhardir et de jouer à d'autres jeux, et elle lui avait même permis de la menotter pendant qu'il s'amusait avec elle. Et ça seulement au bout de deux mois. Les couples mariés ne font même pas ça après des années passées ensemble. Elle est prête à faire ce qu'il voudra pour le garder. Elle est enviée d'un grand nombre d'autres femmes. Le beau Jack Moriarty. Une belle prise.

Jack et Cathy écoutent le blues. La vitre de la voiture est baissée et Jack souffle sa fumée de cigarette en filet continu. Son entraîneur lui avait fait assez de remarques à ce sujet. Jack voit toujours sa vieille mâchoire mal rasée monter et descendre et sa salive jaillir de sa vieille bouche dégueulasse : *T'en mourras de fumer comme ça, Jack, tu peux pas compter courir jour après jour avec les poumons remplis de fumée.* Mais putain de merde, Jack ne va plus courir jour après jour. Qu'il aille se faire foutre. Il en a assez de courir. Assez de faire ce qu'on lui dit de faire. Surtout pour ce vieux sac à merde décrépit. Ils vont le regretter. Il va leur manquer. Ils feront appel pour le carton rouge et ils le supplieront de revenir jouer dans leur petite équipe. Ils veulent le championnat ? Ils ont besoin de Jack M.

« Quand je disais qu'on pourrait aller à Dingle pour la journée, je voulais pas forcément dire Dingle. »

C'est justement à ce moment précis qu'ils passent à côté d'un panneau qui indique « Dingle », en irlandais « An Daingean ». Ce qui suggère clairement qu'ils se dirigent vers Dingle, et Jack ne comprend pas. Ce n'est pas ce qu'elle voulait ?

« Ouais, je sais que j'ai dit ça, seulement je voulais dire, on pourrait aller *n'importe où.* »

Discours de gonzesse à la con. Il ne pige pas. Mais il la laisse continuer.

« Quand une fille dit qu'elle veut quelque chose, ça ne veut pas forcément dire qu'elle le veut. Et quand quelqu'un parle d'aller à Dingle, eh bien, il ne veut pas vraiment y aller. »

C'est la raison pour laquelle Jack passe la plupart de son temps libre à boire des coups avec des hommes. Ce genre de discussion. C'est pas simplement que ça n'a pas vraiment de sens, mais c'est terriblement agaçant, et ne peut sortir que de la bouche d'une femme. C'est un… comment l'a appelé Mags la semaine dernière ? C'est un misogyne. Voilà. Bon, peut-être que c'en est un. Il veut les baiser et puis il veut qu'elles lui préparent le petit déjeuner avant de partir et d'aller regarder un match ou autre chose et puis il veut boire des coups le soir avant de retourner travailler le lendemain. Qu'est-ce qu'il y a de si mal à vouloir faire ça le week-end ? C'est mal ? Pourquoi est-ce qu'elles tournent tout en procès comme ça ?

« Bon, on est en route maintenant. On sera bientôt arrivés.

– Je ne veux pas aller à Dingle, putain !

– Mais tu l'avais dit.

– Je sais ce que j'ai dit. Je voulais juste aller là où Mags n'est pas !

– Moi aussi.

– Je veux dire, c'est mon amie quand même.

– C'est aussi la mienne. »

Ça les fait rire tous les deux. Ce sont juste deux affreuses crapules qui font ça dans le dos de leur amie. Ça fait partie du charme. Partie du plaisir. Aller à Dingle n'est pas une partie de plaisir. Et la musique est merdique.

« Qu'est-ce qu'on fait, putain ? dit-elle.

– Aucune idée », répond-il.

D'autres clients arrivent par vagues des rues animées dans le café prisé, et Mags et Marian les regardent tout en piochant dans leur fondue de thon. Elles ont toutes les deux voulu perdre du poids pendant un temps, toutes les deux ont planifié des régimes et se sont préparées pour l'été. Mais on *est* en été. Et elles ont dépassé leur date limite, négligé leur ligne, les kilos dont elles devaient se délester sont encore là, les vêtements plus légers dans lesquels elles s'étaient promis de rentrer ont été remisés. Les chips au bord de leur assiette en sont la cause : comment peut-on résister à un sel pareil, et avec cette sauce en plus ? La mayonnaise coule le long du menton de Mags. C'est la seule chose qu'elle doive essuyer aujourd'hui – son nez semble être revenu à la normale. À chaque fois qu'elle va chez ce pharmacien, Larry McCarthy, il la tire d'embarras, lui donne un flacon avec une étiquette sur laquelle on voit un bœuf. Peu importe ce qu'il y a dedans, et que ce soit légal ou pas – ce pourrait aussi bien être un produit de contrebande colombien –, ça lui est égal. En tout cas, ça marche.

Marian n'en revient pas qu'elle soit guérie si vite.

« Quand j'attrape un rhume, ça dure des plombes. Mais bon, je crois que je suis une mauviette.

– Je suis habituée. Quand tu travailles dans une école, t'en attrapes tout le temps. Tous ces macaques frappés de maladies qui éternuent et toussent dans les couloirs.

– C'est sympa pour tes élèves !

– Je parlais des profs. »

Mags se plaint beaucoup des professeurs de l'école, et c'est toujours une source de grand divertissement pour Marian. Bien entendu, Mags se plaint aussi des élèves. Et des murs couverts de lierre qui les abritent. Elle se plaint des oiseaux qui piaillent, nichés dans le lierre. Elle se plaint même des molécules dans l'air qu'on respire dans cet endroit.

« Sérieusement, cela dit, il y a un nouveau prof plutôt sexy.

– Oh, raconte.

– James, James… quelque chose, je me souviens plus. Prof de sport. Un corps de rêve.

– Mieux que Jack ?

– Oh oui, même si Jack n'aimerait pas m'entendre dire ça.

– Que se passe-t-il entre vous deux ? »

Que se *passe*-t-il entre eux ? Mags devrait-elle lui parler de sa froideur ces derniers temps ? De sa mauvaise humeur constante. Ses ruminations. Son regard perdu au loin. Son agacement dès qu'elle tente d'avoir une conversation normale, de tous les jours. Ou devrait-elle lui raconter l'excitation de Jack au lit, le seul moment où il semble reprendre vie, quand il se passe quelque chose d'essentiellement physique, quand il se joue un truc ? Devrait-elle raconter tout ça à Marian ? Lui dire qu'il fait l'amour de plus en plus brutalement et que la tendresse s'évanouit de jour en jour. Faire *l'amour* ? Mon Dieu, on parle de Jack Moriarty, là. Et que dire du fait qu'il ne la regarde même plus dans les yeux ? Veut-elle avouer tout cela à Marian ? Veut-elle s'avouer tout cela à elle-même ? Que ça ne fonctionne pas. Qu'il vaudrait mieux que ce soit terminé. Elle a fait des efforts. Il n'a rien donné en retour. Elle pourrait lui accorder une dernière chance. Elle le fera sûrement. Mais James Machinchose pourrait être une meilleure affaire.

« Je ne sais pas. Il mijote quelque chose. Il dégage toujours ce truc. Comme s'il ne voulait pas être où il est. Comme s'il était impliqué dans un truc louche. On dirait un dealer sans drogue. Si tant est que ça veuille dire quelque chose. »

Marian hausse les épaules.

Mags sait que c'est dur à expliquer. Au cœur de Jack Moriarty se loge un cyclone de tourment qui prend de la vitesse. Elle ne sait pas comment elle sait ça, ce n'est peut-être qu'un pressentiment, peut-être l'instinct. En tout cas, elle ne veut pas se trouver là quand il aura gagné en ampleur, qu'il se déchaînera et partira en vrille.

« Et toi ? Ça fait des lustres que tu as rompu avec Martin. Ça ne te dirait pas de reprendre le train de l'amour ? Ou de te promener en calèche ?

– Oh, non. »

Encore Bernard Dunphy ? Quand est-ce qu'elles laisseront tomber ?

112

« Non, j'ai pas envie de ça en ce moment. Martin, bah, tu sais, ça m'a blessée. J'ai besoin de faire une pause.

– On aurait dit un homo ! »

Marian n'est pas surprise. Il avait un côté efféminé : un métrosexuel, du genre à porter un sac à main, du genre à vraiment écouter ce que tu as à dire.

« Il n'était pas gay, je t'assure. Loin de là. »

Mags boit une grande gorgée de café, la caféine lui donne l'énergie dont elle a besoin pour la journée. Elle ne sait pas quand elle verra Jack. Se demande ce qu'elle va lui dire. Faut-il qu'ils s'assoient pour « parler » ? Ou vaut-il mieux continuer comme si de rien n'était ? Après le match de football, il l'a ignorée. Il est reparti en voiture. Le fumier.

« T'as pas l'impression parfois qu'on prend de l'âge et qu'on va finir toutes seules ? Je veux dire, tout le monde se marie. J'habite encore chez mes parents, Cathy vit avec sa sœur. Au moins, toi, tu as ta maison à toi.

– Elle est petite, Mags.

– C'est quand même une maison.

– On va s'en sortir. T'en fais pas. Attends de voir arrriver l'homme idéal, la maison, la fortune, que sais-je, car ça arrivera. On sera prêtes.

– Mon Dieu, quel optimisme. »

Mags ne résiste pas à la tentation de faire une allusion chevaline pour taquiner son amie :

« Ouaip, quand ce prince charmant arrivera sur son cheval, on sera là à attendre. »

Marian la regarde. Oublie les blagues de *jarveys*. Gueule de bois oblige.

Mags comprend le message et passe vite à une autre chose qui lui trottait dans la tête.

« T'as eu des nouvelles de Cathy, non, aujourd'hui ?

– Nan. Pas un mot. Elle est où ?

– Aucune idée. »

Les warnings de la voiture rouge de Jack clignotent :
marche-arrêt-marche-arrêt. Le couple s'est garé sur le bas-
côté de la route et ils restent assis tous les deux sans parler, ils
regardent devant eux, Jack se tape les cuisses au rythme de la
musique, Cathy observe le dos de ses mains comme si le
duvet qui les couvre allait lui donner la solution au programme du jour.

« Alors, dit-il.

— Alors, quoi ?

— Qu'est-ce qu'on fait ?

— On n'a qu'à faire demi-tour.

— Tu ne veux vraiment pas aller à Dingle ? Il y a des
courses de chevaux là-bas aujourd'hui.

— Je n'ai vraiment pas envie d'aller à Dingle, putain.

— OK. Faisons demi-tour. »

Il fait demi-tour et s'éloigne de la ville qu'ils n'iront jamais
visiter ensemble. Ni aujourd'hui. Ni jamais probablement. Le
CD de blues passe toujours, car aucun d'eux ne fait l'effort de
trouver autre chose.

« Tu aimes vraiment cette musique ?

— Non, dit-il. Pas vraiment. Mais la prochaine chanson te
plaira peut-être. Tu veux savoir comment elle s'appelle ?

— Vas-y. Électrise-moi.

— Elle s'appelle *No More Doggin'*.

— Hum. Bon, je vais voir comment c'est. J'arrive pas à
croire que tu écoutes cette merde quand même.

— C'est pas que j'apprécie vraiment. Je crois juste que je
me suis habitué. »

C'est exactement ce que ressent Cathy quand elle réfléchit
à sa vie. Elle ne l'aime pas vraiment. Elle s'est juste habituée.
Elle regarde dans le vide à travers la vitre, et ne cherche
pas à saisir quoi que ce soit. Ils pourraient passer devant un

kangourou en train de sautiller, une girafe qui fait du shopping, elle n'y prêterait que vaguement attention.

« Tu veux une clope ? »

Elle médite sur la question un instant. Puis sent quelque chose bouger au fond d'elle. Tout en bas. À l'endroit que les romans victoriens appellent « le bas-ventre ». Le seul endroit dont elle soit sûre ces jours-ci.

« Non, pas de clope. J'ai plutôt envie d'autre chose. »

Ils se regardent et sourient malicieusement. Voilà pourquoi Jack l'aime bien. Tout le temps excitée. Comme lui. Afin de remédier à l'ennui quotidien, il n'y a jamais qu'une seule solution, ces orgasmes, ces moments fugaces où ils pensent conjurer la mort, prononcer leur mortalité, où tout semble faire sens, l'euphorie, l'extase rapide. Qui a besoin de drogues quand quelque chose vous fait *ça* ? Et pourquoi les Français y voient-ils une « petite mort », pour Cathy il s'agit plutôt d'une annonciation, celle d'être bien vivant.

Si Jack était plus artistique, ou même s'il était enclin à l'écouter, Cathy lui parlerait de Picasso : voilà un homme qui essayait constamment de créer quelque chose de nouveau, de briser les règles, perpétuellement animé par un désir sexuel insatiable, ancré dans la vie, repoussant la mort jusqu'à un âge bien avancé. Elle a lu un livre sur lui il y a un mois, pas plus. Dieu sait pourquoi, mais elle l'a fait, et elle a été subjuguée et séduite par cet Espagnol, monstre sacré de la peinture, ses ardeurs effrénées, ses accès de luxure. Le livre suggérait qu'on pouvait exploiter ce désir sexuel, qu'il n'y avait rien de mal dans cet accouplement primal, qu'il valait mieux le canaliser, peut-être même en abuser. Mais quel est l'intérêt d'expliquer tout ça à Jack ? Il n'écoutera sans doute pas. Au lieu de ça, elle tend la main et caresse le levier de vitesse de manière aguichante, remontant le long de l'objet phallique avec son doigt pour y décrire des cercles au bout. Là ils arrivent à se comprendre.

11

Bernard traverse le parc en calèche, il siffle des airs pour lui et la jument qui remue les oreilles si souvent : l'été, Bernard ne sait jamais si Ninny reconnaît les chansons et y prête attention ou si elle est simplement agacée par les insectes. L'endroit est magnifique, pas étonnant que les touristes viennent en masse pour voir ça par eux-mêmes, et les poètes écrivent immédiatement quelques vers pour honorer la splendeur des environs. Bien sûr, les habitants de la ville n'en font souvent aucun cas et se plaignent du nombre de touristes en baisse. Se plaignent de la récession dans le monde entier qui laisse les touristes chez eux, du fait que les étrangers n'ont plus d'argent à dépenser pour acheter des pulls en laine ou des dessous de verre décorés de trèfles, des porte-clés lutins ou des nappes en lin, ils n'animent pas Killarney autant qu'ils le devraient. Les jours de gloire sont peut-être finis pour toujours. Bien entendu, les rumeurs sur la mort de la ville restent toujours un peu prématurées ; c'est sans doute que les gens du coin aiment geindre. En réalité, la ville n'a rien perdu de son éclat, l'endroit est toujours splendide, c'est tellement dommage de ne pas en faire plus de cas. Il sait comment ça arrive. Quand on est entouré par tant de beauté à longueur de temps, on court le risque de l'ignorer, même ce qui est noble et beau peut devenir monotone.

Il est doué pour son travail. Il le sait. Sa mère le sait aussi. Elle doutait de lui. Serait-il capable de parler aux gens ? Serait-il chaleureux et courtois et leur ferait-il passer un bon moment ? Il en était capable. En *est* capable. Il savait à la mort de son père qu'une lourde responsabilité lui incombait. C'est peut-être l'une des raisons qui l'ont aidé à mûrir vite, à surmonter tous les défauts qu'il avait avant le décès de son père. Il n'était qu'un enfant à cette époque-là, un garçon en lutte. Adolescent, il a commencé à se dominer, et le fait de s'occuper de Ninny l'a aidé. Puis le moment venu, il s'est occupé de la calèche. Les années à l'école avaient été dures mais ce travail-là ne lui semblait pas difficile du tout. Il connaissait la jument, savait comment la maîtriser, puisqu'il avait appris avec la jument précédente, et il connaissait les rues de la ville, et les chemins des parcs, sur le bout des doigts qui jouaient de la guitare. Ça venait facilement.

Enfant, il s'asseyait souvent à l'arrière de la calèche avec son père à la barre, et ils partaient vers Dinis, ou s'arrêtaient à Torc Waterfall pour aller voir la cascade sur les lourds rochers, pour sentir les gouttes fraîches sur leur visage. Il faisait ses classes. Même à ce très jeune âge, quelque chose se transmettait. Son père lui racontait des histoires, des vieux mythes et des contes populaires qu'il mémorisait d'une manière ou d'une autre, et qu'il est encore capable de raconter en partie. Peut-être qu'il n'a pas seulement hérité de la musique, pense Bernard tandis qu'il se promène en ce dimanche après-midi. Peut-être qu'il a hérité d'un savoir-faire aussi.

La mémoire est une drôle de chose, elle peut vous jouer des tours ; on oublie, si facilement, et tellement de choses peuvent vous revenir à l'esprit bien vivantes, pétillantes. Parfois bien sûr, il invente de A à Z. Si des touristes lui posent des questions sur une montagne en particulier, ou sur un pré ou sur High Cross, il innove, c'est tout. Il ne peut pas tout savoir. Il invente. Leur raconte ce qu'ils veulent entendre, la licence poétique. Ce n'est pas comme s'ils allaient vérifier. Tous ces contes sont du même acabit de toute façon. Bernard en connaît un rayon question histoires. Un peu de magie par-ci. Des amoureux maudits par-là. Une pincée de tragédie et de gothique lugubre dans la marmite. Facile à improviser. Quand il était enfant, son état l'empêchait d'avoir une telle élocution, mais à présent, ça coule tout seul, peut-être qu'en fait il se parle à lui-même. C'est comme le blues. Il n'y a que douze mesures, c'est la base ; après on joue avec ce qu'on met dans ces douze mesures. C'est sans doute pour ça qu'il aime le blues, la structure si familière, avec un peu de marge pour manœuvrer au sein de cette forme. Ce pourrait être une métaphore de la vie. Une métaphore de beaucoup de choses.

Il voit un groupe de gars qui jouent au foot. Super, pense-t-il. Des jeunes qui profitent du soleil, qui tapent dans un ballon au lieu de rester enfermés devant un jeu vidéo. Bernard aussi, dans son enfance, a passé beaucoup de temps dehors, à jouer de la guitare, mais c'est parce qu'il était différent. Ces journées n'étaient pas gâchées. Il apprenait quelque chose d'important. Un talent. Il ne sait pas ce qu'on gagne à jouer aux jeux vidéo toute la journée. Ces garçons en revanche, ils ont raison ; les pulls par terre servent de goals et hop, défense. Ils ne sont que trois, mais c'est suffisant pour jouer, pour s'amuser un peu. Ils sont tout sourire. Bernard ne peut s'empêcher d'arrêter la calèche et de leur faire un grand signe de la main.

« Comment ça va, les gars ? Vous profitez de la journée ? »

Dès qu'ils remarquent qu'il les observe, qu'ils entendent son approche maladroite, ils s'arrêtent ; net, comme figés par la glace sous le soleil radieux.

« Va te faire foutre, pédé ! »

De la bouche d'un petit gars aux cheveux frisés, Bernard pense qu'il doit avoir environ quatorze ans.

« C'est ça ouais, putain de fils de pédé plutôt, hein », renchérit le plus grand, les yeux bridés, méchants.

Le visage de Bernard s'effondre. Il secoue la tête. Ils le connaissent ? Les gars se tiennent là en le défiant, un barrage de bravade, une trinité menaçante. Leurs ricanements sont mauvais, vindicatifs, en contradiction totale avec la journée de Bernard jusque-là, en contradiction avec sa propre courtoisie innocente ; un tel ravage de l'ordre des choses, une telle démolition déchaînée en l'espace de quelques secondes. Il tire vite sur les rênes de la jument et elle réagit, un trot rapide pour fuir la scène. Parfois, les choses tournent mal, très mal. Parfois la vie s'avance, vous gifle, et vos jouent piquent, vos yeux se remplissent de larmes. Bernard ne sait pas ce qui l'attend au prochain tournant, l'amour ou la perte, plus probablement la perte, au train où vont les choses.

Au tournant suivant, ou du moins au détour du *virage* suivant, le long de la route ombragée bordée d'arbres, se trouve une Américaine d'une vingtaine d'années, seule. Elle porte un sac à dos sur les épaules et ses cheveux blonds brillent de mille feux quand le soleil perce la voûte de feuillage. Avec un mouchoir, elle essuie la sueur qui lui coule du front et fait signe au *jarvey* ; Bernard est ravi de rencontrer la première cliente de la journée.

« Je ne savais pas trop comment vous héler. Je ne connais pas le protocole exact.

– C'est comme un taxi, en fait. »

Bernard l'imagine à New York, descendant du trottoir, la porte d'un taxi jaune s'ouvre, comme dans une centaine de films qu'il a déjà vus, la fumée sort des bouches d'égout, les néons se reflètent dans les flaques.

Il descend à terre et l'aide à grimper. La galanterie n'est pas morte dans cette profession. Il aime ça. Les manières d'antan. Il ne reste pas beaucoup de métiers où on a l'occasion de prendre une dame par la main pour l'aider à faire un pas ou deux. Non pas que cette fille ait vraiment besoin d'aide. Elle est jeune, vive, et en forme. Comme tant d'autres jeunes femmes de son âge aujourd'hui, elle fait probablement du sport dans une salle de gym, consciente de son image, de son apparence aux yeux des autres. Bernard a déjà remarqué les muscles de ses bras, fins mais noueux, son ventre plat. S'il n'était pas aussi épris de Marian, il irait presque jusqu'à dire qu'il est séduit par cette jeune fille. Il en a vu au fil des ans : des filles brunes, des blondes, châtains, des filles plantureuses, des filles minces, des filles gothiques, des filles magnifiques mais elles font toutes pâle figure. Seule l'une d'elles est toujours restée dans ses pensées au fil du temps. Pathétique. Navrant. Il sait qui il est.

« Belle journée.

– Ouais. Magnifique. Je crois que je suis tombée amoureuse de Killarney.

– Première fois ?

– Mes parents m'avaient emmenée ici quand j'étais petite, mais je ne m'en souviens pas. Enfin, je ne me souviens que des chevaux. Pas grand-chose d'autre.

– Ce n'est pas un mauvais souvenir à garder. Je suis content que vous ayez décidé de revenir. »

La jeune Américaine, Laura, s'installe sur son siège. Ses jambes sont fatiguées. Elle a déjà marché pendant des kilomètres, elle n'est pas sûre de pouvoir rentrer en ville sans s'écrouler de fatigue ou de déshydratation. Elle a oublié de remplir une bouteille d'eau supplémentaire.

« Je m'amuse bien. Je suis ici avec mon frère. Il a un peu la gueule de bois aujourd'hui. Trop de Jameson hier soir. Je me suis dit que j'allais me balader, mais vous savez, je ne suis jamais montée dans une calèche avant. C'est agréable de voyager comme ça. »

Laura examine le dos large de la jument.

« Elle est belle. Mon père possède un ranch au Texas. Pas tout à fait le même genre de chevaux, hein ?

– Nan. On raconte qu'on avait des Clydesdales ici à Killarney dans le temps. Mais maintenant, on s'accommode très bien de ces animaux de trait au sang mêlé. »

Elle sourit et attache ses longs cheveux blonds en queue-de-cheval. Elle se demande comment le conducteur peut porter un gros manteau comme ça un jour comme aujourd'hui.

Bernard la regarde pendant qu'elle s'arrange, ses seins pointent sous son T-shirt tandis qu'elle se tire les cheveux en arrière, on distingue clairement ses mamelons. Il tourne la tête, ne veut pas se retrouver gêné, lui comme elle, en se faisant prendre à reluquer.

« Cette vieille mule a fait le tour du patelin plus d'une fois, c'est moi qui vous le dis. Elle doit en avoir ras le bol de ces arbres.

– Elle a l'air vieille, la pauvre bête. »

Bernard n'aime pas l'admettre. Elle est vieille, il le sait, elle est sûrement sur le déclin, mais il ne supporte pas l'idée de vivre sans elle.

« Ah, elle a encore de la ressource. »

Laura a grandi avec les chevaux. Elle sait quand ils commencent à faiblir. Elle doute de ce qu'il lui dit.

« Comment elle s'appelle ?

– Ninny. »

Elle éclate d'un rire franc, avant d'essayer de faire amende honorable en s'arrêtant subitement, sachant qu'elle a sans doute été impolie. Enfin, quand même… Ninny ?

« Ouais, je sais. Pas le meilleur nom du monde pour un cheval. »

Bernard n'arrive pas à garder son sérieux et se met à rire lui aussi.

À l'abri du soleil éblouissant et dans l'ombre fraîche de leur bar, Marian et Mags boivent des cafés glacés.

« Ouais, mais si t'étais obligée, dit Mags.

– Obligée ?

– Par exemple, si on t'offrait beaucoup d'argent et que tu devais coucher avec lui juste une nuit. Juste une nuit.

– Hors de question. »

Marian n'arrive pas à croire qu'elles parlent encore de Bernard Dunphy, une fois de plus. C'est quoi, cette fixation ? Elles n'ont rien d'autre à dire ? N'y a-t-il pas plein d'autres hommes ? Plein d'autres cinglés dont elles pourraient méchamment se moquer ?

« Juste une nuit ! Pour une somme d'argent astronomique.

– C'est ta façon de penser qui est astronomique.

– Dix millions d'euros. Une nuit avec Bernard. Et personne n'en saurait jamais rien. »

Marian médite la proposition, grimace en fronçant la bouche d'une drôle de façon.

« C'est beaucoup d'argent.

– Et comment. Imagine. Tous ces sous. Et il restera bouche cousue. Pas un mot, ni avant, ni pendant, ni après. Et par-dessus tout, il ne portera pas son gros manteau noir.

– Bah, si on doit faire l'amour, le manteau va forcément tomber, non ?

– Et il ne chantera pas. Pas de blues. Rien. C'est le marché. »

Les traits de Marian se détendent. Difficile de garder ce froncement de sourcils songeur. Elle soupire : « OK, ma décision finale…

– Tu le ferais, n'est-ce pas, espèce de pute.

– Ma décision finale… après mûre réflexion, et en prenant en considération le fait qu'il y a un paquet d'argent à gagner, ma décision finale, c'est… non.

– Non ?

– Tu pensais que j'allais dire oui ?

– Moi, je le ferais. Pour l'argent bien évidemment. Seule façon de supporter l'odeur. »

Marian a un haut-le-cœur.

« Et je connais quelqu'un qui le ferait aussi, dit Mags.

– Qui ?

– Cathy.

– Pourquoi tu dis ça ?

– Parce que c'est une sacrée pute et tu n'aurais même pas à mentionner l'argent. »

Cathy, la sacrée pute, est dans la voiture de Jack, garée sous un arbre près de la barrière d'une vieille ferme. Jack a repensé à un truc en conduisant, une promesse encore non tenue, et c'est la raison pour laquelle il s'est arrêté dans cet endroit désolé. L'idée même d'aller à Dingle est désormais aux oubliettes. L'idée d'une partie de jambes en l'air ne l'est pas encore en revanche, et les voilà à l'arrière, Cathy a les jambes autour de la taille de Jack qui se trémousse sur elle.

« Attention, là.

– Quoi ?

– Mes côtes. Je me suis fait mal au match hier.

– Désolée. »

Cathy se pousse de telle manière que son coude lui écrase une fois encore délibérément les côtes.

« Putain, qu'est-ce que je viens de dire ?

– Désolée. Un accident. »

Derrière les poils bruns de sa nuque en sueur, elle sourit, elle s'amuse bien. Elle aussi est couverte de sueur et elle passe un bien meilleur moment que si elle était allée à Dingle. Dingle est une belle ville, pittoresque, prisée et ce doit être superbe un jour comme aujourd'hui, avec les mouettes qui crient au-dessus des bateaux dans le port, les badauds qui se bousculent dans les magasins d'artisanat typiques mais Cathy préfère de loin se faire baiser à l'arrière de cette voiture puante, au milieu de nulle part. Elle apprécie tout particulièrement le fait qu'elle lui fasse mal de temps à autre simplement en bougeant ses bras d'une certaine façon. La monnaie de sa pièce.

Il ouvre la fenêtre pour laisser entrer un peu plus d'air. Il fait chaud comme dans une fournaise. Ses cuisses sont moites et il sent la sueur lui dégouliner des couilles. Il lèche les gros seins fermes, voudrait les mordre mais se retient.

Elle frotte son dos nu et massif de haut en bas pour faire durer la chose ; elle veut qu'il la pénètre plus fort. C'est tout ce qu'il peut donner ? Allez Jack, bordel, tu peux faire mieux. Elle adorerait crier : *Prends-moi ! Plus fort !*

Au lieu de ça, elle lui redonne un coup de coude dans les côtes.

« Aïe, aïe !

– Navrée. »

Deux cygnes glissent sur le lac devant le château de Ross. Il est évident qu'ils sont ensemble, inséparables, clairement ils sont en couple, partenaires, heureux de traverser les eaux ensemble, leurs pattes palmées pataugent à peine sous leur corps lourd ; c'est comme s'ils bougeaient sans aucun élan, par la seule pensée. Bernard envie leur grâce, leur complémentarité. Envie leur paix. Les touristes prennent des photos du couple blanc, essaient de capturer le lustre soigné de leurs plumes, la courbe élégante de leur cou ; c'est le genre de cliché qui pourrait sublimer la banalité de l'album-photos et pourrait finir encadré au mur, l'apothéose. Laura compte parmi les photographes, bien sûr, ne laisse pas passer un tel moment, et Bernard est heureux de la regarder en train de les regarder.

« Profitez-en tant que ça dure, lui dit-il. Il pourrait pleuvoir demain. C'est pas tous les jours comme ça, vous savez. Peut-être qu'il y a du soleil au Texas, mais dans le sud de l'Irlande, c'est rare, vous savez, mesurez votre chance. »

Laura s'éloigne des cygnes pour prendre des photos des murs du château, en espérant que Bernard lui donne des précisions sur son histoire. Son guide avait mentionné des guerres qui avaient eu lieu là des siècles auparavant, le clan des O'Donoghue, des rois et des nobles, des guerriers, des soldats et des conflits, c'est partout la même chose. Bernard pourrait peut-être enjoliver tout ça quand elle aura terminé, son accent rendra les contes plus vraisemblables. Pour l'instant, elle le laisse fumer sa cigarette alors qu'il jette un œil au lac et à la vedette qui fait la navette entre les petites îles.

Bernard parcourt le Lough Leane des yeux et regarde au-delà de l'île Innisfallen. Parfois il pense qu'il pourrait s'exiler là-bas. Comme saint Finian le Lépreux. Il n'est peut-être pas du genre à écrire les annales de son pays comme le faisaient les vieux moines, mais il pourrait volontiers y jouer de la guitare, regarder le soleil se coucher par-delà les montagnes, il pourrait volontiers faire passer le temps, gratter les ruines médiévales, demeurer oisif, fumer des cigarettes et ne penser à rien en particulier. Mais il ne tiendrait pas longtemps. Parce que penser à rien est trop difficile et que cela le mène invariablement à penser à Marian Yates. Il aperçoit aussi un pêcheur, seul dans son bateau, une silhouette d'homme en équilibre au milieu d'une embarcation, sa ligne bien haute et courbée, comme si quelque chose tirait à l'autre bout. Quoi ? Une truite ? Un saumon ? Une vieille botte ? Bernard frissonne en se rappelant ses cauchemars, le fantôme qui flottait en suspens sous la surface, les lèvres bleues, la bouche ouverte. Les yeux aussi, ouverts probablement. Cesseraient-ils un jour, ces rêves ? Ne le laisseraient-ils jamais en paix ?

« Fini, dit Laura. Enfin, plus qu'une photo.

– Laquelle ?

– Celle de vous avec Ninny. Allez, montez. Je voudrais en prendre une de vous deux.

– Bon, si vous y tenez. Mais je ne suis pas sûr d'être assez bien rasé. Ils ne sauront pas quoi penser de moi quand vous leur montrerez la photo là-bas chez vous. Il faut que je m'occupe de ce fichu trou que j'ai dans la bouche. Ils vont rigoler en voyant cet Irlandais édenté.

– Là d'où je viens, il n'y a que des cow-boys. Des vrais et des faux. Les vrais ont toujours une dent en moins, à cause d'un coup de sabot, de vache ou de cheval. Et on a l'habitude des visages mal rasés. Un jour, j'ai eu le menton presque scié par un cow-boy qui m'avait embrassée. »

Elle appuie sur le déclencheur deux trois fois, vérifie ce qu'elle a pris sur son appareil numérique, décide de n'effacer aucune photo, elles sont toutes bonnes.

Bernard sourit toujours, sans retenue désormais, à quoi bon, voilà qui il est, un cavalier irlandais, poilu, à qui il manque une dent, les Texans seront ravis de voir ça.

La mine de Laura s'assombrit.

« Que se passe-t-il ? Je ne suis pas aussi photogénique que prévu ?

– Non, ce n'est pas ça. Vous êtes sûr que votre jument va bien ? On dirait qu'il y a quelque chose qui cloche. »

Bernard le voit lui aussi. Ça fait des mois qu'il essaie d'ignorer ce regard, mais ces oreilles, tout le temps aplaties, et ces yeux chevalins, une reddition.

« On dirait qu'elle ne se sent pas bien. J'ai vécu toute ma vie avec des chevaux, monsieur. Elle ne va pas bien. Il faut qu'elle se repose. »

Il le sait. Alors pourquoi continue-t-il à l'ignorer ? Il la voit certains matins, à peine capable de lever la tête. Il croyait que c'était peut-être à cause de l'hiver long et rigoureux qu'ils avaient eu, ce manque de dynamisme parce que le soleil est faible et voilé. Mais c'est l'été à présent, il fait jour le matin, les oiseaux lui chantent aux oreilles, elle devrait ruer dans les murs de l'écurie pour essayer de sortir et faire claquer ses sabots au sol.

Bernard le sait. Et pourtant il le cache, cherche un petit réconfort ; il n'est pas encore prêt à la pleurer.

« Mais elle va nous ramener à la maison quand même, hein cocotte ? »

Il descend, à l'avant de la jument, et lui tapote délicatement le museau. Elle s'ébroue doucement.

« On n'a qu'à se poser un instant, dit Laura. Laissez-la se reposer à l'ombre de cet arbre. On n'a qu'à discuter. Pour lui laisser le temps de récupérer. Vous n'avez qu'à me raconter ce que c'est que d'être *jarvey* dans la belle ville de Killarney. »

Bernard se laisse convaincre. Il sait qu'elle a raison, il le sait, il le sait, tout ça il le sait bien, et pourtant il est trop lâche pour l'admettre. La jument se tient immobile sous l'ombre d'un grand chêne, les deux choses, hors d'âge, semblent être là depuis la nuit des temps, mais tandis que l'un porte encore des fruits, l'autre a au moins trois pattes dans la tombe. Et Bernard le sait.

Les filles fixent leurs tasses de café vides. Marian tapote le bord de la table avec ses ongles longs, elle chantonne au son de la musique qui passe. Elles ne disent rien pendant quelque temps. Elles tripotent leurs bracelets et leurs colliers, ouvrent leur portable d'une chiquenaude pour voir si elles ont de nouveaux messages. Rien. Elles étaient comme ça à l'école aussi, toutes les trois, en cours de gaélique ou de sciences, le professeur expliquait au tableau, les filles enfonçaient des compas dans leur bureau, griffonnaient sur les couvertures de leurs manuels ou déchiraient le plastique qui recouvrait n'importe quelle trousse, ce qui n'était qu'un tout petit trou devenait une plaie béante. Elles ne tenaient jamais en place ; au moins, elles avaient ça en commun. Les portables sont de parfaits objets pour leurs mains impatientes. Elles revérifient. Aucun message.

« Non mais sérieusement, dit Mags à propos de rien.

– Oh, putain, plus de *Non mais sérieusement*. Je ne joue plus à ces jeux imaginaires baiserais-baiserais pas. »

Il faut qu'elles grandissent. C'est ce que Marian pense. Ne sait pas encore trop comment y arriver mais vraiment, il faut qu'elles grandissent.

« Non, pas ça. Mais je veux dire, tu crois qu'on aura un jour la bague au doigt ? »

Marian regarde ses mains. Des accessoires, des bagues de mauvais goût, encore des trucs qu'on peut faire gigoter, mais pas la bague importante, et pas sur le doigt qui compte.

« Bah, peut-être. Je ne sais pas. Ce James prof de sport, c'est une vraie perspective ?

– Je crois qu'il baise un corps de dix-neuf ans.

– Une fille, j'espère.

– Très drôle. Oui, une fille de dix-neuf ans.

– Ils baisent tous des filles plus jeunes. On a presque trente ans. C'est bientôt "game over" pour nous. »

Marian ne veut pas avoir cette conversation. Elle l'a déjà eue avec sa mère. Elle en parle toutes les semaines avec elle, ces matins amers après la messe. Ça devient ennuyeux. La conversation baiserais-Bernard-pour-des-millions-d'euros était beaucoup plus intéressante.

« Pas étonnant que Jack ne s'intéresse plus à moi. Quand les gars prennent de l'âge, ils veulent des filles plus jeunes.

– Pareil qu'avec leur voiture. Ils la remplacent par un modèle plus récent. Ça paraît tout à fait évident. »

En effet. Tout à fait évident. Papa. Secrétaire. Dublin. Il y a des preuves. L'affaire est close.

« Mon Dieu, c'est déprimant. On devrait se marier. Les filles avec qui j'étais à l'école ont des gosses de sept ans. Moi, j'ai juste des rhumes. Des rhumes et mes règles. Tout ça une fois par mois. »

Marian hoche la tête, même si dans son cas, c'est pire : rhumes, règles, et la visite hebdomadaire de Mère.

« On sort se bourrer la gueule ce soir ? » demande Mags. Il y a tant d'espoir dans cette question. Même la légèreté feinte du ton de sa voix ne masque pas son désespoir. Ce n'est pas une requête, c'est un appel. Comment Marian pourrait-elle la laisser tomber ?

« Tu veux dire, comme tous les week-ends ? »

Jack la pénètre plus fort. Plus ils ont chaud et transpirent dans la voiture, plus il prend en vitesse. Il aime ça. C'est un bon coup. Elle est mieux que Mags, c'est certain. Même si Mags n'est pas non plus une empotée. Elle a une bonne bouche. Elle est bien pour lui tailler une pipe. Bave sans humiliation, fait ce qu'il faut, bien excitée. Alors il lui fait faire le plus souvent possible. Cathy, c'est pas pareil, elle est tout en cuisses, elle a de plus gros seins, et bientôt elle le laissera lui faire ça dans le cul. C'est le but. Peut-être qu'il faudra qu'il lui promette de l'épouser ou quelque chose comme ça. Mais il adorerait la retourner et le faire. Il se demande si elle aurait mal. Sans doute. Il essaie de garder ces idées en tête mais il est interrompu.

« Quoi ? dit Cathy alors qu'elle en redemande, elle pense qu'elle pourra peut-être jouir seulement avec la pénétration, la vitesse, sans avoir à se servir de ses doigts. Mais ils ont arrêté.

– Putain, bordel de merde !

– Quoi, qu'est-ce qu'il y a ? »

Jack aperçoit le visage d'un homme près de la voiture. À quelques mètres seulement. Les vitres arrière, légèrement couvertes de boue, n'ont pas été lavées depuis des mois, mais il y a quelqu'un là, c'est certain.

« Oh, mon Dieu, vite, rhabille-toi !

– Quoi ? Qui est là ?

– Un putain de pervers, c'est tout. Un connard de *dogger* qui croit qu'on fait du *dogging* nous aussi. Putain ! Et en plein jour. Je croyais que ces connards ne sortaient que la nuit. »

La voiture est secouée par leur précipitation ; ils remettent leur chemise, remontent leur pantalon, Jack jure à tout-va en même temps.

Le grand homme à moustache dehors se rend compte que quelque chose ne va pas, il est assailli par la peur. Il ferme sa braguette et s'enfuit. Il croyait que c'était le bon endroit. C'est un ami qui le lui avait dit. La barrière de la vieille ferme, c'était le repère. Il y avait même une bande de peinture rouge dessus, pour prévenir les autres. Les couples venaient là pour faire l'amour en sachant qu'ils seraient observés. Même si en général c'était à la tombée de la nuit. C'était ça, le marché. En Pologne, c'était des homos dans les toilettes publiques. En Amérique, il a entendu parler de « cambuses » dans les alcôves des toilettes, mais ici les couples faisaient ça dans leur voiture, et les hommes pouvaient les regarder du dehors – c'est comme ça que ça se passait, enfin du moins dans ce coin-ci des bois. La plaisanterie disait que les intéressés faisaient croire à leur femme qu'ils allaient promener le chien, d'où l'origine éventuelle de ce terme un peu cru, « dogging ». Mais, ce n'est pas ici, de toute évidence. Alors pourquoi est-ce que ça tourne mal, pourquoi est-il forcé de courir, et, plus terrifiant encore, pourquoi est-ce que cet homme sort de sa voiture et cherche à le rattraper ?

Jack est rapide. Jack sort de la voiture à la vitesse d'un lévrier qui s'échappe de sa trappe, et il a la même gueule affamée qu'un lévrier, il a soif de sang. Il est trop rapide pour le grand homme, il arrive toujours à plaquer ses adversaires au sol rapidement, il est habitué à les poursuivre. Cette fois, il n'aura pas à vérifier si l'arbitre le regarde en cas d'irrégularité.

Il plonge sur les jambes de l'homme, ce qui projette ce dernier sur la terre ferme. Le manque de pluie a durci la route boueuse, et il s'est déjà entaillé l'arcade sourcilière. Mais ce n'est que le commencement. Jack se relève vite et porte quelques coups de pied au corps de l'homme. Il le frappe plus fort qu'il n'a jamais frappé dans un ballon. Il rit en même temps. Il est pris d'un vertige incontrôlable. Comme s'il planait. Comme si l'ecstasy circulait dans son sang et qu'il dansait au rythme effréné de son propre night-club. Mais il fait jour. Il n'y a pas de musique. Pas de lumière stroboscopique. Seulement le soleil radieux qui les éclaire, le plus gros projecteur possible, et Jack est plein de vie, euphorique.

Cathy est sortie de la voiture et crie.

« Arrête, arrête ! »

Son inquiétude ne fait qu'aviver l'ardeur déjà endiablée de Jack, il retourne l'homme et il s'attaque désormais à son visage, il le frappe droit dans la mâchoire, le nez, le front tandis que l'homme essaie de parer les coups avec ses longs bras, ses braillements et ses cris d'angoisse sont une horreur dans la campagne tranquille.

« Putain de pervers voyeur de merde, espèce de connard de mes deux ! »

À chaque juron prononcé, Jack donne un coup sur une partie du corps de l'homme, peu importe où, chaque coup fait vraiment mal.

Cathy est en pleurs, son corps convulse sous le choc. Une minute plus tôt, elle éprouvait un plaisir intense, brutal aussi, mais du plaisir quand même, et maintenant voilà ce qui se passe ! L'envers de la passion, la face abominable, celle qui devrait être mise sous clé, un monstre dans les oubliettes.

Il a cessé de remuer de manière hystérique.

« Jack ! Non ! Allez, arrête ! S'il te plaît, bordel, arrête ! »

Essoufflé, il regarde sa victime à terre, voit que l'homme ne se bat plus pour se libérer, après les cris, les geignements

131

puis plus rien du tout. L'homme ne bouge plus, il est allongé immobile sur la route sale et dure. Pas le moindre tremblement. Comme un lièvre pris lors d'une chasse un après-midi, maculé de sang et immobile à faire peur.

Cathy s'approche d'eux à pas hésitants.

« Il va bien ?

– Connard de polack pervers. »

Jack crache sur le corps sans vie, le crachat collant et blanc d'un homme assoiffé, épuisé sous le soleil.

La campagne est calme. Aucun bruit à présent. Pas même le sifflement d'un oiseau qui délimite son territoire. Seule la respiration pénible de Jack anime leur monde.

« Il est vivant ?

– Retourne à la voiture.

– Il faut partir avant que quelqu'un arrive.

– Retourne à la voiture. »

Il y a une telle autorité menaçante dans le calme de sa voix, un sang-froid tellement sinistre, que Cathy n'a pas d'autre choix que d'obéir. Elle n'oserait pas braver sa colère, pas maintenant. Elle a toujours soupçonné que cet homme pouvait se montrer violent, et que c'est peut-être pour ça que c'était un bon coup. Mais putain ! Elle est assise à l'avant et se cache le visage dans les mains. Ce n'est pas possible. Ce n'est pas possible. Pas pour de vrai. Tout cela ne peut pas être aussi vrai que le reste. Mais ça l'est. Le soleil. Les arbres. La boue durcie sous leurs pieds. Tout cela se ligue contre elle à présent. Elle n'a qu'à ôter les mains de son visage et regarder dans le rétroviseur pour apercevoir la terrible réalité qui l'entoure. La terrible réalité de tout ça, c'est que Jack se tient maintenant au-dessus de l'homme avec une pierre. Une pierre qu'il a ramassée sur le bord de cette route sale et désolée. Une pierre qui aurait pu rester posée là silencieusement pendant des décennies, voire des siècles, une pierre qui a tout bonnement absorbé la pluie, cuit au soleil, s'est parfois trouvée couverte de fourmis et d'araignées et qui désormais est sur le point de faire une chose à laquelle très peu de gens voudraient assister, une chose que très peu de gens oseraient envisager ne serait-ce que l'espace d'une seconde. Mais Jack Moriarty *ose*, lui. Et fait plus que l'envisager. Il s'apprête à faire cette chose. Et Cathy assiste à la scène, dans le rétroviseur de sa voiture rouge flamboyant. Elle voit tout cela se dérouler sous ses yeux. Jack Moriarty soulève la lourde pierre au-dessus de sa tête, comme un haltérophile exhibant sa virilité, comme un dieu romain, fou, résolu à la damnation, et après ce qu'ils s'apprêtent à entendre, nul séjour à la campagne ne sera plus jamais tranquille, puisqu'ils l'associeront désormais au craquement fracassant, à la secousse tellurique, que fait le son de deux kilos de calcaire sur le crâne d'un homme.

12

Le soleil étincelle sur le lac. Seul un nuage lourd, noir, au loin, a l'audace de gâcher ce parfait tableau. Bernard garde un œil sur lui, il sait comment les choses deviennent menaçantes, comment ces nuages peuvent flotter avant de s'ouvrir, de se déverser, tremper et saturer le sol. Mais pas encore. Il reste quelques heures de beau soleil et il a l'intention d'en profiter. Il est content d'être assis dehors sous ses rayons en compagnie d'une jolie Américaine : Laura. Laura du Texas. Aux yeux bleus. Dynamique. Belle. Ils sont assis tous les deux au bord de l'embarcadère principal et ils contemplent le lac, au son des petites vagues qui clapotent sous leurs pieds. C'est presque idyllique. Il y a tellement d'endroits comme celui-là partout à Killarney. Certains connus, très fréquentés. D'autres qui sont des trésors cachés attendant d'être découverts. Celui-ci est l'un des plus courus, mais oui, c'est pour l'essentiel un lieu presque idyllique. Peut-être enlèverait-il des pêcheurs en bateau pour parfaire le tableau ; un coup de Photoshop, il faudrait commencer par effacer ce nuage noir. Alors ce serait parfait, peut-être. Bernard aimerait rester assis comme ça pour toujours. Simplement à contempler. Bien entendu, si le tableau se devait d'être absolument parfait, il faudrait substituer Marian à Laura. Là, ce serait vraiment l'idéal. Trop de modifications ? Ce sera toujours comme ça avec lui ?

Bernard a envie de bouger. Il fait chaud sous ce gros manteau. Il est tenté de l'enlever. Il va peut-être se laisser aller complètement.

« Vous êtes né à Killarney ?

– Oui. J'y suis né. J'ai grandi dans un endroit qui s'appelle Ardshanavooly.

– Ouah, c'est un drôle de nom.

– C'était un chouette endroit. Les gens étaient accueillants. Chaleureux.

– Vos parents sont encore là-bas ?

– On a déménagé. Ma mère est toujours en vie, et elle fait toujours autant d'histoires à propos de tout. Mon père est décédé quand j'étais jeune.

– Oh, désolée. »

Le silence tandis qu'une douce brise rafraîchit la sueur au-dessus de ses sourcils. Bernard n'est pas du tout désolé que son père soit mort. Ç'aurait pu être si différent. Tout aurait pu être tellement... autre. Si certaines choses n'étaient pas arrivées. Ou si les choses avaient pris un autre chemin. Un chemin carrément opposé. Son esprit commence à ronronner à présent. Il pense aux bons pères qu'il a connus enfant, sévères mais justes, qui regardaient leur progéniture jouer au football, qui leur ébouriffaient les cheveux sans que cela sonne l'alarme. C'était une tout autre époque évidemment, on ne prêtait pas attention à qui ébouriffait les cheveux. Son propre père lui avait appris les bases à la guitare alors qu'il était tout petit. Il lui avait appris à s'occuper des chevaux aussi. Et c'était là deux bonnes choses. C'était des points positifs. Il devrait essayer de se souvenir des bonnes choses. Encore l'esprit-qui-ronronne. Il fait chaud comme dans une fournaise aujourd'hui. Il se sent un peu faible. Nul besoin de penser à son père. Nul besoin de tout ça. Pas un jour comme celui-ci. Le soleil. Le lac. Ça ne suffit pas ? Aujourd'hui au moins.

Il réfléchit au blues. Son refuge, toujours. Ce qu'il y a de bien avec cette musique, c'est qu'on sait à quoi s'attendre. On sait ce qui suit. Il y a des variations, mais on est assez sûr de ce qui peut arriver, de ce qu'il nous réserve. Il y trouve un grand réconfort. Il veut penser à la musique, se perdre dans la contemplation. Il trouve qu'il n'est jamais plus heureux que dans deux situations : dans la création ou dans la contemplation artistique. Il veut en parler. Il veut égréner les noms à haute voix, comme pour un mantra : Blind Lemon Jefferson, Charley Patton, Bessie Smith, Skip James, Sunnyland Slim, Sonny Terry, Leadbelly, Leadbelly, Leadbelly. Voilà un autre chanteur auquel Bernard ne pouvait s'empêcher de penser parfois, un hors-la-loi, envoyé en prison, qui s'en est sorti en chantant. Bernard aime lire des livres sur Leadbelly, ses prouesses sexuelles, le fait qu'il portait son colt et sa guitare, toujours les deux à la fois, le fait que son répertoire était aussi varié que sa sauvagerie : il connaissait des chansons folk, des ballades de cow-boy, du blues de bas étage, parfois il n'avait même pas besoin de sa douze cordes, il se contentait de brailler dans les bordels de Fannin Street.

Bernard adorerait être aussi audacieux. Adorerait avoir sa truculence. Le genre de personne qu'on fait sortir de prison grâce à ses chansons. Comme si la musique, et la musique seule, suffisait. Une personne qui n'est pas rabougrie par l'embarras, mais qui bombe la poitrine et braille : *I'm here, now listen to me, listen to me sing Goddammit !* Il aimerait que les Irlandais puissent dire ça : *Goddammit. Nom de Dieu.* Mais il ne veut pas passer pour un peigne-cul. C'est important de rester authentique. De ne pas frimer. Un jour, il bombera la poitrine et il chantera. C'est certain. Un jour prochain peut-être.

L'eau clapote. L'odeur du lac sous leurs pieds est forte. Les poissons. La fronde. Il veut creuser un tunnel pour reprendre la conversation. Le silence devient trop lourd. Étouffant. À quoi pense Laura ? Elle pense à lui ? Au fait qu'il est étrange que cet Irlandais s'intéresse à *sa* musique ? Il se souvient d'avoir vu d'autres hobbys bizarres à la télé : une école à Moscou où on apprenait le gaélique, et un homme de Ennis qui possédait la plus grande collection de vinyles de reggae au monde. Il faut de tout pour faire un monde. Les gens s'impliquaient dans toutes sortes d'activités différentes. Inutile de rester dans sa boîte. Bernard est prêt à tout lui dire sur sa passion.

« J'adore le blues, dit-il abruptement.

– Pardon ?

– Le blues. La musique américaine. Le folk. Mais surtout le blues.

– Oh, je vois. Je ne m'attendais pas à ça. Il y a beaucoup de blues, là d'où je viens. Et de la country aussi, bien sûr. Et du bluegrass.

– Je sais. Je ne suis jamais allé aux États-Unis mais j'irai un jour. Je veux aller écouter certains des types qui jouent là-bas. »

Cet homme étrange à côté d'elle réserve bien des surprises. Il pourrait parler d'à peu près n'importe quoi. Elle ne s'attendait à rien de tout ça aujourd'hui. Elle ne l'aurait jamais imaginé comme tel. Elle pensait juste sortir faire un peu d'exercice. Et voilà ce qui est arrivé.

« Pourquoi le blues ? Je veux dire, vous avez votre propre musique ici. J'ai vu un concert hier soir. Les violons, et puis le drôle de tambour, vous savez. Les accordéons. Il y avait une sacrée énergie là-dedans. Ça me donnait envie de lever la jambe. »

Bernard rit. Elle ne connaît peut-être pas le *bodhrán*, ce « drôle de tambour », mais elle a saisi la musique dans son essence, en plein dans le mille. Il y a, c'est vrai, une sacrée énergie là-dedans. Et rien de mal à danser une gigue ou un quadrille. Absolument rien de mal. Mais ce n'est pas ce qu'il veut dans la vie. C'est autre chose.

« J'aime le blues parce que le son n'est *pas* irlandais. Parce que c'est exotique. Que ça vient de loin. »

Les yeux de Bernard sont tout mélancoliques à présent, aussi lointains que le pays dont il parle.

« Mon père m'a appris à jouer de la guitare quand j'avais – je sais pas – peut-être six ou sept ans. Il avait plein de disques de blues. C'est un oncle à lui que je n'ai jamais même rencontré qui lui envoyait. De Chicago. Je ne sais pas si mon père l'avait lui-même rencontré. Une tonne de disques. Des boîtes pleines. Certains marchent encore. D'autres sont telle- ment rayés qu'on ne peut plus les passer du tout. Je les garde quand même. »

Bernard se souvient de cette vieille platine. De la façon dont ses petites mains adoraient placer tellement délicatement l'aiguille dans le sillon. Son père lui disait de faire attention, le moindre dérapage et tout pouvait très mal tourner. Mais il faisait attention. Oh, tellement attention. Il ne voulait pas faire d'erreurs. Non pas seulement parce qu'il ne voulait pas contrarier son père mais aussi parce qu'il aimait ces disques tout autant que lui. Il connaissait chaque artiste, chaque chanson, et très vite il a reconnu beaucoup d'accords et de riffs. Parfois, il regardait juste les pochettes, tout content, lisait les textes et ne comprenait pas la moitié des mots, ne connaissait aucun des lieux, il contemplait juste les photos des hommes en costumes fringants, la peau noire, le visage marqué, les chapeaux mous, les panamas, les cravates lacets, les banjos, les planches à laver, les mules, les harpes ; le tourne-disque n'avait même pas besoin de marcher. C'était un monde différent. Et qui convenait à un homme qui était, *est*, vraiment très différent lui aussi.

« Quand je suis devenu adolescent, et qu'il n'était plus là, on aurait dit que ça avait plus d'importance qu'avant. La musique, je veux dire. C'était un homme mauvais. Comme ceux dans les chansons, vous savez, les hors-la-loi. Je me disais que je pourrais m'échapper, dans ma tête seulement, et puis... le blues m'a emporté. L'image des vieux hommes noirs m'a paru plus réconfortante, en quelque sorte. Comme s'ils pouvaient me protéger d'une manière ou d'une autre. J'avais les posters sur les murs de ma chambre : Robert Johnson, Muddy Waters, Howlin' Wolf. Je les ai toujours, en fait. C'est réconfortant de les regarder, quand on est allongé, vous savez. Ces hommes semblent sages. Comme s'ils connaissaient tout de la vie. Comme s'ils avaient vécu plusieurs vies. Comme s'ils avaient les réponses. »

Bernard n'a pas autant parlé, dit autant de phrases correctes, à voix haute, sans discontinuer, d'une traite, depuis très longtemps, c'est peut-être la première fois. Il raconte des histoires sur les lacs et les forêts pour ses clients, décrit la faune et la flore, mais il ne s'agit que de débiter des mythes et des semi-vérités, ça ne vient pas du cœur, ce n'est pas affectif. Là, c'est différent. C'est ce qu'il ressent vraiment. Il ne parle pas comme ça à sa propre mère. Et pourtant le voilà en train d'accaparer l'attention d'une parfaite inconnue. Ses joues rougissent rien qu'à y penser, mais il persévère. Il est parti. Il ne lui parle pas vraiment à elle de toute façon. Il se parle à lui-même. Et parle au fantôme qu'il a sous les pieds.

« On a toutes les nationalités en Irlande maintenant. Pas comme avant. Parfois j'en vois, des Nigérians, et je m'imagine qu'ils viennent du delta du Mississippi, ou de La Nouvelle-Orléans. C'est bête, hein ? J'aimerais que ces hommes prennent une guitare et jouent pour moi. Cinglé. »

Laura rit avec lui. Il semble bel et bien *cinglé* à ses yeux. Même si ce n'est pas un mot qui lui serait venu facilement à l'esprit. *Excentrique* peut-être. *Bizarre. Spécial.* Enfin, elle s'amuse bien. Elle se demande ce qu'elle penserait d'un Texan pure souche, à Austin ou San Antonio, disons, qui n'écouterait que de la musique traditionnelle irlandaise. Il existe sans doute un type pareil, même si elle n'en sait strictement rien. Il suffit de cliquer sur internet.

« Comprenez-moi bien. J'adore Killarney. Ça fait partie de moi. Tout comme j'aimerais visiter l'Amérique, c'est chez moi. J'aime cette ville.

– Je ne pourrais pas vous le reprocher. »

Bernard ne ment pas. Il l'adore. Il est fier quand cette ville grouille de monde en été. On dit qu'il y a moins de touristes, mais ils disent toujours ça, ils minimisent toujours. La ville est plutôt animée. Il aime voir les étrangers errer dans *ses* rues, entrer dans les magasins qu'il connaît, respirer son air. Il adore les entendre chanter les louanges des montagnes quand ils passent devant, ou raconter à quel point ils ont aimé s'asseoir près de la cascade de Torc, apprécié la vue depuis Aghadoe, combien ils ont adoré les cerfs imperturbables qu'ils ont vus au terrain de golf, leurs yeux doux, leurs flancs délicatement tachés de blanc. Ça lui hérisse les poils de la nuque. Cette fierté. Ce cœur qui gonfle. Il aime vraiment sa ville. Absolument. Il ira sans doute un jour à Chicago, ou à La Nouvelle-Orléans pour Mardi gras, peut-être qu'il ira même voir B.B. King jouer en concert avant que ce grand homme ne s'éteigne, mais il reviendra toujours.

« Un type de Dublin qui se croyait malin m'a dit un jour qu'il ne vivrait jamais à Killarney à cause de tout le crottin. Je lui ai dit que je ne pourrais jamais vivre à Dublin à cause de tout le baratin. »

Elle l'aime bien, celle-là. Il faut qu'elle s'en souvienne. Elle pourrait peut-être l'adapter à son propre territoire.

« Vous y croyez, vous, qu'ils essaient même de nous persuader de mettre des couches sur les chevaux maintenant ? »

Laura sait traduire « couches » par « langes », comme on dit chez elle.

« Pour qu'ils arrêtent de souiller les rues. Vous avez déjà entendu un truc pareil ? Des couches sur un cheval ! Ça ne marchera jamais. Le cheval serait trop mal à l'aise, ça pourrait être dangereux. Ce ne sont que des animaux. »

Laura sait qu'ils ont déjà essayé de mettre ça en place dans certaines villes en Amérique, la police montée utilise ces « sacs arrière » ou « poches à crottes », mais elle préfère ne pas en parler.

Elle regarde cet homme étrange à côté d'elle. Étrange, n'est-ce pas ? Elle est ravie qu'il aime le blues. Son frère Tom sera content. Ils s'entendraient bien tous les deux, si ça se trouve. Ils jouent tous les deux de la guitare, et parlent des mêmes têtes. Ils devraient se rencontrer. Faire un bœuf. Peut-être qu'elle devrait les présenter l'un à l'autre. Une chose la gêne cependant, et elle ne peut plus se retenir de demander :

« Vous n'avez pas chaud ? »

Si, en fait.

« Ma mère me gronde parce que je porte ce vieux truc tout le temps.

– C'était à votre père.

– Si c'était le cas, je ne le porterais pas. »

Sur le lac, un pêcheur lance sa ligne. Une brève lueur l'éblouit au moment où le soleil se reflète au bout de la ligne, là où une toute petite mouche se trouve parfaitement attachée à l'hameçon. Bernard aime le côté artistique qu'il y a là-dedans, pour accrocher l'appât, l'attention portée aux détails nécessaires à la fabrication de cette mouche afin qu'elle soit réaliste, qu'elle ait de vraies plumes et que l'hameçon soit caché. La mouche sombre dans l'eau et le pêcheur attend, regarde les cercles concentriques s'élargir et toucher son bateau.

« Le blues parle de la souffrance. Et les Irlandais en connaissent un rayon là-dessus.

– Il vous manque ? »

Bernard marque un temps avant de répondre. Il ne sait pas pourquoi il doit donner l'illusion qu'il pèse ce qu'il va dire. La réponse est parfaitement claire pour lui.

« Non. »

Le pêcheur lance sa ligne encore et encore. Il ne doit pas renoncer. Un seul lancer ne suffit jamais.

Les deux garçons jouent aux figurines Star Wars sur le tapis à motifs. Les motifs forment des stations spatiales individuelles, et leur régularité met Bernard à l'aise. Il a six ans. Comme son camarade de jeu, Jack Moriarty. Ils sont ensemble. Et pourtant séparés. Ils ont des personnages différents, le Dark Vador de Jack se tient, élancé et noir, tandis que Bernard ouvre et ferme un engin de combat Jedi. Ils se parlent à peine. Jack essaie parfois d'intégrer Bernard dans son scénario. Que va-t-il arriver à Princesse Leia ? Hans Solo va-t-il la sauver ? Mais il remarque de plus en plus qu'il est difficile de communiquer avec Bernard. Il ne comprend pas vraiment les idées de Jack. Il ne s'intéresse pas vraiment à l'élaboration d'une histoire ou à l'idée de faire vivre aux héros une aventure palpitante. Mais ce n'est pas très grave. Ils ont toutes les figurines éparpillées devant eux, et Bernard aime bien les aligner. La plupart des jouets sont à Jack, il aime ce qui a trait à l'espace, même si Bernard a quelques pièces que sa mère lui a offertes à Noël. Jack n'a aucun problème pour partager. C'est ennuyeux de rester tout seul et la maison de Bernard est juste à côté, ils sont dans la même classe à l'école, et Brigid Dunphy s'entend bien avec la mère de Jack, Kate ; elles sont allées ensemble au bingo au Conroy Hall. L'après-midi pourrait se dérouler tranquillement comme ça, tous les deux occupés à marmonner dans leur tête des batailles et des missions intergalactiques. Mais les étoiles s'alignent rarement pour que les choses tournent rond, les comètes détruisent souvent tout sur leur passage, les astéroïdes éclatent et s'écrasent en laissant d'énormes cratères, s'ensuit souvent la dévastation, les choses disparaissent dans des trous noirs, les étoiles explosent dans des tourbillons gazeux ou même implosent, rétrécissent et finissent pas mourir.

John Dunphy entre dans leur univers. Il porte un vieux T-shirt maculé de filets de peinture séchée. Sa voix est souvent teintée d'une certaine aspérité, les enfants l'agacent, tout le temps dans ses pattes, ou plutôt, ils lui tapent « sur les nerfs ». Il préférerait regarder la télé en silence ou écouter des disques. Ces garçons devraient être dehors à s'amuser au grand air ; mais aujourd'hui son ton est plus doux. Il sait que quelque chose ne va pas chez son fils, sait que ce n'est pas gravissime, mais c'est un problème tout de même. Il veut être fier. Mais il ne l'est pas. Pas encore, du moins. Il lui a montré quelques accords, et il peut les faire, jusque-là, même si les cordes tendues font mal à ses petites mains et qu'il a pleuré de douleur un soir, le bout de ses doigts avait gonflé et saignait. Mais il y arrivera. Il aura bientôt des cals. S'il réussit à le faire continuer.

John boit beaucoup ces temps-ci. Son humeur s'est assombrie. C'est comme si le haut de son cerveau le démangeait constamment, mais qu'il ne pouvait l'atteindre, ouvrir son crâne pour le soulager.

« Où est ta mère ?

– Elle est sortie. »

Bernard ne regarde pas son père dans les yeux. Ça agace John. Un enfant qui évite de vous regarder dans les yeux. Quand est-ce que ce garçon va apprendre ça ?

« Où ça ?

– En ville. Faire des courses.

– Quand est-ce qu'elle est partie ?

– *J'sais pas. Il y a un moment.* »

La plupart du temps, l'enfant reste vague. Mais il a seulement six ou sept ans. Il va faire des progrès. L'école lui fera du bien. Même s'il y va depuis deux ans, il ne s'est pas encore vraiment adapté. Mais il y arrivera. John l'espère. Son comportement en société va se développer, sans doute. Il sait que les médecins l'ont examiné. Quelqu'un a parlé d'autisme. John ne connaît pas la moitié des choses dont ils parlent. Beaucoup de charabia. Ça ne vaut pas la peine d'y prêter attention. Son garçon s'en sortira.

« *Tiens. Va me chercher un paquet de Rothmans. Il n'y a pas une cigarette dans la maison.* »

Bernard prend l'argent et le met dans sa poche. Il tire la manche de Jack pour qu'il se lève et vienne avec lui mais son père l'arrête.

« *Jack peut rester ici. Pour me tenir compagnie.* »

Bernard hésite un instant, mais son père lui lance un regard sévère et il part en flèche.

Il n'est que deux heures de l'après-midi mais John a déjà soif. Il prend une bouteille de bière brune dans le frigo et l'ouvre.

« *Alors, Jack. Tu n'es encore qu'un jeune garçon mais bientôt toutes les filles courront après toi. Un beau gars comme toi.* »

Jack ne quitte pas ses jouets des yeux.

« *Pas comme le mien. Tu es beaucoup plus beau, Jack. Tu sais ça ?* »

Les étoiles s'alignent rarement pour que les choses tournent rond.

Jack hausse les épaules. Il ne voit pas vraiment où mène cette conversation. Il ne sait pas s'il est beau ou pas, et ce n'est pas vraiment grave.

Les comètes détruisent souvent tout sur leur passage.

« *Tu aimes les filles ? Je te conseille de ne pas t'en préoc-cuper pour le moment. Il y a bien assez de temps pour ça. Bientôt, quand tu penseras à elles, ton zizi se mettra à bouger. Mais tu es trop jeune pour ça encore, hein ?* »

John Dunphy tremble quand il parle. Sa voix chevrote. La main qui tient la bouteille tremblote elle aussi.

Jack hausse encore les épaules. C'est tout ce qu'il peut faire. Ignorer les questions posées. Il aurait dû aller avec Bernard.

Les astéroïdes éclatent et s'écrasent en laissant d'énormes cratères.

« *Ne t'en fais pas, Jack. Dans quelques années, tu seras un adolescent et tu ne penseras qu'à ça.* »

S'ensuit souvent la dévastation.

Jack essaie de mettre un sabre laser dans la main de son Dark Vador. Ça ne rentre pas bien, mais il essaie quand même.

« *Toi aussi, tu auras un bon gros zizi, Jack. J'en suis sûr. Exactement comme moi.* »

Les choses disparaissent dans des trous noirs.

John Dunphy n'est pas ivre. C'est sa première. Son T-shirt est sale. Il sourit. Il ne travaille pas aujourd'hui. Il ne prend pas de jours de congé en général, il fait des heures supplé-mentaires quand il peut, ça vaut le coup, mais aujourd'hui il se repose. Il est fatigué. Il en a marre. Des choses et de lui. De lui surtout. Il semble que ses démangeaisons aient migré de son cerveau à son entrejambe. Il se gratte. Il fait chaud, aujourd'hui. Le garçon ne le regarde pas. Dark Vador n'a pas l'air de réussir à garder son fichu sabre laser à la main. Il n'arrête pas de glisser. Bernard ne reviendra pas avant vingt minutes au moins.

Les étoiles explosent dans des tourbillons gazeux ou même implosent, rétrécissent et finissent pas mourir.

13

La voiture rouge roule beaucoup trop vite. Jack ne fait pas attention et il se faufile à travers la circulation ralentie du dimanche. Son esprit n'est pas à la route, même quand Cathy à côté de lui le met en garde, le prie d'aller moins vite. On comptera peut-être plus d'un mort en ce dimanche après-midi. Si cette imprudence continue, il y en aura deux de plus. Elle ne supporte plus la musique, éjecte le CD et le balance par la fenêtre. Il miroite au soleil le temps de son court vol et atterrit à côté d'un mur en pierre. C'est le plus fugitif des moments, ce bref envol vacillant, bientôt remplacé par la brutalité de leur présent. Pas le temps de ruminer, pas dans ce bolide. Rien à foutre du blues. Vraiment rien à foutre.

Jack tente d'allumer sa cigarette, mais ses mains tremblent. Il ne peut pas les regarder. Il ne peut même pas regarder dans le rétroviseur au cas où il se verrait. Il ne veut pas voir ses propres yeux. Il se souvient du regard figé dans les yeux du polack. Clair. Bleu. Brillant. Mais sans vie. Bleu zombi.

« Tu crois qu'il va s'en sortir ?

— Il va s'en sortir », dit Jack, en essayant de ne pas regarder les éclaboussures de sang sur son T-shirt.

Cathy sait que l'homme gisant dans son propre sang ne va pas s'en sortir. Jack le sait aussi. Et pourtant, ils jouent à ce jeu. Le déni. Mais dans l'intérêt de qui ?

La cigarette de Jack finit par s'allumer et il inhale profondément. C'est une sensation réconfortante, qui lui fait savoir qu'il est encore vivant et que ce n'est pas qu'un horrible rêve. Il regrette de ne pas être resté au lit avec elle ce matin. Ils auraient pu prendre cet énorme petit déjeuner dont il avait envie, au lieu de se précipiter dehors pour aller faire un stupide tour en voiture. Un tour ! Et voilà où cette idée les a menés ! Ils auraient mieux fait de se balader dans les rues de Dingle, de se cogner aux touristes qui flânent dans les allées exiguës, étroites. Aucune des décisions qu'a prises Jack dernièrement n'a abouti. Tout tombe en morceaux.

« Donne-m'en une, dit-elle.

– Quoi ?

– Donne-moi une putain de cigarette ! »

Il jette les cigarettes sur ses genoux. Leurs yeux se croisent. Des regards durs, pénétrants. Des flammes de ressentiment les illuminent. La honte. Puis le ressentiment à nouveau.

Bernard éteint sa cigarette et aide Laura à remonter dans la calèche. Sa journée s'est bien passée, hormis les garçons grossiers qu'il a rencontrés. Une seule cliente jusque-là, mais quelle cliente. Il ne s'est jamais senti aussi apaisé avec quelqu'un. Il ne s'est jamais ouvert de la sorte auparavant. Il continue à penser à sa mère, si seulement elle pouvait le voir comme ça. Si seulement elle pouvait le regarder comme dans un de ces reality shows à la télé, elle le suivrait, et le saisirait comme ça, sur le moment, un de ses meilleurs jours, avec une jolie Américaine à qui parler, loquace lui aussi, tout en sagesse et en maîtrise, la beauté de Killarney tout autour de lui, dans chaque souffle d'air et dans chaque rayon éclatant qui réchauffe la journée. Serait-elle fière de lui, sa mère ? Serait-elle heureuse

147

de le voir comme ça ? En train de travailler, et de satisfaire les clients ? Bien sûr qu'elle le serait. Il n'a sans doute pas fait grand-chose pour la rendre fière, c'était un tel fardeau quand il était petit. Mais il sait qu'elle l'aime plus que tout au monde. Leur lien est à la fois tendre et fort. Il sait que tous les deux se sont soutenus après la mort de son père. Ils avaient alors besoin l'un de l'autre. Cramponnés l'un à l'autre dans le tourbillon. Il se souvient d'avoir grimpé dans son lit tard la nuit pour être à côté d'elle, sachant qu'elle ne dormait pas beaucoup de toute façon, était souvent éveillée quand il se glissait près d'elle, la lumière allumée, et un gros livre ouvert sous les yeux. On aurait dit qu'elle ne tournait jamais les pages. C'était toujours la même. Elle n'arrivait pas à se concentrer, disait-elle. L'esprit ailleurs. Souvent aussi, ils s'agenouillaient près du lit pour prier. Brigid lui apprenait les plus belles prières à Dieu et à Marie, celles qu'ils ne pouvaient ignorer là-haut au paradis, les plus belles paroles, les plus magiques. Bernard fermait les yeux et essayait de s'imaginer ce paradis, et c'était facile, tout blanc, avec des anges aux ailes diaphanes volant par-ci par-là, des sourires partout, le tout magnifiquement éthéré et joyeux. Il y avait du soleil et des arcs-en-ciel et des chiens gentils et propres, des golden retrievers peut-être, qui jouaient au ballon, au son d'une musique légère et amusante. Pour un jeune garçon, c'était en effet très facile. C'était plus difficile à imaginer pour Brigid, difficile de s'arracher du sol et de ne pas sentir la pesanteur, son monde la maintenait à terre, ancrée, pas besoin de fermer plus les yeux, le paradis que son fils pouvait faire apparaître était inaccessible.

« Merci. J'ai passé une excellente après-midi.

– Tout le plaisir était pour moi, c'est compris dans le service. J'espère simplement que vous allez rapporter ces souvenirs au Texas et tout leur raconter sur ce merveilleux endroit où vous êtes allée. »

Laura acquiesce, comment pourrait-elle rentrer et ne pas en faire les louanges ? Cet endroit lui a presque donné la foi. Il a retourné son cerveau d'athée et l'a fait réfléchir à la gloire d'un dieu bienveillant qui pourrait prodiguer avec tant de générosité. Cet endroit lui a donné envie de rêver, de croire à tout ce qu'elle a pu entendre. Elle serait ravie d'écouter les histoires populaires du coin, d'entendre raconter les contes mythologiques et enchantés. Si Bernard devait lui apprendre qu'il avait un lutin dans sa famille, elle serait capable de le croire.

Et la verdure ! Mon Dieu, toutes les nuances de vert dans les champs et les prairies, elle aimerait bien rapporter cette couleur et la poser à côté de la poussière asséchée du Nouveau-Mexique ou de l'Arizona, juste pour voir le contraste. Ce vert a un effet apaisant. Elle pourrait même s'y habituer.

« Écoutez, ça va peut-être vous sembler bizarre, mais ça vous dirait qu'on boive un verre ensemble ce soir ? »

Elle laisse la question reposer un instant, elle ne sait pas elle-même dans quoi elle s'embarque.

La bouche de Bernard reste grande ouverte. Ferme-la, espèce de peigne-cul, pense-t-il en lui-même, ferme ta bouche, et si ta mère te voyait ?

« Je crois que mon frère aimerait bien vous rencontrer. Il aime bien boire, il a d'ailleurs la gueule de bois aujourd'hui, et il se débrouille bien à la guitare. Je suis sûre que vous pourriez bien vous entendre. C'est un vrai musicien. »

La bouche de Bernard se rouvre, non pas pour rester bêtement grande ouverte comme un attrape-mouches, mais bien pour prononcer le genre de réponse qu'il n'a jamais prononcée auparavant.

« Oui, bien sûr, ce serait super. Ouais. »

Ninny frappe un sabot contre la route pavée comme pour applaudir, et pourtant, personne n'a fait allusion à ses pattes.

14

Janet entend la porte d'entrée claquer. La secousse lui traverse le corps. Ce connard a dû dire quelque chose et Cathy rentre d'une humeur massacrante. Elle imagine sa tête avant même de la voir, les plis de désespoir aux commissures des lèvres, les rides sur le front. Le méchant Jack Moriarty est parti et il a encore gâché la journée. Ce n'est pas la première fois. Ni la dernière. Qu'est-ce qu'il a dit ce coup-ci ? Il l'a insultée ? Il a été trop brutal dans la voiture parce qu'il voulait se faire sucer une fois de plus ? Il a fait une remarque sur une autre fille ? C'est au moins pour une de ces raisons. Voire les trois réunies. Mieux vaut aller vérifier en quoi consiste le dilemme d'aujourd'hui. Pour rafistoler. Préparer un bon thé à sa grande sœur et défroisser les rides. Ce n'est pas la première fois. Ni la dernière.

Cathy n'a pas la tête post-prise de bec. Elle n'affiche rien qui dise qu'elle s'est fait insulter par ce salaud et qu'elle ne va pas répondre à ses SMS pendant une semaine. Non, là c'est quelque chose de grave. Les cernes qu'elle a sous les yeux ont l'air gonflés et douloureux, elle ressemble à une poupée de chiffon qu'un chiot hyperactif se serait amusé à jeter et ramasser dans sa gueule de nombreuses fois. Il s'est passé quelque chose de sérieux, là. Quelque chose qui met Janet à cran, qui aiguise ses épines de hérisson. Qu'est-ce que ce connard a encore fait ?

« Qu'est-ce que t'as ?

– Rien. »

Cathy passe devant elle et rentre dans sa chambre. Elle ferme à clé. Elle glisse le dos contre la porte et s'affale par terre, les jambes tendues devant elle, longues et ridicules, comme si elle ne savait même plus à quoi elles servent. Pourquoi a-t-elle des jambes, pour s'enfuir ? Elle ne sait pas à quoi sert chaque partie de son corps : ses seins, seulement là pour être tripotés par un fou furieux, son corps tout entier et son âme, tout ça pour se faire peloter, quelle dignité lui reste-t-il ? Elle se sent vide, de partout, ne supporte pas la vue de ses propres vêtements, de sa propre chair. Pourquoi est-ce qu'elle supporte cette merde depuis des mois ? Elle a toujours pressenti qu'il vacillait, que quelque chose allait s'effondrer ; il a toujours été dur, trop physique, mais là ! Oh, mon Dieu ! Ce pauvre homme qu'il a frappé. Le sang. La pierre. Tout ça a vraiment eu lieu ? Ils étaient dans la voiture. Ils écoutaient de la musique merdique. Le vent soufflait doucement par la vitre de la voiture, et rafraîchissait les gouttes de sueur sur ses tempes. Jack était beau, elle le désirait, et elle avait tendu le bras pour le toucher. Elle le désirait, voulait le sentir dur en elle. Et puis ! En quelques secondes, tout s'est écroulé. En l'espace d'une minute, sa vie avait changé complètement.

Les larmes maintenant. Des larmes chaudes, salées, qui lui piquent les joues. Elle a le nez qui coule et elle n'a pas la force de lever le bras pour l'essuyer avec sa manche. Elle est dans un drôle d'état. Elle pourrait rester assise ici pendant des heures et se reprocher d'avoir été si stupide. Pauvre conne. Pauvre cruche. Peut-être que c'est ce qu'elle va faire. Rester assise sur son gros cul. Que faire à part verser d'infectes larmes ?

Sa sœur jette un œil par la fenêtre de la chambre pour voir si la voiture rouge est toujours là. Elle y est. Il est assis dedans. Qu'est-ce qu'il lui a fait ? Il l'a forcée ?

Quand Jack voit Janet, son visage se transforme : la culpabilité, terminée. Il veut afficher autre chose encore : maintenant il ricane, il fulmine ; son expression est désormais sinistre et ça sent le péché.

Il lui fait signe de la main, avec cruauté, son sourire est celui d'un homme qui a perdu le contrôle de soi, puis, lentement, il lui fait un doigt d'honneur, un doigt long, seul, qui refuse de se rabaisser, qui se tient là pour elle, en érection.

« Connard », dit-elle, et elle sait que d'une manière ou d'une autre, même à travers les vitres de la maison et de la voiture, il peut l'entendre. Mais pour en être sûre, elle articule à nouveau, lentement, « *con-nard* ». Et son doigt frétillant perd de sa vivacité et se replie.

Marian regarde le ciel par la fenêtre. Le soir arrive. Il fait encore assez clair pourtant, c'est une chose qu'elle apprécie en été, les longues soirées et la nuit qui tombe doucement. Pas comme en hiver quand on dirait qu'il fait noir tout le temps. On va au boulot dans le noir, on rentre dans le noir, rien que le bruit de la pluie battante sur les vitres toute la journée, morne, terne, même une ville aussi resplendissante que Killarney paraît morose sous des trombes d'eau. La pluie, la condition irlandaise. Elle a la chance de bien s'entendre avec son patron, il est gentil, et avec l'autre fille au bureau, Margaret, une autre Mags, elle est gentille elle aussi. Ce n'est pas un mauvais boulot du tout, elle considère qu'elle a de la chance de l'avoir avec tout ce qui se passe dans le pays, dans le monde. À chaque fois qu'elle pose les yeux sur la première page d'un journal, c'est une autre compagnie qui a fermé ses portes, et le nombre de chômeurs qui augmente, comme dans les années quatre-vingt, dans sa jeunesse. Mais voilà, elle arrive tout de même à sortir et à se saouler la tronche presque tous les week-ends comme s'il n'y avait pas de récession. Pas étonnant que sa mère soit contrariée. Pas étonnant que sa Super-maman politicienne pense qu'elle est en train de gâcher sa vie. Mais Super-maman dit vrai. Il faut qu'elle arrête de merder. Marian va reprendre sa vie en main, bientôt. Elle aimerait avoir des choses en perspective, aimerait avoir un vrai projet. Tout semblait aller si bien avec Martin. Ils paraissaient solides, stables. Mais c'était un homme. Et les hommes sont volages et bêtes, et les lignes droites qu'elle pensait suivre ont soudainement dévié comme les traits des gribouillis d'un enfant. Dans tous les sens. De travers.

Le soleil brille toujours dans le ciel. Il décline, mais il fait encore assez jour pour réchauffer ceux qui sont dehors. Il faut qu'ils en profitent tant qu'ils peuvent. Ce sera bientôt fini. Elle est peut-être pessimiste, à moins qu'elle ne sache ce qu'il en est. Il ne faut pas abuser des bonnes choses. La pluie va bientôt revenir. Elle aperçoit un nuage noir, costaud, étendu, au loin. À quelle distance, elle ne sait pas. Quelle quantité d'eau peut-il contenir, elle n'a pas idée. Il ne se déversera peut-être pas du tout, restera bien condensé et gentil. Mais elle en doute. Les choses ne restent jamais condensées bien longtemps. Elle tient son ours en peluche en l'air comme pour illustrer sa thèse. Il était coloré et solide il y a quelques années, quand son père le lui avait rapporté : un bleu clair pour Marian, un identique en vert clair pour Georgina. Elle ne sait même plus où est le vert. Georgina n'est pas sentimentale, elle l'a probablement jeté il y a longtemps. Mais Marian a encore le sien, une des coutures défaite laisse sortir la peluche et un œil commence à se découdre, il tombera complètement si personne ne le recoud. Et ce nuage dans le ciel ? Eh bien, attendez de voir.

Elle prend des vêtements dans son armoire et les étale sur le lit. Que va-t-elle mettre ? Que va porter la princesse pour aller au bal ? Elle lance l'ours en peluche sur la commode, là où la chaîne stéréo a récemment passé de la musique, là où Bernard Dunphy a récemment chanté. Allez, va t'en l'ours, va t'en le *jarvey*, il faut qu'elle s'organise.

Cathy ignore Janet qui lui demande d'ouvrir la porte. Elle reste dans la même position. Sur le sol. Sur ce joli tapis soyeux. Ses jambes sont tendues devant elle. Sa tête penche en avant. C'est une marionnette écroulée. Mais qui va ramasser les fils et lui redonner vie ? Qui va la manipuler à présent ? Jack n'est pas un marionnettiste, mais au moins il l'a fait tourner et danser pendant un temps. Oui, elle a dansé pendant cette brève aventure, et ce faisant, elle ne se rendait compte de rien. Ne se rendait pas compte qu'il avait tant de méchanceté dans les mains, ne se rendait pas compte de l'intensité de sa brutalité, mais elle l'a eue sous les yeux, alors qu'il frappait cet homme, le frappait jusqu'à ce que le sang chaud sèche devant elle sur la boue durcie de cet endroit pernicieux. La scène passe et repasse dans sa tête. Elle ne s'en ira jamais. Comment le pourrait-elle ? Il va falloir une sacrée thérapie, ou une sacrée quantité d'alcool ou de drogues pour l'oblitérer. Elle entend encore le craquement de la pierre sur son crâne, le tremblement qui lui a traversé le corps et qui pendant quelques secondes a fait cesser de battre son cœur ; la suite est tout aussi puissante, elle sent des tremblements qui montent et descendent le long de sa colonne vertébrale à présent. Comment peut-elle y échapper ?

Janet continue de frapper doucement. Mais les coups se font plus pressants au fur et à mesure que grandit son envie de voir sa sœur.

« Cathy, ouvre, putain ! Laisse-moi entrer. Dis-moi ce qui se passe. Dis-moi ce qu'il a fait.

— Va t'en. Je vais descendre tout de suite.

— Il faut que tu en parles. »

C'est ce que dira le médecin ou le psychologue. C'est ce qu'elle sera forcée de faire. Parler. Expliquer ça. Bien sûr, Jack lui demandera de tout oublier. De se sortir tout ça de la tête. Mais comment pourra-t-elle jamais oublier ? Et comment pourra-t-elle jamais le regarder encore en face ? Elle ne supportait pas sa vue dans la voiture sur le chemin du retour. Ses yeux fous alors qu'il conduisait dangereusement, la cigarette qui lançait des étincelles sur ses genoux. Il était comme un animal enragé. C'est un animal. Une chose haineuse, féroce qu'on devrait enfermer à double tour. Elle ne pourra jamais plus l'approcher. Oublier ? Oublie, oui !

« Tu veux une tasse de thé ou quelque chose ? »

Cathy ne veut pas de thé. Cathy veut quelque chose de froid et de violent pour la sortir de là d'un coup. Un plongeon dans une piscine glacée, et en remontant à la surface, un tout nouveau monde, où les gens sont gentils et bienveillants, et où personne ne tabasse personne, où les pierres sont là pour construire des maisons et non pour fendre des crânes.

Le soleil se couche, et pourtant, il fait encore chaud autour d'elle. Et il ne s'agit pas d'une chaleur agréable non plus, mais d'une chaleur humide et lourde, le souffle chaud du diable. Il lui faudrait cette piscine.

« Non, pas de thé.

– Bon, mais ouvre la porte quand même, parle-moi. Je vais continuer de frapper et t'embêter jusqu'à ce que tu me dises ce qu'il a fait. »

Elle pourrait être une de ces interrogatrices qu'on voit dans les films et qui cuisinent les suspects accusés de terrorisme. Janet est persistante. Et agaçante. A toujours été. Elle harcelait ses pauvres parents jusqu'à ce qu'ils flanchent et lui donnent ce qu'elle voulait : une poupée, un magazine, un jeu de société, des fournitures d'école. Elle a toujours ce charme. Tenace. Déterminée. Cathy décide d'ouvrir. La porte en tout cas. Mais pas de s'ouvrir, elle. Elle ne sait pas comment elle peut arriver à admettre ce qu'elle a vu. Ce dont elle-même a peut-être été complice.

Quand la porte s'ouvre et que Cathy voit l'inquiétude sur le visage de sa jeune sœur, elle s'effondre. Son corps tout entier s'écroule dans les bras de sa sœur et elle braille, suffoque, tente de trouver les mots, s'accroche à ce qu'elle veut dire et à sa sœur pour mettre un terme au supplice de ses pensées. Ça ne s'est passé que deux heures plus tôt, mais elle est déjà lessivée.

« Allez, viens, on va s'asseoir sur le lit un petit peu pour essayer d'y voir plus clair. »

Cathy est heureuse de se laisser guider comme une enfant, heureuse de s'allonger sur son lit avec sa sœur penchée au-dessus d'elle, qui lui tapote la tête et lui caresse les cheveux comme une enfant de trois ans qui vient de se réveiller après avoir fait un rêve affreux. C'est le début d'une crise de nerfs ? C'est comme ça que ça commence ?

Brigid Dunphy est heureuse de materner elle aussi. La voilà avec son grand bébé, Bernard. Les cloches de l'angélus sonnent à la télé, et elle est ravie de le voir engloutir son gros sandwich. Il ne pourrait contenir plus d'ingrédients, il y a déjà : du fromage, du bacon, de la salade, des tomates, des poivrons, de la mayonnaise et tout ce qu'on peut glisser ou tartiner à l'intérieur. La mayonnaise coule le long de son menton, et il tire un mouchoir après l'autre de la boîte pour essuyer le carnage. Il sourit. Il lui sourit. Et Brigid ne sait pas quel sera le meilleur moment pour parler de Ninny. *Elle est en train de mourir, Bernard.* Pourquoi n'arrive-t-elle pas à le dire ? *Elle est en train de mourir.* Ce n'est pas comme s'il ne le savait pas déjà. Elle veut simplement qu'il l'admette. Et pourquoi n'explique-t-elle pas sa propre affliction, sa propre maladie, son propre déclin. Pourquoi n'est-elle pas assez forte pour lâcher ?

Alors, Bern, Il est grand temps que nous ayons une discussion sur l'avenir. Il y a beaucoup de choses à régler et si tu veux continuer à travailler comme jarvey, *eh bien il te faudra évidemment un nouveau cheval. Elle est à bout de souffle. Et je n'en aurai pas pour longtemps après elle. Le pays tout entier est peut-être bien sur le déclin. Le monde tout entier. Oh, Bern, s'il te plaît, fais ce qu'il faut maintenant, achète un nouveau cheval et vis ta vie. Trouve-toi quelqu'un avec qui t'installer, et pour l'amour de Dieu, débarrasse-toi de ce vieux manteau.*

Au lieu de ça, elle dit : « Tu sors encore ce soir ?

– Oui. Et ça va être une bonne soirée.

– Pourquoi ? Tu as un rendez-vous galant, c'est ça ?

– Ouaip. »

C'était censé être une blague. C'était censé le faire rire, lui faire lever les yeux au ciel et glousser. *Un rendez-vous galant ? Ça va pas, non ?* Mais ce n'est pas une blague. Bernard ne fait pas vraiment de blagues. Il est complètement sérieux. Brigid est bloquée, immobile comme un personnage en cire, sa bouchée de salade s'approche de sa bouche sans s'y engouffrer.

« Bon », dit-elle. Mais il n'y a rien de bon. Jusqu'à ce qu'elle ait toutes les explications, rien de bon du tout.

Bernard continue à manger et à regarder le journal à la télé. Sa mère espère que la chute va arriver bientôt et que sa curiosité sera assouvie. Mais rien, pas de blague. Pas de chute.

« Bon, n'oublie pas de prendre un parapluie. Ils ont dit qu'il pleuvrait plus tard. »

Alors que la nourriture atteint enfin sa bouche et qu'elle mâche lentement, elle commence à sourire. Elle rirait si ce n'était pas si bizarre de rire maintenant, puisqu'il n'y a pas de blague. Parce que Brigid Dunphy a entendu son fils dire qu'il allait sortir et qu'il avait rendez-vous avec une femme. Et Brigid Dunphy n'a *jamais* entendu pareille chose dans la bouche de son fils. Jamais. Sans blague. Ceci, en fait, vaut mieux que n'importe quelle blague, car ça n'illumine pas seulement son visage, mais son corps tout entier. Elle est submergée par une légèreté opportune, une certaine désinvolture. Elle veut lui poser des questions. Elle veut savoir s'il s'agit de Marian Yates, si c'est elle, qui a fini par céder. Les chansons ont-elles fini par payer ? Existe-t-il une jeune femme charmante qui ne voit pas en lui qu'une source d'embarras et qui perçoit la bonté et la gentillesse en lui, qui sait qu'il ne fera jamais de mal à personne, qu'il n'est qu'un brave gars qui travaille dur, aime sa mère et le blues. Car c'est tout ce qu'il est. Aussi simple que ça. On peut le résumer comme ça, en une phrase des plus faciles. Brigid peut remettre la « discussion » sur Ninny et l'avenir inquiétant à plus tard. Ça peut attendre. Elle va s'occuper de cette jument toute seule. Elle pourrait même s'arranger pour trouver un nouveau cheval. Elle s'assurera que son fils n'ait pas de soucis à se faire quand ce sera l'heure. Si elle doit le laisser seul pour toujours, elle pense que le moment n'est sans doute pas trop mal choisi. C'est en fait le meilleur moment pour le laisser. Pour le laisser poursuivre. C'est un adulte. Il n'est pas le nigaud que certains pensaient qu'il serait. Il s'en sortira. Sa mère peut le laisser. Elle aimerait le laisser comme ça, en fait. Dans cet état de bonheur. Rempli d'espoir. Elle ne pourrait imaginer de meilleur moment pour lui dire au revoir. Elle aimerait juste savoir qui est cette fille. Est-ce que ça va la ronger ? Ce n'est sûrement pas Marian Yates ?

Par-dessus son épaule et à travers la fenêtre de la cuisine, la lumière décline. Le soleil se couche enfin, il en a assez fait pour la journée. Il a brillé autant que possible, ses rayons ont atteint les plantes géantes Gunnera de Muckross, les crevasses escarpées du Gap de Dunloe, il a même formé de petits arcs-en-ciel aux cascades O'Sullivan où quelques âmes aventureuses s'étaient rafraîchies dans les chutes d'eau. Quelques

gouttes commencent à tomber sur la vitre à présent, doucement d'abord, quelques gouttes de temps en temps, flic floc,
puis plus intensément et assurément, régulière et vigoureuse,
une pluie résolue, que le vent ne tarde pas à accompagner,
lentement au départ, un murmure pour commencer, pas plus
fort que le doux hululement d'un bébé chouette, mais bientôt,
c'est bel et bien une chouette.

DIMANCHE SOIR

dark was the night

15

Imaginez un *jarvey* fatigué. Imaginez-en un qui a pris une bonne cuite le soir précédent. Le jour suivant, quand il est sur sa calèche, il s'endort. Ça arrive souvent en attendant les clients. Un soleil chaud et agréable qui balaie son visage de ses rayons, les jambes relevées sur le côté de la voiture et les bras croisés, comment ne pas être tenté de faire une petite sieste ? Ça ne dérange personne. Il est son propre patron. Ça arrive souvent. Il ne peut pas s'en empêcher. Difficile de résister. Et à quoi rêve-t-il quand le soleil le caresse et que les bruits des rues animées au loin le bercent dans ce sommeil tentant ? Il rêve de carrefours.

Dans ses rêves, il a cinquante ans, peut-être plus. Il a une barbe, une longue barbe maigre comme on en voit sur les vieux Chinois, fine, clairsemée, un long triangle qui lui tombe du menton. Ça ne lui va pas, mais c'est un rêve, tout est bizarre, plus étrange que dans la vie, rien n'a grand sens.

Il marche sur une route irlandaise. On voit qu'elle est irlandaise parce que les feuilles sur les arbres et dans les champs au-delà du mur sont d'un vert qu'on ne voit nulle part ailleurs. Quarante nuances il est vrai, et elles tourbillonnent toutes dans son cerveau fou alors qu'il s'en va trouver le Diable. Il ne sait pas, chemin faisant, que c'est le Diable qu'il va rencontrer, mais il s'en doute un peu. Parce qu'il connaît les histoires du blues, et les joueurs de blues qui sont partis vendre leur âme. Il connaît Tommy Johnson, il connaît Robert Johson, et il a l'impression de marcher dans leurs chaussures. Est-ce que leurs chaussures sont serrées et entaillent la peau ou est-ce qu'elles ont des trous, sont vieilles, du genre de celles qui ont pris l'eau ?

La marche l'inquiète, il n'arrête pas de se dire qu'il est au mauvais endroit. Ça ne devrait pas être la Louisiane ? Le Texas ? Le Tennessee ? Pourquoi est-il dans le mauvais pays ? Est-ce que cette aventure raconte sa vie ? Est-ce qu'il se trouve toujours au mauvais endroit, que sa vie se résume à toujours avoir tort ? Peut-être que la marche vers le carrefour va régler ça. S'il pouvait vendre son âme, il pourrait peut-être alors améliorer les choses, faire une bonne affaire.

Qui rêve ? Bernard ou son père ?

Le Diable l'attend dans cette scène, en plein milieu du carrefour, comme prévu. Même s'il sait somme toute qu'il est en train de rêver, il laisse tout l'épisode se dérouler, n'essaie même pas de se réveiller et de récupérer. Le Diable ne lui fait pas peur. Il pense qu'il a peut-être quelque chose à gagner.

« Comment va ? » dit le Diable.

Ce n'est pas approprié, ça non plus. Le Diable a un accent irlandais. Il ne sait pas quel accent le Diable est censé avoir, mais il ne croit pas que ce soit l'accent irlandais.

« J'ai dit, comment va ? »

Comme s'il venait du nord de Dublin cette fois, l'accent qu'il a.

« Oh, pas trop mal, je dirais, tout compte fait.

– Comment ça, tout compte fait ?

– Bah, tu sais, avec tout ce qui s'est passé dans ma vie. »

Il règne une forte odeur de soufre, en plus de ça, il ne sait pas s'il invente ça en rêvant, ou s'il rêve en inventant, on peut sentir dans les rêves ?

« Redresse-toi là, t'es tout voûté.

– Je ne peux pas, je suis fatigué. »

À moins qu'il ne dise : « Je ne peux pas, je suis coupable. »

Ou alors : « Je ne peux pas, je suis comme ça. »

« Mon Dieu. »

Il est surpris d'entendre le Diable jurer « Mon Dieu ». Ça ne convient pas vraiment. Mais il présume que ça convient en fait, ça a même tout son sens, d'offenser sa sensibilité catholique. Ce jarvey a été baptisé, il a fait sa première communion, sa confirmation, et il a pris le nom de Pierre. Il ne croit qu'au blues désormais, mais il n'empêche, on ne peut pas lui enlever son enfance religieuse…

« Bien, qu'est-ce qui t'amène ?

– Je sais pas. Je pensais faire affaire.

– Très bien, c'est la raison pour laquelle on vient en général au carrefour. Pour me rencontrer et conclure un marché. Tu as une idée de ce que tu voudrais ?

– J'aimerais jouer de la guitare, je crois.

– Tu joues déjà de la guitare, et tu joues plutôt bien. Qu'est-ce que tu veux de plus ?

– Tout le monde veut s'améliorer.

– OK, je te l'accorde. Autre chose ?

– Je veux être un homme bon.

– Tu veux pas la fille ?

– Bien sûr que je veux la fille.

– Évidemment, mon gars. »

Le Diable parle avec un accent anglais à présent. D'où ça vient ? C'est un personnage, ce Belzébuth.

« Si ça ne vous gêne pas.

— Pas le moins du monde, dit Lucifer le Londonien. Bien évidemment, tu vas devoir faire quelque chose pour moi en retour. »

Il s'y attendait. Robert Johnson le savait, et Tommy aussi.

« Quoi donc ?

— Regarde mon visage. »

À ce moment-là, le Diable s'allonge au carrefour et un cercueil se forme autour de lui.

« Allez ! »

Le jarvey s'avance à tous petits pas vers le cercueil en bois et jette un œil par-dessus bord.

Une voix résonne si fort qu'elle secoue les arbres irlandais et repousse les nuages noirs irlandais à toute vitesse dans le ciel couvert irlandais.

Non, je ne le ferai pas. Je ne le regarderai pas. Pas après ce qu'il a fait.

Mais il le fait. Il regarde par-dessus bord et voit le Diable allongé là, immobile, très calme. Il ressemble trait pour trait au fantôme dans l'eau, ressemble trait pour trait au Diable, ressemble trait pour trait à Bernard, ressemble trait pour trait à son père. À la racine de ses poils de barbe, des marques rouges, dues à la sueur, un visage au naturel en fait, qu'il n'a pas pris la peine de nettoyer correctement. Et son odeur, pareillement naturelle. La sueur persistante sur son corps. Trace d'un homme qui travaille. Trace de soufre.

16

John Dunphy l'a prise au mot. Quand la jeune Brigid McGuire a dit qu'elle aimerait écouter ses disques un jour, alors, il l'a crue. Il n'a pas vu qu'elle disait ça juste pour être gentille. Il n'a pas vu qu'il lui plaisait et qu'elle disait ça juste pour lui faire plaisir. Ça lui a fait plaisir. Surtout quand un jour, il a pris certains de ces disques sous le bras pour les emporter en ville et lui montrer, tout lui expliquer dans les moindres détails. Ils se sont installés dans le pub de Tom tôt un dimanche. C'était bizarre pour une femme de se retrouver dans un pub tôt le matin, surtout pour une jeune femme de bonne réputation, elle aurait évidemment dû se trouver à la messe. Mais Tom Cronin la connaissait comme la fille qui travaillait au restaurant d'à côté, et il savait que John avait trouvé un bon filon. Comment aurait-il pu faire obstacle ? Ça ne le dérangeait pas d'ouvrir le pub pour eux avant que les habitués n'y entrent, assoiffés et prêts à consommer. Alors il leur a prêté le tourne-disque et a montré à John rapidement comment ça marchait. Non pas qu'il ait besoin de leçon. John Dunphy savait tout des tourne-disques. Le riche oncle de Chicago lui avait fourni tout ce dont il avait besoin. Il faudrait qu'il rencontre cet oncle un jour et qu'il le remercie. Le remercie pour avoir fait de lui le jeune homme plein d'espoir qu'il est aujourd'hui. Le remercie pour son salut. À quoi bon la messe du dimanche ?

Brigid ne savait pas dans quoi elle s'embarquait. Elle est arrivée au pub à l'heure en se demandant à quoi rimait tout ce mystère. Tom était en haut dans l'appartement et s'occupait de ses affaires, et John a mis la musique en route dès qu'elle est entrée. Que faisait-il ? Et c'était quoi, ce boucan ? On aurait dit un chien en peine qui se fait tirer par la queue dans la cuisine parce qu'il refuse de sortir sous la pluie. Il lui a préparé une tasse de thé et lui a dit de s'asseoir et d'écouter, il lui a dit qu'il lui dirait tout sur la passion de sa vie. Brigid faisait de son mieux pour garder un semblant de sourire, mais c'était difficile, et la matinée allait être longue.

Ils ont bu du thé. Ils ont écouté un vieux disque rayé, une vieille voix rayée. Le chanteur s'appelait Leadbelly, même si ce n'était pas son vrai nom, comme John l'avait expliqué. Son vrai nom, c'était Leadbetter, Huddie Leadbetter, de Mooringsport, en Louisiane, et Brigid ne savait pas ce qui était le plus étrange, le vrai nom, le surnom ou l'endroit d'où il venait. Il lui a tout raconté sur Leadbelly et son don de compositeur incroyable, sur son talent, son jeu extraordinaire à la guitare douze-cordes comme à l'accordéon, à la mandoline, l'harmonica, au violon et au concertina, un « musicianer » selon les propres termes de Leadbelly, et sur son répertoire qui n'avait d'égal que son ego et son énorme appétit de vivre.

Les yeux de John brillaient tandis qu'il parlait, en imaginant ces hommes, leurs ballades typiques du désert de poussière, leur soleil cuisant, leurs existences rudes et mouvementées. Plus il parlait, plus elle a trouvé de l'intérêt, non dans la musique à proprement parler, qui lui cassait les oreilles avec ses braillements et gémissements bruyants et râpeux, mais dans la façon dont il se passionnait pour elle. S'il pouvait se montrer aussi passionné pour la musique, on pouvait imaginer comment il serait avec une femme à aimer, ou des enfants à chérir. S'il pouvait être aussi pédagogue, il serait sûrement génial avec des petits, il leur raconterait tous ces trucs historiques. Ce ne serait peut-être pas d'une grande utilité à quiconque, mais tout de même, quand il parlait, il parlait avec autorité et ardeur, de choses qui ne couraient pas les rues, de choses dont on n'entendait pas parler dans un pub comme celui-là, parmi les fripouilles et les vantards. Quant il parlait, elle ne pouvait s'empêcher de fondre. Si elle doutait encore un peu froidement de lui avant, tout se dégelait désormais sous ses yeux. Elle le courtiserait aussi longtemps qu'il le voudrait. Elle irait jusqu'à l'épouser, s'il se débrouillait bien.

Tom Cronin est apparu devant eux, une guitare à la main.

« Je ne voudrais pas vous importuner mais j'ai pensé que tu pourrais peut-être nous jouer un truc avant qu'on ouvre et qu'on laisse entrer les autres. C'est la vieille guitare de Pete Carey, il l'a laissée là après Noël et il n'est pas revenu la chercher depuis. »

Le visage de John Dunphy s'enflamme. Il ne s'attendait pas à ça. Il n'avait pas répété cette scène avec Tom et il n'avait répété aucune chanson à la guitare, du moins pas pour la jouer en public.

« Pas sûr qu'elle soit accordée, mais bon, donne, je vais essayer. »

John Dunphy a pris la guitare et vérifié l'accord en jouant en mi. C'était un peu désaccordé mais deux trois tours de clé et ce serait réglé. Il a traficoté les clés et les cordes, les a tirées, étirées pour qu'elles tintent comme il le fallait. Il était prêt, le visage encore empourpré, intimidé d'être dans une telle position. Mais il pouvait le faire.

Il avait passé des années seul avec ses vieux disques et sa guitare, à jouer avec satisfaction dans son monde à lui. C'était un passe-temps qui lui donnait beaucoup de plaisir, il aurait pu faire bien pire. Il se débrouillait aussi au violon, sa mère lui avait appris quand il était petit, et elle jouait toujours quelques airs à Noël ou lors de fêtes, accompagnée par les cris et les braillements des amis et parents badins qui s'empressaient de s'assembler. Mais John préférait la guitare. Il pouvait chanter en même temps. Il voulait chanter avant tout. Il voulait libérer tout ce qu'il avait pu ressentir, tout ce à quoi il avait pensé et ne pouvait exprimer correctement, ce qu'il n'avait pas l'occasion d'exprimer dans sa vie de tous les jours, ses grandes joies et ses chagrins déplorables. Il pouvait faire ça dans le style des *sean-nos*, ces chants irlandais lents et lugubres qui n'avaient pas besoin d'accompagnement, et il était plutôt doué pour ça aussi, c'était l'influence de sa mère, mais le blues lui parlait, c'étaient des chants crus et grossiers, ils sortaient du plus profond des puits, tout au fond, là où il faisait si noir qu'on n'y voyait rien. Oui, il connaissait les chansons, les paroles il s'en souvenait toujours. Il était prêt. Son public aussi ?

Brigid lui souriait. L'encourageait. Elle espérait et priait pour qu'il soit bon, parce que s'il ne l'était pas, s'il n'avait pas une seule note en tête, alors ce serait affreusement embarrassant pour tous les trois. Elle ne saurait pas où regarder. Elle s'accrochait fort au-dessous du siège, le visage visiblement tendu.

« Vas-y, mon gars, joue, ça nous est égal, ce que tu veux », dit Tom comme si c'était son oncle.

Alors il s'est mis à jouer, et leurs visages se sont éclairés, ses doigts effrénés bougeaient vite sur les touchettes. Quand il chantait, sa voix était profonde et éclatante, et c'était ravissant. Un critique sévère pourrait dire qu'il sonnait un peu trop américain, un peu faux, que ce n'était pas authentique. Mais pas la jeune femme éprise qui regardait sa bouche, ses yeux, ses doigts ; si c'était une chanson américaine, alors il était normal que sa voix prenne l'accent américain, même si sa vraie voix était celle d'un homme du Kerry. Ça ne la dérangeait pas du tout. Il pouvait jouer toute la journée s'il voulait. Elle n'avait jamais vu personne se produire de la sorte. Tellement au pied levé. Seulement une minute pour se préparer et il était parti. Elle n'avait jamais entendu personne chanter avec une férocité aussi sauvage non plus. Il devrait auditionner pour faire partie d'un groupe.

Le public de deux personnes a applaudi généreusement pour le remercier. Et Tom lui a donné une grande tape dans le dos.

« OK, une dernière avant que je fasse chauffer de l'eau et que les clients arrivent de la messe la langue pendante. »

Alors que John s'apprêtait à jouer un refrain de *Goodnight Irene*, un badaud en avance pointait déjà son nez à la porte en se grattant la tête : « Nom de Dieu, ça ferme déjà ! Mais où est passée la journée ? »

La musique avait dû faire l'affaire. John Dunphy l'avait conquise. Il la côtoyait depuis quelques semaines déjà, mais ce matin-là, avec la guitare, c'était la cerise sur le gâteau. Elle savait qu'il avait du talent et savait désormais qu'il était passionné. Cette passion débordait dans l'après-midi tandis que les deux amoureux s'enlaçaient lors d'une autre promenade dans les bois au milieu des gros chênes et des hêtres imposants. Ce soir-là, ils s'étaient allongés dans la cuisine, sur le sol du restaurant. Ils riaient à l'idée qu'elle se ferait massacrer si quelqu'un apprenait ce qu'elle était en train de faire, à l'idée qu'il n'était pas très hygiénique de s'allonger par terre sur le sol d'une cuisine avec un sac de pommes de terre pour oreiller. Mais elle avait les clés et savait que personne n'en saurait jamais rien, et c'est ce qui était excitant de toute façon, ce petit risque. Ils n'ont pas fait grand-chose sur ce sol, qui leur faisait trop mal au dos, au cou et à la tête, mais leurs mains s'étaient égarées dans l'intimité, ce qui avait déclenché plus de musique enragée dans la tête du guitariste de blues et avait fait battre le cœur de la jeune fille plus fort que jamais.

171

Étendus dans l'obscurité, ils se blottissaient l'un contre l'autre pour se réchauffer et parlaient de s'enfuir tous les deux. La première chose à faire consistait à sortir de la cuisine et du restaurant sans se faire voir. La deuxième consistait à s'échapper de la maison de leurs parents et à essayer de vivre ensemble, même s'ils admettaient qu'il leur faudrait sans doute se marier pour pouvoir le faire. La troisième chose dont John avait parlé avait trait à son travail qu'il espérait quitter, la paie n'était pas faramineuse et il n'y voyait pas beaucoup d'avenir, et le vieux Dan Crowley ne pouvait plus faire le *jarvey*. Un soir au pub il avait mentionné le fait qu'il lui fallait trouver un acheteur rapidement pour reprendre la calèche, qu'il avait un bon cheval et que ce serait un bon travail pour un jeune, intéressé par l'affaire.

John Dunphy aimait l'idée de se retrouver seul pendant de longues périodes, voire quelques moments volés où il pourrait sortir sa guitare et gratter le temps que les clients le hèlent à nouveau. C'était un bon travail pour un rêveur, un homme avec des chansons dans la tête ; il y avait trop de monde à l'usine, trop de bruit et il n'arrivait pas à avoir les idées claires. Brigid se faisait l'avocat du diable et passait en revue toutes les embûches, la nature saisonnière du travail, la précarité des revenus. John répondait que Killarney attirerait toujours du monde et que les mois d'hiver, il pourrait toujours monter un groupe et gagner de l'argent comme ça, pour les mariages, les fêtes et tout ça. Brigid ne doutait pas de son talent et disait qu'il fallait y réfléchir. Est-ce qu'il lui fallait une licence pour faire ça ? Est-ce qu'il connaissait les chevaux ? Pas vraiment, avait-il dit. Il y en avait plein dans la campagne où il vivait petit, et il pensait être capable de s'en occuper. Ça ne pouvait pas être si difficile, si ?

Il fallait qu'il y réfléchisse. Il était sûr d'une chose, il voulait rester à Killarney. Il voulait vivre dans la ville où il y avait un peu d'animation, et, surtout, où il pourrait être près d'elle tout le temps. Ce serait *leur* ville. Leur histoire d'amour. Leur futur. Ils allaient le construire ensemble. Elle resterait dans le restaurant jusqu'à ce qu'elle trouve mieux. Ou jusqu'à ce qu'elle tombe enceinte et accouche d'un de leurs nombreux enfants. Nombreux ? Elle n'en était pas sûre et elle lui avait donné une tape sur l'épaule pour son impertinence.

« D'accord, peut-être deux ou trois, trois maximum.

– Pousse pas le bouchon trop loin, John Dunphy, ou je t'étranglerai avec ta guitare.

– Je ne te savais pas si violente.

– Je te l'ai déjà dit. Je ne suis pas facile. Fais gaffe à toi. »

La dispute continuait ainsi. Badine, sans malice. Ils savaient alors que leur avenir était doré. Qu'il leur prodiguerait ce qu'ils aimaient et ce dont ils auraient besoin. Qu'il y ait un cheval ou pas dans l'histoire, ils n'en étaient pas encore sûrs. Mais il n'y aurait rien de tragique. Leurs yeux étaient trop grands et rêveurs pour ça. La vie les préserverait.

17

Mike Daly a souvent des problèmes de dos. Le fait de fixer les enceintes et de soulever les amplis lui rappelle pourquoi. Ils sont sacrément lourds. Certaines nuits, il n'arrive pas à dormir à cause de la douleur et aucun calmant, quelle que soit la dose, ne le soulage. Il a consulté des médecins et des spécialistes qui lui ont donné des exercices à faire pour l'aider à s'étirer le soir et le matin, mais il les fait rarement. Ils lui ont dit, bien sûr, qu'il faut qu'il arrête de porter des charges lourdes. Mais avec son travail de paysagiste, il est amené à hisser des fardeaux, à se pencher beaucoup dans la journée, à pousser des brouettes dans tous les sens, et maintenant ça, l'installation de l'équipement pour la musique – c'est lourd quand on le fait tout seul. Linda aide bien entendu, mais Mike le gentleman insiste pour porter ce qui est lourd, ce qui laisse à Linda la responsabilité de tâches plus faciles comme démêler les fils et tester les micros. Il faudra juste qu'il joue en ayant mal. Il espère s'immerger dans la musique au point d'oublier la douleur. Peut-être pourrait-il s'asseoir dans une autre position et ne pas s'avachir sur sa guitare, essayer ça : il est déformé, déséquilibré.

Pourtant, Mike s'estime heureux car il a rencontré sa partenaire musicale. Elle chante bien. C'est sympa de passer du temps avec elle. Ça le soulage de la douleur. Il a rencontré pas mal de chanteurs et d'artistes d'un peu partout dans le comté, dans le pays, et il s'est retrouvé à jouer avec assez de mauvais groupes pour savoir ce que sont les groupies cinglées et les parasites dérangés ; mais cette fille est différente, elle les dépasse de beaucoup. Sa voix est expressive, elle s'adapte au country classique comme au style Stax, elle peut chanter du Beyonce comme des chansons traditionnelles irlandaises ou anglaises. Les paroles et la poésie qu'elle écrit n'ont rien de sentimental, elles sont plutôt maîtrisées, et elle est vachement belle, en plus. S'ils deviennent intimes, plus encore que ces derniers temps, elle ne voudra peut-être pas rentrer chez elle à la fin de l'été, voudra peut-être rester avec lui. Elle finira peut-être par aimer tellement Killarney qu'il lui sera impossible de partir.

Mike sait que tout ça, c'est des rêves d'adolescents, il a regardé trop de films de John Hughes quand il était lui-même adolescent, toutes ces fins sur lesquelles on ne peut pas tabler : le type maladroit ou réservé qui sort avec la fille à la fin ? Est-ce vraiment possible ? Il sait qu'elle repartira et que ce n'est qu'une situation temporaire. Il sait aussi qu'il a probablement attendu trop longtemps. Ce sont désormais des amis proches. D'après son expérience, quand les filles vous ont collé dans une catégorie, elles vous y laissent, elles passent rarement de « ami » à « petit ami ». Vous restez celui qui répond au téléphone jusque tard dans la nuit, pas celui qu'on somme de venir au pieu. Il la regarde et sent une once de regret au creux de l'estomac – trop lent, Mike, t'aurais dû y aller plus franchement et te montrer impitoyable à la suite de sa rupture, te faufiler tant qu'elle était en émoi, descendre en piqué comme un ptérodactyle vorace, et la soulever dans les airs jusqu'à un nid sordide. Mais non. Il avait été trop vite l'épaule sur laquelle elle avait pleuré. Le musicien sensible. Celui qui écoute. Trop tard, Mike. Trop tard.

175

Marian et Mags sirotent leur bière en bouteille à une table basse près de la cheminée. C'est un de leurs coins préférés. Près du feu en hiver lorsque les flammes vacillent, et qu'un whiskey chaud commandé auprès de Dermot, fiable et juste à côté, peut rapidement réchauffer les os gelés, et assez près également de la musique, pour se sentir impliquées tout en ayant assez de place pour papoter, ou raconter des potins, surtout raconter des potins. C'est un passe-temps, les potins. Ça remplit un vide béant. Elles devraient être adultes, sérieuses, au-dessus de ça, mais toutes les deux admettront qu'elles sont coincées dans cette routine. Ça fait des années que ça dure. Au moins, l'alcool rend la vie un peu plus facile.

Deux hommes jouent aux échecs, des pintes de Guinness et une bouteille de vin recouverte de cire près du vieux plateau. Ils regardent fixement les pièces. On dirait qu'ils passent des mois à méditer. Ils sont toujours comme ça. Les bras croisés. Songeurs. Ils prennent leur occupation très au sérieux. Même la Guinness se gâte entre-temps, ils devraient siroter plus souvent, pour garder le corps de la bière brune solide avant qu'elle ne descende trop dans le verre. Mais trop souvent, le coup suivant, de la reine ou du fou, fait que la Guinness, oubliée, se réchauffe et ils le regretteront bientôt.

Linda aperçoit Marian et lui fait signe de la main. Mike sourit aussi, tandis qu'il ajuste les niveaux sur son ampli. Mags répond tout de suite, pensant que les sourires lui sont toujours adressés.

« Il est plutôt mignon. »

Marian aurait dû s'en douter. Elle fait semblant de ne pas avoir entendu et sirote sa bière. La bouteille est presque vide. Elle devra attirer l'attention de Dermot dans une minute, pour en commander une autre. Elle a beaucoup plus soif l'été, naturellement, ce qui pourrait faire du tort à sa ligne.

« Tu trouves pas ?

– Bah, disons que je me laisserais persuader pour moins de dix millions d'euros ce coup-ci.

– C'est ce que je dis, ma grande. Je sais que tu en pinces pour les musiciens.

– Nan, c'est juste qu'ils m'aiment bien. J'ai reçu une autre cassette il y a quelques jours. »

Cette fois c'est Marian qui aborde le sujet de son admirateur.

« Ooouuuh, quelle chance. Un autre chef-d'œuvre signé Bernard ?

– Tu sais quoi, c'était plutôt bien en fait. Soit il est meilleur qu'avant, soit je n'ai plus besoin de me justifier. Peut-être qu'il m'a eue à l'usure. »

Elle ne lui dit pas qu'elle apprécie vraiment ses chansons, allongée dans son lit, et qu'elle glousse dès qu'elle entend ses présentations maladroites, ses plaisanteries gauches. Elle ne dit pas à Mags qu'elle s'endort tranquillement au son de la voix de l'étrange Bernard, à moins que ce ne soit *la voix étrange de Bernard* ? Elle ne lui raconte pas non plus sa prise de bec hebdomadaire avec sa mère. Quel intérêt ?

La porte d'entrée du bar s'ouvre et Bernard entre accompagné de Laura et de son frère : le grand et svelte Tom Willis. Tom irradie les alentours de son large sourire américain, impressionné il semblerait. Impressionné par l'authenticité de l'endroit et content d'être à l'abri de la pluie subite. Les joueurs d'échecs ne lèvent même pas la tête pour saluer ce reflet.

Tom ouvre immédiatement son sac à bandoulière pour en sortir son appareil photo. Il y a tellement à voir ici, il faut appuyer sur le déclencheur. Histoire de montrer aux Texans à quoi ressemble un vrai bar irlandais.

Laura porte une jupe courte, et Marian et Mags savent immédiatement que c'est une fille qui fait du sport, court, fait du jogging, nage, mange du céleri sans mayonnaise. Mais la surprise de la soirée, la surprise de l'été en fait, c'est que les Américains, les Américains si outrancièrement américains, ont pour guide le seul et unique Bernard Dunphy, *jarvey*, amateur de blues, phénomène. Et regardez-le. Mon Dieu ! Ses cheveux sont gominés, probablement pour la première fois de sa vie, il porte un jean, et une chemise décontractée à manches courtes avec un T-shirt à la mode dessous. Pas de manteau noir aux environs.

« Bah merde alors, dit Mags, en parlant du loup ! »

Marian ne sais pas par où commencer. C'en est trop d'un coup. Cette soudaine entrée spectaculaire. Ce changement massif. Elle ne sait pas sur quoi elle doit se concentrer. Les cheveux ? La chemise ? Le fait qu'il ne porte pas de manteau ? Elle se dit même qu'il doit sentir bon, qu'il vient de prendre une douche peut-être, et qu'il ne laisse pas dans son sillage son odeur habituelle de sueur et de poney.

« Où est passé le manteau ? Il a oublié qu'on était en juillet et qu'il tombait des trombes d'eau dehors ?

— Et c'est qui, les deux avec lui ?

— Je ne sais pas. Je ne les ai jamais vus. Mais tout ça, bien sûr, n'est peut-être pas vrai, ce n'est peut-être qu'un rêve. »

Marian ne sait pas si elle a dit ça pour plaisanter ou non. En tout cas, ni l'une ni l'autre ne rit. Toutes les deux sont trop stupéfaites. Sidérées.

Cathy et Janet, dont on voit le reflet sur l'écran de la télé éteinte, sont comme des spectres maussades, pas vraiment là. Pendant un moment, elles ne bougent pas, elles restent calées sur le canapé en cuir, les yeux fixés devant elles. Les sanglots de Cathy sont plus légers à présent, mais ils piquent encore après le choc, la tristesse éternelle. Elle a relaté les événements à sa sœur, et sa sœur est assise là, tout aussi abasourdie. Toutes les deux savent depuis longtemps que Jack est un sale type. Mais ça ? C'est énorme. C'est le genre de drames réalistes qui passent sur la BBC la nuit, pas le genre de choses qu'on laisse entrer dans son salon un dimanche après-midi pour de vrai. Pour de vrai. Ça s'est vraiment passé. Exactement comme elle l'a dit. Janet pouvait tout imaginer si clairement, tout ce que Cathy avait raconté, brutal, cru, stupéfiant : la voiture, la baise, le visage du Polonais devant elle et après. Le sang sur la boue sèche. Et le craquement, le craquement sur le crâne qui a mis fin à tout. Qu'est-ce qu'on fait maintenant ? C'est facile quand ces histoires arrivent juste à la télé : on reste ébahi sous le choc ou par exaspération, mais alors le présentateur passe rapidement à un autre sujet, et le spectateur aussi. Le temps. Le sport. Quelqu'un a gagné au loto. Mais ça ? C'est la réalité. On ne peut pas passer à un autre sujet avec ce poids si lourd. On est collé avec. Ou pris *dedans*. Comme avec les sables mouvants. C'est ce que Cathy ressent, elle est coincée, incapable de se libérer, et si on ne s'occupe pas d'elle immédiatement, elle ne fera que couler plus profondément.

« On va régler ça. Ne t'en fais pas. »

Cathy ne sait pas si c'est vrai ou pas. Comment peuvent-elles régler ça ? Que faire en premier ? Comment on peut balayer un tel gâchis ? Aller au commissariat ? Demander conseil à un avocat ? Qu'est-ce qu'on fait ? Ce n'est pas comme si elles pouvaient aller voir quelqu'un et lui demander ce qu'il faut faire, car personne d'autre n'a été dans cette situation. Qui a véritablement vécu ça et peut offrir un conseil ? Qui peut dire : « *Ah ouais, moi aussi je suis sortie avec un connard, et il a fracassé la tête d'un Lituanien avec un marteau, de la même façon, voilà ce qu'il faut faire...* » Ça ne marche pas comme ça. Est-ce qu'elle est impliquée dans ce fiasco, en fait ? Cathy est-elle un accessoire ? Elle n'a rien fait à cet homme, mais elle n'a rien fait pour arrêter Jack non plus, ou pour aider cet homme. Est-ce qu'elle veut que toute la ville sache qu'elle était en train de baiser dans une voiture, dans un coin réputé pour être celui des voyeurs ? A-t-elle besoin de voir sa réputation salie ? Heureusement que ses parents sont morts. Qu'aurait pensé son père de tout ça ? Il se retourne probablement dans sa tombe en apprenant les bouffonneries auxquelles elle s'adonne. Vous parlez de faire honte à la famille. Et comment.

« Je ne sais pas quoi faire. »

Finis les halètements, sa voix est désormais celle d'un droïde triste et défaillant, mal aimé, à la dérive dans l'espace vide et froid. Les faits bruts de la journée l'ont rendue insensible. Elle sent à peine ses mains quand elle les lève pour essuyer ses dernières larmes, moucher son nez qui coule.

Elle n'a pas pleuré autant depuis des années. Pas depuis la mort de ses parents. Elle avait quinze ans quand Mrs Cronin, la vice-principale, l'avait convoquée en classe pour lui dire qu'elle avait un message urgent et qu'elle devait se rendre à son bureau. La secrétaire était là, s'efforçant de réconforter Janet. Et puis les détails épouvantables, son père faisant une embardée pour éviter un conducteur ivre dans un virage dangereux, le terrible accident et la perte immédiate de trois vies. Quand Jack avait conduit comme un malade plus tôt aujourd'hui, elle revoyait la scène, le châssis brisé, les corps brisés, les cœurs brisés. Mais Jack n'avait pas eu d'accident. Il l'avait juste larguée dans cette pagaille, seule au monde si ce n'est sa sœur. Une tante passe de temps en temps. Leur grand-mère est encore en vie, si on peut appeler ça la vie, dans une maison de retraite, l'esprit embrouillé, la tragédie l'a conduite au bord du gouffre, sa sénilité, ou peut-être la maladie d'Alzheimer, une éventuelle bénédiction. Cathy regrette ses parents. Elle les regrette tous les jours et elle leur parle sur leur tombe quand elle peut, en nettoyant la sépulture, en apportant des fleurs. Elle les regrette plus que jamais, son chagrin ne s'exprime plus mais il est toujours là, une lourde pierre au fond d'elle, qui ne s'allège pas.

« Si Papa était là, il saurait quoi faire.

– Si Papa était en vie, dit Janet, il ne t'aurait jamais laissée approcher ce garçon. Et c'est tout ce qu'il est, un stupide garçon. Si Papa avait appris que tu le fréquentais, il ne t'aurait jamais laissée revoir ce connard. Il t'aurait protégée. Je regrette de ne pas l'avoir fait. Je t'ai prévenue bien souvent. Mais j'aurais dû être plus ferme. »

Cathy sait que sa sœur dit la vérité. C'est tellement évident maintenant, bien sûr. Après les faits.

Les fantômes dans le reflet de la télé s'animent : leurs yeux s'éclairent, la colère, les rudiments de la rage commencent à bouillonner.

« Ne t'en fais pas. On va régler ça. Ne t'inquiète pas. »

Cathy a déjà vu ce regard dans les yeux de Janet. Concentrés. Mais concentrés par la rage. Comme quand elles étaient petites. Une partie de Monopoly pouvait se transformer en crêpage de cheveux, en saga hurlante, les cordes à sauter pouvaient claquer de colère. Elle ne mettait jamais longtemps à exploser, surtout quand ça ne se passait pas comme elle voulait. Et là, c'est le cas. Ses yeux rapetissent au fur et à mesure qu'elle complote. Jack sera pris.

Bernard se tient au bar et commande à boire pour ses invités. Tom Willis n'a plus la gueule de bois, et il est prêt à boire à nouveau, il ne va pas se soucier de la prochaine avant demain. C'est inévitable en Irlande, pense-t-il, surtout quand on voit le nombre de bars en ville, et quand le monde offre une boisson comme la Guinness – il n'y a pas mieux, c'est donc inévitable.

Bernard irradie. Il est ravi d'avoir à distraire ce couple américain. Il est ravi qu'ils l'aient choisi pour les guider. De tous les *jarveys* qu'ils auraient pu choisir, c'est lui que Laura

181

a trouvé. Bernard. Et Ninny. Il est fier. C'est un *jarvey* fier de lui aujourd'hui. Il est aussi inquiet. La jument n'avait pas l'air en forme quand il l'a menée au vieux hangar, ses pattes grinçaient comme la porte rouillée, qui se voile sur ses gonds, ses yeux encore plus tristes que d'habitude, les oreilles rabattues, sans leur vivacité habituelle.

Le bar commence à se remplir. De la musique passe sur la chaîne stéréo, un air de rock indé que Bernard ne connaît pas. Il n'aime pas la musique indé. Qui manque de blues alors que le rock traditionnel n'en manque pas. Le rock habituel ou classique est ancré dans le blues. Led Zeppelin, les Rolling Stones, ça il aime. La musique indé n'a pas d'histoire. Et de toute façon, si ça a été enregistré après les années soixante, ça ne l'intéresse pas vraiment. Seasick Steve est peut-être un de ses favoris du moment, mais c'est le seul contemporain que Bernard tolère ces jours-ci. Une exception. Il préfère de loin n'importe quel morceau enregistré sur le label Chess. Il présente ses nouveaux amis au barman, Dermot Nolan. Tom lui serre la main fermement sachant que c'est l'homme qui le servira toute la nuit, l'homme qui tirera les pintes capitales, un homme des plus importants en fait.

« Bienvenu, dit Dermot, la voix toujours bourrue mais courtoise. Vous aimez Killarney ?

— Super jusque-là. Mais il a commencé à pleuvoir.

— Vous ne vous attendiez pas à ce qu'il fasse toujours beau, quand même ?

— Bah, je sais qu'ils disent qu'il pleut toujours ici, et ce n'est pas grave, ça fait partie de l'aventure irlandaise.

— On s'habitue.

— Et maintenant je sais ce qu'est un "jarvey". Je n'avais jamais entendu le mot avant.

— Et pas juste n'importe quel *jarvey* ! » dit Dermot, en roulant des yeux, ne se souciant pas de savoir si Bernard le voit ou non, sachant qu'il n'est pas le premier à se moquer de Bernard.

Le *jarvey* ne le voit pas bien sûr, il n'entend aucune plaisanterie, aucune moquerie, sa concentration porte sur autre chose : il a les yeux rivés sur Marian, naturellement, elle est si jolie ce soir. Elle n'a pas changé depuis ses quinze ans, ses dix-huit ans, le même éclat, la même vivacité. Il se souvient d'elle à l'école, elle se pavanait gaiement devant la grille, son sac sur l'épaule, ne sachant pas qu'il la regardait fixement, comme beaucoup d'autres adolescents peut-être. Elle avait l'habitude de flâner ; allait et venait ; Bernard n'a jamais su si elle se rendait compte de son allure majestueuse ou pas.

Ça fait longtemps que ça dure, Bernard le sait, mais il ne sait pas comment s'arrêter, comment lâcher. Quand il la voit comme ça, toute belle, élégante, cela confirme simplement son point de vue, le rassure sur le fait qu'il est tombé amoureux de la bonne personne. C'est le juste amour. Il se souvient de la première fois où il a posé les yeux sur elle à l'école, ses cheveux plus brillants et plus lisses que toutes les autres, son rire plus malicieux, sa démarche plus gracieuse. Il avait marmonné quelque chose ce jour-là, et elle avait été assez gentille pour ne pas se moquer de lui, assez gentille pour ne pas pouffer de rire quand les professeurs lui reprochaient de rêvasser, quand les autres se moquaient de son allure particulière. Elle ne riait pas. Ou peut-être qu'elle riait, et qu'il ne le voyait tout simplement pas. Elle ne faisait pas trop attention à lui, encore maintenant. Mais elle accepte ses cassettes et le remercie parfois et lui dit parfois qu'elle aime une chanson en particulier. Ça ne lui suffit pas ? Elle lui a demandé d'arrêter, bien sûr, lui a dit qu'il ne fallait pas qu'il fasse tout ça. Mais il insiste, et elle le laisse, et la même chose se répète année après année. Il ne peut pas s'en empêcher. Il ne lui ferait jamais aucun mal. Il n'a pas ça en lui. Quand son cousin l'avait frappé dans l'allée, c'était un avertissement pour qu'il la laisse tranquille. Mais Bernard n'a jamais fait de mal à Marian. Pourquoi fallait-il que ce connard s'en mêle ? Bernard est doux. Innocent. Il s'approche rarement d'elle. Il aime l'admirer de loin. Pour l'instant, cette stratégie lui va. Peut-être qu'un jour elle sera tellement éblouie par une de ses chansons, tellement bouleversée par la sincérité d'un air qu'elle s'offrira à lui. Il en doute. Mais il espère aussi. Et c'est cet espoir, aussi minuscule soit-il, qui l'encourage.

Il détourne les yeux un instant pour inspecter le bar. Aucun signe de Jack. Il est en retard. Il est toujours au pub à cette heure-là. Il a dû vouloir commencer la soirée dans un autre bar, au Murphy's peut-être, ou au The Fáilte, un bar que Jack aime particulièrement, il le sait : décontracté et accueillant. Il se conduit bizarrement ces temps-ci. Il s'intéresse moins à ce que Bernard lui dit. Ne s'intéresse à rien si ce n'est au fait d'essayer de se tirer avec de jolies touristes et de les ramener dans son lit. Bonne chance à toi, pense-t-il. Ce n'est pas le style de vie de Bernard, il est plus heureux avec son grand amour. Mais si c'est ce qui fait le bonheur de Jack, alors qu'il en soit ainsi. Bernard espère qu'il arrivera bientôt, pour qu'il le présente à ses nouveaux amis.

Brigid est assise dans sa cuisine en silence. Il n'y a que très peu de bruits et elle les écoute comme s'il ne lui restait qu'eux. Le premier bruit est celui de la pendule qui tictaque. L'aiguille tourne et tourne sans jamais s'arrêter. C'est facile de la fixer des yeux pendant un petit moment mais bientôt, l'esprit divague et les pensées de tous les jours s'imposent. Rien n'arrête ce tic-tac et rien n'arrête ces pensées dans sa tête. Encore et encore. Tic-tac. Ça ne s'arrête jamais.

Elle est fatiguée désormais et elle rêve de dormir. Elle rêve de mettre au repos son esprit embrouillé. De stopper les vents et les vagues. La paix. Rester immobile. L'autre bruit, c'est celui d'une respiration difficile, pas la sienne. Elle vient de l'appareil d'écoute bébé audio qui se trouve sur la table devant elle. Elle l'a acheté quand elle a su qu'il lui faudrait écouter attentivement la respiration sifflante de la jument. Qu'a bien pu penser la vendeuse ? Trop vieille pour être mère. Une jeune grand-mère ? Trop tard pour ça aussi peut-être : Bernard n'en aura sans doute jamais, si ? Elle aurait sans doute dû prévenir la caissière : *C'est pour une jument, en fait.* Pour voir sa tête.

La pauvre Ninny décline, et pour l'instant Brigid se sent comme une jeune mère inquiète, toujours vigilante, toujours sur le qui-vive. Lorsqu'elle était *vraiment* une jeune mère, ça remonte au début des années soixante-dix, elle espérait que la respiration – de son petit garçon – ne s'arrêterait jamais, mais qu'elle continuerait tranquillement toute la nuit, toutes les nuits : désormais elle souhaite l'inverse à sa faible jument, elle espère qu'elle va expirer son dernier souffle et toute cette douleur derrière elle. Ninny a tenu sur ses quatre pattes toute sa vie, elle a traîné cette calèche pendant des kilomètres, elle a bien besoin de se reposer, comme Brigid, du repos éternel. Brigid se demande s'il y a une place au paradis pour les chevaux. Les animaux arrivent-ils aussi à ses portes ? Ce sont là des questions auxquelles elle ne peut pas répondre ; elle doute que Frère Kennedy, ou aucun autre prêtre d'ailleurs, puisse y répondre. Il faut juste qu'elle attende pour l'apprendre elle-même le moment venu. Et ce moment arrive. Ne tardera pas après Ninny. Il ne reste plus beaucoup de temps. Elles déclinent toutes les deux. Le vétérinaire lui a dit que les pattes et l'estomac de Ninny se remplissaient de liquide, sous la peau, qui la ballonnait, enflammait ses vaisseaux sanguins. Pauvre créature. La tumeur sur son propre cerveau humain est petite, c'est une autre pendule qui tictaque, ou une bombe à retardement, qui grossit, ils lui ont dit, et ce n'est pas opérable, ils lui ont dit aussi, trop dangereux là où c'est placé, alors elle reste là. Tic-tac. Elle l'imagine parfois comme une sorte de larve, avec un cœur qui bat, gonfle et dégonfle, ou comme la gorge et le ventre diaphane des crapauds qu'on voit dans les documentaires animaliers. Gonfle, dégonfle. Et petit à petit elle grossit, et bientôt elle va la tuer complètement. Tout ça ne l'attriste pas plus que ça. Brigid Dunphy pense qu'elle mérite de mourir. En fait, Brigid Dunphy veut accélérer tout le processus, tellement elle est minée par la culpabilité d'avoir commis des erreurs, d'avoir fermé les yeux, le remords de ne pas avoir su éviter des tragédies, une litanie. La fragilité humaine. Et il n'y a aucun moyen de faire aller une pendule plus vite. Elle marche à son propre rythme. La seule façon de s'en sortir, c'est de faire le pire, le pire possible.

Sa respiration s'aligne sur celle de la jument. Elle se souvient quand Bernard était bébé, qu'il gazouillait gentiment dans le berceau, suçait son pouce, murmurait doucement, montait et descendait la poitrine. Gonfle, dégonfle. Elle le regardait pendant des heures, s'émerveillait devant sa fierté et sa joie, l'aimait tellement qu'elle en retenait son souffle, s'étouffait presque, remplie de la plus grande adoration. Chaque soir se rejouait la scène de la Nativité, le bébé emmailloté, la mère bienheureuse, et l'espoir, toujours l'espoir que tout irait bien dans le monde.

Tic-tac. Les marées de par le monde, hautes, basses. Sans cesse.

Ninny a eu la force de ramener le fils de Brigid à la maison. Elle ne l'a jamais laissé tomber, n'a jamais laissé tomber personne, cette jument. Peut-être est-ce aussi bien que Bernard ne soit pas là pour voir sa douleur, pas là pour entendre les respirations pénibles. Mieux vaut en finir une fois pour toutes. Laisser Bernard libre de faire son chemin et de recommencer à zéro, seul, sans les tracas d'une mère vieillissante et d'une bête en fin de vie. Ce soir, il avait l'air si heureux, une transformation radicale. Un rendez-vous galant ! Brigid a de l'espoir pour lui, comme toujours. Il est difficile pour une mère d'abandonner. Mais elle a pris sa décision. C'est le bon moment pour quitter tout cela. Le bon moment pour dire au revoir.

Elle tend le bras et éteint le moniteur. Elle se lève lentement et décroche le téléphone. Elle compose le numéro et parle le plus lentement et le plus calmement possible.

« Bonjour, docteur Murphy. Bonjour, oui, c'est Brigid. Elle est sur le point de partir. Je regrette de vous faire venir mais… »

Le vétérinaire viendra. Il veut achever la jument lui aussi. Il attend simplement le feu vert. Elle pourrait trotter quelques jours encore peut-être, elle pourrait même trouver un second souffle demain matin, mais le temps de quelques heures seulement, c'est tout ce qu'on peut espérer. Ce sont des animaux courageux, les chevaux. Ils aiment travailler. C'est ce qu'ils font de mieux. Ils connaissent leur rôle. Mais vraiment, on ne ferait qu'aggraver les souffrances de la bête, mieux vaut en finir. C'est mieux.

« Il faut que je sorte de mon côté, mais je laisserai toutes les portes ouvertes, vous pourrez faire ce que vous avez à faire, docteur Murphy. »

Elle raccroche. Sait que c'est terminé. Elle se sent comme un juge qui vient de prononcer une terrible sentence. Le pouvoir que les humains ont sur les bêtes. Les décisions prises. La domination. Décider de leur vie et de leur mort. C'est dommage que Brigid n'ait pas su dominer sa bête à elle quand elle en avait l'occasion, quand les ennuis ont croisé son chemin et qu'elle avait la possibilité de faire quelque chose. Elle n'était ni juge ni juré à ce moment-là, faisait plutôt office de sténographe, la tête baissée. Et toutes les années qui ont suivi, elle a gardé la tête baissée, comme ça, la honte, la honte.

Les pensées de Bernard sont maintenant loin de sa jument. Il est vraiment dans un autre royaume, et ce qui lui arrive ne lui est jamais arrivé. Il mue, devient autre chose, un énorme serpent rampant à terre. Il s'aperçoit dans le miroir, entre les bouteilles d'alcools, entre les bouchons doseurs. C'est bien lui, mais il paraît si différent. Ses cheveux. Ils sont beaux. Il a passé du temps à les coiffer. Il y a passé autant de temps que Jack. Il a mis de la mousse dans la paume de sa main puis l'a passée dans ses cheveux ébouriffés pour les dompter. Comme un feu de brousse étouffé par l'écume, entièrement sous contrôle. Et ils sont restés tels quels. Il a du mal à se reconnaître. Quelle drôle de sensation. Son corps semble plus léger. Il pourrait être William Bunch, le pianiste, débordant d'une confiance insouciante : « *I am Peetie Wheatstraw, the High Sheriff from Hell, the way I strut my stuff – well, now you never can tell.*[1] » Il se sent bien. Le blues ne parle pas toujours de se sentir mal. Certains des plus beaux airs sont très enjoués, enlevés, ce sont ceux qui font l'éloge de la libido, qui encouragent la décadence ; Bernard pourrait argumenter, et il le fait souvent pour lui-même, que toute la musique blues est enlevée, jusqu'à la dernière chanson, puisque ce sont des chants sortis de la répression, inspirés par les épreuves, la volonté de vivre.

C'est un nouvel homme. Regardez-moi cette chemise, tout juste sortie de l'emballage. Sa mère avait acheté ces trucs, l'été dernier sans doute. Il ne s'était même pas donné la peine de les porter, ni même de les essayer. Mais il les porte maintenant. Ça lui va bien. Il est content de lui. Pourquoi est-ce qu'il fait tout ça ce soir ? Pourquoi ce soir ? Tout ça à cause d'une Américaine avenante qu'il a rencontrée dans le parc et qui l'a invité à prendre un verre, qui plus est avec son frère dans son sillage. À quoi rime tout ça ? Pourquoi est-ce si important ? Il n'en sait rien. Il faudra qu'il assemble les pièces une par une quand il aura le temps. Quand il sera de sortie en calèche et

---

1. « Peetie Wheatstraw » est le pseudonyme du pianiste et bluesman William Bunch et fait référence à un personnage du folklore afro-américain, surnommé « le Haut Shérif de l'enfer ».

qu'il roulera sans client et sans avoir rien d'autre à contempler que le temps. Pour le moment, il faut simplement qu'il en profite. Il est le centre du monde. Quel bel endroit où se trouver.

Il imagine ce que ce doit être pour Jack, toujours le centre d'attention. Les journaux qui saluent ses exploits sur le terrain, et les femmes, les femmes autour de lui, sur lui, sous lui. C'est agréable d'attirer toute l'attention. Bernard n'en a jamais eu envie. Il préférait ses moments de solitude à retrouver des notes, à copier le ragtime de Mississippi John Hurt, ou du révérend Gary Davis, à écouter le Professeur Longhair rouler et dégringoler sur les touches du piano. Les choses sont en train de changer. Les règles du jeu aussi. Alors, si ça ne devait pas durer. Pour l'instant il n'envisage que de belles choses, et il se sent flotter, il divertit ces deux touristes, il est joyeux. C'est un ambassadeur pour sa ville et il prend son travail au sérieux. Il jette un dernier coup d'œil dans le miroir pendant qu'il attend que les consommations soient servies. Qui est cet homme dans le miroir ? C'est Bernard Dunphy. Bernard Dunphy le *jarvey*. Mon Dieu, il est beau tout récuré.

Il conduit ses invités à une table libre et ils sont ravis de le suivre. Ils sont encore plus ravis de commencer à boire ce qui se trouve devant eux. Bernard fait signe à Marian et Mags et elles répondent de la main, l'air encore interrogateur. Bernard sait qu'elles doivent se demander ce qui se passe, et c'est bien qu'elles se le demandent. C'est bien, parce que pour une fois, il est le centre d'attention et non la cible d'une plaisanterie. Il a hâte que Jack débarque et le voie ainsi.

« La voilà, glisse-t-il à sa voisine.

– La brune ? Elle est très belle. »

Laura est impressionnée. Pas plus tard qu'aujourd'hui, elle l'a entendu parler des chansons qu'il chante et qu'il lui envoie. Il parlait d'elle en bien et avec éloquence, le ton rêveur. Elle voit pourquoi maintenant. Cette Marian vaut le détour en effet.

« Son amie est jolie aussi, dit Tom, bien disposé à boire et à profiter de sa soirée irlandaise. Tout cela augure bien. »

Bernard affiche un large sourire et approche la Guinness de sa gorge assoiffée ; la mousse blanche lui laisse une moustache sur la lèvre supérieure. Il soupire de plaisir et se lèche les babines, comme l'exige la coutume. Tout augure bien en effet. Même s'il faut qu'il se fasse soigner cette fichue dent.

Linda et Mike se mettent en position, Mike sur un tabouret, la guitare à la main, sa partenaire debout au micro, tendue, mais impatiente de commencer. Le bar est de plus en plus rempli et tout le monde applaudit hormis les joueurs d'échecs. Dermot met fin à la musique sur la stéréo. Rideau.

« Bonsoir. Je m'appelle Linda et voici Mike. On va vous jouer quelques chansons et ballades traditionnelles et, euh, tout ce qui nous passera par la tête entre chaque. Si vous avez des demandes particulières, n'hésitez pas à nous les faire connaître. Mais s'il vous plaît, ne vous attendez pas à ce qu'on sache les jouer. »

Le public rit poliment. Ils sentent la nervosité de Linda et l'incitent à chanter. C'est la seule façon de dissiper la tension. Mike commence à jouer gentiment. Linda, à chantonner gentiment.

Let us pause in life's pleasure
And count its many tears,
While we all sup sorrow with the poor,
There's a song that will linger forever in our ears,
Oh hard times, come again no more[1].

---

1. Arrêtons-nous dans le plaisir de la vie
   Pour compter ses nombreuses larmes,
   Tandis que nous ravalons nos chagrins avec les pauvres,
   Il est une chanson qui subsistera toujours à nos oreilles,
   Oh que les temps difficiles s'en aillent à jamais.

Brigid boutonne son imperméable et met un chapeau d'été, une drôle de combinaison assurément, mais à ce stade, quelle importance ? Elle ferme la porte derrière elle sans se soucier de verrouiller. Elle s'arrête un instant et contemple son paysage. Voilà. C'est ici chez elle. C'est ici qu'elle a vu sa vie trébucher, briller, dégringoler et grimper. C'est d'un autre pas de porte, dans la vieille maison, qu'elle a vu son fils faire ses premiers pas dans le jardin, avant de tomber dans l'herbe tendre en riant, mais ce pas de porte, celui-ci en particulier, lui a toujours paru plus ombragé, c'est de là que John partait dans la cabane du jardin pour y bricoler, ses outils éparpillés, et bien sûr c'est de là que les policiers en uniforme sont arrivés pour lui dire qu'un corps avait été trouvé dans le lac et qu'elle devait venir l'identifier. Elle n'a pas hurlé ce jour-là. Aucun son n'est sorti de sa bouche. Elle n'a pas pleuré. Elle a simplement compris. A dépassé le chagrin à ce moment-là. C'était l'histoire des femmes de son pays, fortes et silencieuses. Résignées. Souvent résignées à accepter le pire. Brigid a su à ce terrible moment que d'une façon ou d'une autre, la vie n'était que peine et tourments, et que les mauvais espoirs apportaient une sorte de réconfort puisqu'ils ne vous décevaient pas, eux.

Toute l'écurie grince dans le vent qui grandit et grogne. La jument qui y habite lutte pour continuer. Brigid ne pense pas pouvoir supporter de la voir une dernière fois. Elle ne supporte pas de voir le chagrin dans ses yeux de cheval. Toutes les deux veulent en finir, vite. Assez de douleur pour une seule vie. Séance levée. Est-elle égoïste ? Injuste ? Peut-être. Mais souvent, de telles décisions doivent l'être. Elle pense que c'est juste. Elle ne va pas rester pour que son cœur et sa tête se déclarent des guerres épiques. Il est temps de s'en tenir là.

Elle regarde un parapluie à la porte. En a-t-elle besoin ? La pluie a commencé à l'éclabousser et elle le prend. Elle l'ouvre et remarque une déchirure dans le tissu, qui laisse immédiatement passer les gouttes. Comme tout le reste, il n'est pas tout à fait adéquat. Tant pis. Elle va se faire mouiller de toute façon. Elle le laisse de côté et il pendille dans le vent, en face du jardin, comme un engin volant prêt à décoller. Mais il ne décolle pas. Il reste près du mur du jardin à côté de la vieille brouette d'enfant de Bernard, celle qu'elle a convertie en réceptacle pour plusieurs pots de fleurs. Ce parapluie restera là aussi longtemps que son fils le voudra. L'entretien de l'endroit dépendra de lui. Il lui faudra travailler. Elle n'aura plus jamais à poser les yeux sur tout cela.

Elle relève son col autour du cou alors qu'elle quitte son royaume, et quelques gouttes d'eau semblent en promettre d'autres à venir. Été ou pas, il peut faire frais le soir, le vent est hostile. Elle passe devant l'écurie sans regarder. Ne supporte pas. Le vent se lève alors qu'elle marche, les deux continuent leur chemin, déterminés.

Lorsque les applaudissements pour la chanson faiblissent, Linda salue et Mike sourit. Une chose bien faite. Jusque-là, tout va bien. La tension s'est dissipée en effet. Linda pourrait continuer toute la nuit à présent. Elle a trouvé sa voix. Elle a trouvé son *mojo*. Elle commence à s'amuser.

Mags la regarde. Difficile de se dire que c'est la même personne qui lui sert son café. Là, avec un micro devant elle, elle semble avoir un tel aplomb. Mags est envieuse. Envieuse du maintien de cette fille. Envieuse de sa jeunesse.

« Elle est mignonne, elle aussi, dit-elle.

– Qui… Linda ?

– Ouais.

– Putain, tu reluques tout le monde, toi !

– Je disais juste. »

Entre le pouce et l'index, Mags balance doucement sa bouteille vide par le col devant sa copine de bar. Marian sait ce que signifie ce mouvement de balancier. Il signifie qu'il est temps d'en commander une autre. Elles ne rajeunissent pas. Il faut boire. C'est le week-end après tout. Un autre. Et ces week-ends pourraient bientôt se terminer. Si l'une des deux se marie. Elles se marieront peut-être toutes les deux ! L'une d'elles tombera peut-être enceinte. Elles tomberont peut-être enceintes toutes les deux ! Tout peut arriver. Elles en doutent cependant. Il n'y a pas de maris à l'horizon, et, s'il plaît à Dieu, pas de bébé. Elles préfèrent les bouteilles aux biberons, l'alcool aux tétines.

Brigid marche à travers la bruine. Elle s'engage dans une allée sombre, les arbres forment une arche au-dessus d'elle. Si c'était un film, pense-t-elle, il y aurait une musique gothique inquiétante. Pesante. Mais il n'y a presque pas de bruit du tout. Simplement la pluie sur elle, sur la route, les flaques, et le vent, le vent qui passe à toute allure autour d'elle, mais qui se rafraîchit à mesure que la température nocturne baisse. Le soleil les a tous tellement gâtés aujourd'hui, mais il est parti maintenant. Il est bas et ne va pas se lever avant longtemps. Ça au moins, c'est sûr. Ninny ne sera plus là pour voir un autre ciel lumineux, et quand Bernard rentrera chez lui, saoul et assommé, il sera vite dégrisé par une maison vide et sa bête sur le flanc, privée de souffle. Ça aussi, c'est sûr. Un monde fait de surprises. La mort toujours en arrière-plan, qui lorgne, qui frotte ses mains glacées, qui sait qu'il n'y en a plus pour longtemps.

Brigid pense à tout ce qui aurait pu se passer autrement. Elle sait comment était John. Elle sait cela. Elle a porté la culpabilité et la honte assez longtemps. Il n'y avait pas de banc de sable. Un pêcheur expérimenté comme John aurait pu rentrer chez lui s'il l'avait voulu. Il connaissait les lacs. Connaissait chaque tournant perfide, chaque courant et chaque piège. Il n'y avait pas de banc de sable. Il n'y a pas eu de bourrasque soudaine. Il savait y faire dans ce bateau, savait y faire sur ce cheval, savait y faire avec son fils quand ils prenaient leur guitare, savait y faire quand elle est tombée amoureuse de lui et qu'il lui a fait l'amour doucement, toujours doucement, savait y faire quand ils étaient allongés dans la vieille cuisine de ce restaurant, leur tête sur un sac de farine – mais était-ce de la farine ? C'était plus dur que ça – et qu'il lui a dit qu'un jour elle serait riche et heureuse. Mais c'était un mauvais homme, aussi, et ce mal a pris le dessus. S'est échappé. L'a eu. Les a tous piégés. Elle a essayé de ne rien dire à Bernard. Elle était incapable de changer son mari. Il s'est révélé que l'amour sans heurts ne peut durer qu'un temps. Cela a changé. Quelque chose s'est éteint en lui tandis qu'autre chose, de très différent, s'allumait. Que sait Bernard de son père ? Jusqu'à quel point est-il possible de taire pendant des années et des années, en s'attendant à ce que tout le monde soit d'accord de toute façon ? Elle ne savait pas comment cela avait pu si mal tourner. Mieux vaux partir avec des espoirs modestes. Si c'était à refaire, elle s'y prendrait comme ça. Peut-être devrait-elle écrire ça pour Bernard quelque part, pour qu'il puisse le lire. Pour qu'il puisse, une fois seul, sortir un bout de papier qui dit : *Ne pars pas plein d'espoir, comme ça, tout ne sera que meilleur. Tu ne seras pas déçu. Commence modestement, tu prendras peut-être ton essor par la suite.*

John Dunphy est assis sur le canapé avec Bernard. Ils sont assis loin l'un de l'autre. Le soir précédent, John avait montré à Bernard de nouveaux riffs à la guitare. Des accords simples mais efficaces. Bernard était tout content. Il savait déjà imiter son père, ses doigts remuaient seulement un peu plus lentement que lui. Mais il le rattrapait. Il faisait des progrès. Il pouvait devenir vraiment bon.

Ce soir, John ne lui propose pas de leçon. Il ne prend même pas sa guitare et Bernard se demande s'il devrait prendre la sienne. Devrait-il demander une demi-heure de cours ? Ou devrait-il aller dans sa chambre et s'entraîner tout seul ? Son père a l'air absorbé par le programme télévisé. Peut-être qu'il devrait le laisser tranquille. Bernard a l'air petit à côté de son père, petit et docile. Serait-il aussi fort que lui quand il serait plus grand ? Lui ressemblerait-il ? De temps en temps, il lève les yeux sur les joues mal rasées de son père. Voilà à quoi ressemble un homme. Dur. Impénétrable. Rugueux. À l'origine des poils de sa barbe, on voit des traces rouges, dues à la sueur, un visage au naturel donc, à moins qu'il ne se donne pas la peine de se récurer les pores. Le visage de Bernard est doux, il a les joues recouvertes de poils blonds que l'on voit parfois à la lumière ; il se demande quand ils deviendront bruns, quand il sera obligé d'utiliser un rasoir et de se raser par à-coups prolongés, virils. Dans combien d'années ? Est-ce que son père lui montrera comment se raser correctement ? Et son odeur, naturelle elle aussi. La sueur persiste sur son corps, cette odeur de transpiration que Bernard n'appelle pas encore odeur corporelle. C'est simplement une odeur de papa. Le signe d'un homme qui travaille. Bernard ne sent pas ça du tout. Sa sueur n'a pas cette âcreté, ne sent pas encore l'effort, sa peau n'est pas encore assez marquée. Ses petits T-shirts et ses jeans sentent toujours la lessive. Bold ou Daz. L'une ou l'autre, la moins chère. Voilà ce qu'il sent. Pas encore l'odeur d'un homme, il rattrapera ça dans quelques années.

Dallas passe à la télé. John Dunphy arbore un sourire méprisant, exactement comme le personnage qu'il regarde. Brigid entre dans la pièce. Elle voulait regarder la série elle aussi, mais elle a oublié. Trop à faire. Toujours trop à faire.

« Mon Dieu, ce J.R. Ewing est un sacré connard, dit John.

— Surveille ton langage.

195

– *Il est costaud, hein.*

– *Oui, c'est rien de le dire. »*

Elle tire sur l'épaule de Bernard pour le presser de se lever.

« Allez, c'est l'heure du bain. »

Bernard obéit. Il répond toujours aux ordres. Il ne pose pas de questions, ne se rebelle pas, pas d'« idioties » comme elle les appelle. Il n'y aura pas d'exercices de guitare, pas pour le moment en tout cas. Peut-être avant le coucher, il réussira à en faire un peu. Il faut qu'il enlève la boue de sous ses ongles d'abord. Il jouait dans la vieille cabane de la jument et il est tout crasseux maintenant. Ou peut-être qu'il va juste écouter le disque de Slim Harpo si son père le laisse emporter le tourne-disque à l'étage. Bernard devrait-il apprendre également l'harmonica ? Ce serait sans doute plus facile tant qu'il est jeune. Est-ce que sa mère lui en achèterait un ?

Il ne sait pas quand ou comment ça démarre. Il est assis dans la baignoire et soudain, il entend des voix en furie. Il ne comprend pas tout mais il entend sa mère dire qu'elle « n'en peut plus » et sait que « quelque chose ne va pas » et qu'il « devrait aller voir quelqu'un ». Qui doit voir quelqu'un ? Son père crie en retour mais sa voix est trop rude pour pouvoir la décoder de la salle de bains. La dispute semble unilatérale. Bernard est au milieu des bulles. Il s'est fait une barbe en mousse de savon et il la secoue, plus comme Dr. John que le Père Noël. Il fixe des yeux le cygne en plastique orange. Ce jouet était blanc autrefois, mais des années et des années passées dans le bain lui ont ôté son enveloppe blanche et dessous, c'est orange vif. On ne voyait rien transparaître avant mais c'est une évidence maintenant. Bernard pourrait bien croire qu'un cygne orange existe. C'est différent. Ce n'est pas ce à quoi on s'attend. Mais derrière cette attente, il y a quelque chose d'éclairant. Il n'arrive pas encore à déchiffrer toutes ces pensées, mais il le fera, plus tard, il ruminera comme seul un homme solitaire sur une calèche peut le faire, quand tous les autres jarveys *dans la file l'ignorent, parce qu'il est trop compliqué pour eux. Mais pour le moment, les bulles, un drôle de petit garçon qui ne sort pas et ne parle pas beaucoup, mais qui est heureux dans son bain avec un cygne orange, attend que la tempête se dissipe dans la salle de séjour, les attend, ses parents, pour qu'ils se sourient à nouveau, et qu'elle vienne lui apporter un biscuit Club Milk ou une barre Penguin, et qu'il lui fasse un clin d'œil et l'appelle « ma jolie, jolie Bridie » ou « mon Pont au-dessus des eaux troubles » et elle se mettra peut-être à rire à ses stupides tentatives de réconciliation, et l'un des deux, celui qui a tort, s'excusera, et l'autre pardonnera très probablement. C'est comme ça que Bernard pense que les choses se passent, pas seulement ici, mais dans toutes les maisons de Ardshanavooly, dans toutes les maisons de Killarney, et dans le pays tout entier. Ça dure plus longtemps pourtant, cette fois. Cette dispute n'a pas l'air de s'éteindre. Elle brûle encore. Bernard est déjà sec et il a enfilé son pyjama léger d'été, il est dans sa chambre à reprendre des accords sur sa guitare, à jouer de plus en plus fort pour faire barrage au vacarme, de plus en plus fort jusqu'à ce qu'ils s'en prennent à lui et lui disent de jouer moins fort, il est tard, est-ce qu'ils ne peuvent jamais avoir la paix, nom de Dieu ?*

Les larmes sur le visage de Brigid, elle ne peut les arrêter, et elle n'est même pas sûre de le vouloir à présent. Les laisser couler. Les laisser tomber avec la pluie. Que changera une goutte d'eau supplémentaire aux routes tranquilles de Killarney la nuit ? Elle a la silhouette d'une femme abattue ; le ciel assombri, la pluie tombante, le vent froid hurlant des chœurs, elle n'est qu'une figure lamentable au milieu de tout cela. Elle espère ne rencontrer personne qu'elle connaît. Elle ne supporterait pas la compassion, les élans d'empathie. Pas de réverbères, elle est maintenant sortie de la ville, juste quelques maisons qui émaillent le paysage lugubre, tout est sombre et trempé, trempé et sombre. Que sait Bernard exactement ? Qu'a-t-il dissimulé ? Qu'est-ce qu'il admet vraiment ? Elle se souvient quand il était tout jeune et qu'il cachait des bonbons dans l'ouïe de sa guitare. Il croyait qu'elle ne le savait pas. Quand elle ramassait la guitare pour passer l'aspirateur, l'instrument faisait toujours du bruit. Les bonbons à l'intérieur. Peut-être qu'il les obtenait comme récompense quand il jouait bien les accords, quand il arrivait à écarter ses doigts correctement. Elle devait retourner et secouer la guitare manche en bas pour les faire sortir entre les cordes. C'était plus difficile qu'on ne peut le penser.

Et la voilà à présent. En train de libérer tout ce qu'elle a enfoui dans sa vie. C'est difficile à sortir mais elle est bel et bien là, toute sombre et trempée.

Le Dr. Murphy ouvre la porte de l'écurie et trouve la jument étendue sur le flanc. L'animal semble vouloir lever la tête, il sait qu'il y a quelqu'un. Mais il n'arrive pas à rassembler ses forces. Les yeux seulement. Les mêmes yeux mélancoliques qui ont toujours regardé au loin, sous de longs cils, sont désormais posés sur le vétérinaire et Ninny doit savoir que sa dernière heure est venue. Des mois auparavant, si un inconnu avait pénétré dans sa tanière, elle aurait remué, aurait tapé ses sabots contre le sol jonché de paille, se serait ébrouée, aurait rué. Rien de tout ça à présent. Simplement l'impression d'urgence, qu'il faut en terminer. Emmenez-moi loin de tout ça, docteur, s'il vous plaît.

Le Dr. Murphy a côtoyé les animaux toute sa vie, il les comprend. Ils n'ont pas besoin de mots pour lui dire ce qui ne va pas. Il le voit dans leurs yeux. Pour ses travaux de recherche à l'université, il avait proposé de partir aux

États-Unis afin d'interroger et d'étudier les gens qui murmurent à l'oreille des chevaux. Pour voir si cette notion était frauduleuse et ne reposait que sur une superstition et ce qui va avec, ou s'il y avait quelque chose derrière cela, comme quoi les humains pouvaient soulager les énormes bêtes avec des mots doux et des murmures apaisants, et pour voir si un tel savoir pouvait s'avérer utile dans les cabinets de vétérinaires en Irlande. Il n'a jamais obtenu le feu vert pour mener ses recherches, pour aborder le sujet sous un angle véritablement scientifique. Au lieu de ça, il avait écrit des articles sur l'insuffisance cardiaque congestive, le peu de cas existant, et il avait passé des années à se demander en premier lieu pourquoi il y avait si peu de recherches effectuées sur le sujet. Sa proposition sur les gens qui murmurent aux oreilles des chevaux n'était qu'un rêve bien sûr, mais il ne peut s'empêcher de penser qu'une telle étude, bien menée, aurait pu être intéressante s'il avait obtenu le financement. Ses pairs s'étaient moqués de lui à l'époque, lui avaient dit qu'il ferait aussi bien de faire de la divination par l'eau tant qu'il y était. Il s'était rabattu sur les maladies cardiaques des équidés, tant mieux pour Ninny, même si quelques murmures apaisants pourraient être invoqués, charabia ou pas.

Il éteint le moniteur au son râpeux. Tout est silencieux hormis le vent et la pluie torrentielle sur Killarney. La jument en a entendu des averses, des pluies diluviennes et des trombes d'eau sur ce toit en tôle ondulée en son temps ; cette pluie sera sa dernière.

« Voilà, voilà, Ninny, on va te soulager. Bonne bête. »

Le visage de Brigid arbore la peine et l'angoisse. Tout est plus sombre. Plus trempé. La nuit l'enveloppe de plus en plus, elle la rattrape. Mais elle trace le chemin. Le chemin qu'elle a choisi. Elle trace.

199

Quand Mags revient des toilettes, elle s'aperçoit que sa copine de bar a disparu. Elle n'est pas bien loin cela dit, Marian est en grande conversation avec Linda et Mike. Elle ne vient pas au Yer Man's si souvent, seulement quand Marian l'y traîne, elle préfère les pubs classiques, sans musique, ou plutôt, sans musiciens. Mags se demande de quoi ils parlent, ces fans de musique. De néo-folk ? De vieux folk ? De combines pour écrire des chansons ? De Dylan ? De Neil Young ? En fait, c'est beaucoup plus simple que ça. Marian a une requête et Linda l'accepte. Mags lève un sourcil pour montrer sa curiosité au retour de Marian mais Marian lui dit d'attendre, elle verra, et entendra, d'elle-même.

« Bien, je vous ai parlé de demandes particulières tout à l'heure et celle-ci est acceptable puisqu'on ne va pas avoir à jouer. On va demander à quelqu'un d'autre de venir ici et de prendre le micro. »

Linda se réjouit de cette pause. Elle aurait bien besoin d'un verre. Le bar attend en silence que le nom de celui qui est appelé soit prononcé.

« Est-ce que Bernard Dunphy est ici ? »

Certaines fois, quand un rêve se réalise, il vous frappe au ventre et au cerveau en même temps. L'estomac est barbouillé et la tête tourne, le corps tout entier semble détraqué par cette illumination. Bernard ressent ce tumulte à ce moment-là, pareil à une tornade texane que la famille Willis aurait vue une fois ; on l'a appelé et il sait pourquoi. Sa conversation captivante avec les frère et sœur est interrompue net et il se retourne pour faire face au micro qui l'attend. Laura hoche la tête, l'encourage, et quand il dévie son regard vers la table de Marian, il voit qu'elle hoche la tête aussi.

Vas-y. Tu peux le faire.

« Je n'ai jamais joué devant un public avant. Seulement sur des cassettes.

– Vas-y. J'ai très envie d'écouter du blues depuis que tu as commencé à m'en parler aujourd'hui. Va chercher ça tout au fond de toi. Tu sais où le trouver », dit Laura.

Elle sait qu'elle parle comme une thérapeute trop bavarde, ou pire, comme une espèce de présentatrice banale dans une émission-débat matinale à la télé américaine, mais elle pense que ses paroles de soutien suffiront sans doute. Jamais elle ne pourrait faire une chose pareille évidemment. La scène, ce n'est pas pour elle. Mais elle sait quand quelqu'un est *fait* pour ça, et elle est prête à prêter main forte à la guitare.

« Tom ?

– Bien entendu. Tu as besoin d'un peu d'accompagnement, Bernard ? »

Tom sort un étui souple en cuir de son sac à bandoulière et l'ouvre pour dévoiler toute une sélection d'harmonicas. Que Bernard décide de chanter en sol, en do ou en ré, Tom n'est pas en peine, il est armé et prêt.

« Bon Dieu, oui, je veux bien, je veux dire, je préfère que d'y aller tout seul. »

Bernard a toujours joué seul. Son père lui avait enseigné tout ce qu'il savait, et Bernard s'était retrouvé à gratter tout seul. L'enseignement ne vaut qu'un temps. Après cela, il faut développer son propre style, sa propre façon de faire les choses. Mais il était toujours seul. Dans cette chambre : Muddy, Robert Johnson, Big Joe Turner, le regardaient de haut, et le jeune Bernard hurlait comme un loup esseulé dans le ciel vide de la nuit. Hurlait pour que Marian le remarque. Hurlait qu'il était doué. Qu'il avait quelque chose. Qu'il n'était pas juste un garçon étrange, voûté, qui ne savait pas jouer au foot et qui n'avait pas d'amis. Qu'il savait jouer, vraiment jouer, de la guitare, qu'il avait passé des heures à apprendre, maîtrisait les sons qu'il voulait produire, savait ce qu'il *pouvait* donner à entendre.

Il s'apprête maintenant à le faire en public. Qu'est-ce que ça va donner ? Quelque chose de hurlant et d'exubérant comme Chester Burnett en personne, ou plutôt calme et serein comme The Hook, qui fait des riffs sur une vibration.

Ses mains tremblent. Le micro a l'air sévère et dangereux, une sculpture de Giacometti, maigre et sinitre, à moins que ce ne soit *perdue et désolée.* À quoi va ressembler la chanson ?

« Bien. Allons-y », dit Tom, enthousiaste, enivré.

Bernard est sur le point de découvrir comment, juste comment tout cela va se passer.

La promenade de Brigid est longue. Ses pieds lui font mal. Elle a l'impression qu'elle peut sentir la tumeur pulser dans son cerveau. Elle se demande à quoi elle ressemble. Est-elle petite et grise ? Ou noire et trouble ? Violette ? Comme un bleu ? Vivante et frétillante comme un asticot ?

Il est facile de s'effondrer. Elle le sait maintenant : le monde est si dur, il est si dur de s'en sortir. Les mères célibataires. Les orphelins. Les infirmes. Les éclopés. Elle en entend parler dans les sermons hebdomadaires et elle les a en pitié. Elle ne comprend pas comment tellement d'autres ne finissent pas fous. Comment y arrivent-ils ? Elle a entendu des histoires sur des gens qui avaient tout perdu, leur maison emportée dans une inondation, des villes entières ravagées par des coulées de boue. Il suffit de regarder le journal télévisé. Des avalanches dans les pays froids, enneigés. Des tsunamis aussi, des vagues géantes terrifiantes. Des tremblements de terre. Des explosions. Un monde sinistré. Tous les jours. Et pourtant ces gens se débrouillent. Ils continuent. Contre toute attente, ils persévèrent.

Brigid a honte des décisions qu'elle a prises, surtout celle-là, la dernière. Est-elle lâche et ne peut-elle plus faire face ? Et cela importe-t-il ? Quelle importance s'ils se moquent d'elle à son propre enterrement, quelle différence cela fait-il pour elle s'ils disent des choses dans son dos, les vieilles biques jacasseront à l'heure du thé, la malveillance dans leur regard aussi dure qu'un laser. Elle ne sera plus là pour les entendre. Elle a du mal à croire en quoi que ce soit à l'heure qu'il est, le paradis, l'enfer, les limbes. Simplement le vent qui la fouette, froid, et qui la traverse jusqu'à la moelle, la fait frissonner, trembler et souffrir.

Elle n'a pas vu le suicide de John arriver. Oh, elle savait qu'il avait des problèmes. Mon Dieu, qui n'en avait pas ? Mais elle ne savait pas à quel point sa maladie était perfide avant d'avoir trouvé les photos dans sa chaussure. Coincées dans une vieille chaussure dans la cabane du jardin. Compromettantes. De vieilles photos froissées d'enfants, de jeunes adolescents, certains prépubères. Nus. Et des hommes abjects à leurs côtés, s'exhibant avec fierté. Elle se souvient de la nausée en voyant ces enfants. D'où venaient-ils, ces innocents ? Ils avaient la peau foncée, et un nez large et plat. De loin. Du Cambodge ? Du Vietnam après la guerre ? Ça devait être ça. Ces hommes avaient l'air d'être américains, certainement des étrangers pour ces enfants. Ces hommes avaient une bedaine qui les rendait presque plus grotesques encore, ils avaient été bien nourris toute leur vie. Il n'y avait que quatre de ces photos, mais chacune d'elles est restée marquée dans sa mémoire, tatouée dans sa conscience, à jamais, irréversible. Le désespoir dans les yeux de ces petits garçons, la perplexité dans les froncements de sourcils des petites filles. Savaient-ils même ce qui se passait ? C'était là leur enfance ? Sur l'une des photos, le plus jeune devait avoir environ huit ans.

Ce jour-là, elle a vomi partout sur l'établi, partout sur la tondeuse à gazon aussi. Chaque fois qu'elle se retournait, elle vomissait tout ce qu'elle pouvait, jusqu'à ce qu'elle rende une bile jaune amère puis plus rien, seulement des haut-le-cœur, la tête lui tournait, son monde s'était écroulé. Où avait-il eu ces photos ? Quel mauvais homme lui avait donné ces photos ? Et pourquoi les avait-il gardées ? Pourquoi les cachait-il ? Si elles tombaient dans les mains de n'importe quel homme convenable, elles finiraient au feu immédiatement. Il ne pourrait pas tenir ces choses dans les mains, cela dégoûterait complètement n'importe quel humain sensé. Une personne convenable préviendrait la police. Ferait ce qu'il faut faire. Mais les garder. Les garder cachées. C'était la fin de leur histoire. Le mariage qu'elle avait connu était terminé. Elle n'avait qu'une seule préoccupation désormais. Bernard. Son garçon. Bernard. John n'oserait pas, si ?

Depuis ce jour, elle a enveloppé son fils de ses ailes chaleureuses et ne l'a jamais laissé hors de sa vue. On pensait sans doute qu'elle était câline, cajoleuse. Mais elle savait, elle, qu'elle était autre chose : protectrice, gardienne. Mère.

Bernard met du temps à atteindre le micro. Il n'est qu'à quelques mètres mais c'est un long chemin sur des jambes en coton.

« Merci de bien vouloir accueillir Bernard Dunphy et... ?

– Tom. Tom Willis.

– Bernard Dunphy et Tom Willis, qui, à l'entendre, vient des États-Unis et nous a rejoints ce soir, il a apporté ses harmonicas avec lui. C'est à vous, les gars. »

Les deux hommes se sentent comme des petits garçons alors qu'ils s'installent sur leur siège. Tom est animé et nerveux, Bernard juste nerveux. Ils se regardent. Que va-t-il se passer pour Bernard ? Le hurlement ? Le cri ? Où sont les posters alors même qu'il a besoin d'inspiration ? Où sont les pommettes luisantes de Leadbelly, sorti de prison et fraîchement récuré ? Où se trouvent le large sourire de Robert Johnson, le génial Lightnin' Hopkins avec ses lunettes de soleil, le calme et délicat Mississippi John Hurt ? Il n'a pas ces visages sous les yeux. Que lui. Et Tom. Son nouvel ami, Tom. Seront-ils accordés ? Vont-ils savoir jouer ensemble ? Ils n'ont pas répété. Ils n'ont fait que boire ? Est-il ivre ? Le sont-ils tous les deux ? Pas encore. Malheureusement. Bernard espère que le public est un peu éméché, ils ne se rendront peut-être pas compte si ses mains tremblent ou s'il fait une fausse note.

Les lèvres de Marian sont scellées, dans l'expectative. Mags est surprise par la tournure de la soirée, rien de tout cela n'était prévu : Bernard, pratiquement nu sans son manteau, est en train de s'exhiber devant tout le bar. Laura tapote la table de ses doigts, elle veut qu'ils se dépêchent et que ça commence. Les joueurs d'échecs brisent leur concentration pour jeter un œil au nouveau spectacle. Mike Daly profite de son moment de répit pour dévorer des yeux sa partenaire de musique. Pourquoi n'a-t-il pas bondi quand il en avait l'occasion ? Trop tard maintenant. Seule Linda semble à l'aise, ravie de regarder quelqu'un d'autre se produire, ravie d'avaler une grande gorgée de bière et d'attendre la suite.

Même après des années d'expérience, le Dr. Murphy se sent toujours triste. Il ne peut en être autrement. Il faudrait ne pas avoir de cœur du tout pour être capable de faire ça sans rien sentir au plus profond de soi. C'est triste d'achever un animal quel qu'il soit, surtout une bête de cette taille, une bête d'une telle grâce, impossible de ne pas ressentir ce pincement au cœur. Il sort les instruments de son sac, une toute petite fiole, une seringue.

Bernard regarde les visages impatients dans le public. Le bar s'est considérablement calmé. Les habitués voient Bernard entrer et sortir de l'établissement depuis des années, mais ils ne l'avaient jamais vu se rendre sur scène, la guitare à la main, prêt à leur jouer une sérénade style blues. Il cherche un médiator dans ses poches.

Les joueurs d'échecs semblent avoir oublié leur partie. Quel que soit ce que Jeremy avait en tête pour ce fou, c'est oublié. Le spectacle se tient ici, sous leurs yeux, sur cette scène qui n'en est pas une, dans ce coin généralement sombre, éclairé ce soir. Ils doivent voir ça.

Une pinte en attente est posée sur le comptoir devant Dermot le barman. Les vagues brunes oscillent doucement dans le verre, noircissent progressivement.

Les lacs noirs. L'eau est agitée à cause du vent et de la pluie. Brigid y est arrivée. Elle regarde au loin, les larmes coulent encore sur ses joues. Ça n'en finit pas, les larmes, la pluie. Elle savait qu'il ne ferait pas beau tout le temps, que demain il allait pleuvoir des trombes et des trombes d'eau. Elle vit depuis trop longtemps ici, sait ce qu'il en est du temps. Ils peuvent toujours parler du réchauffement climatique, mais dans le sud de l'Irlande, elle sait que le soleil ne sort pas pendant de longues périodes, que les ondées sont fréquentes, que la pluie tombe à seaux et que les nuages persistent. Qu'y a-t-il d'autre à savoir ? Pas besoin de regarder la météo. Il pleuvra bien assez tôt. Il tombe des cordes à présent. Elle sait ce que disent les sages de Killarney, si on ne peut pas voir MacGillicuddy's Reeks, alors il va pleuvoir, et si on *peut* voir ces montagnes distinctement, alors il ne va sans doute pas tarder à pleuvoir. Il tombe des cordes à présent. Elle voit à peine à un mètre d'elle. Il pleut des cordes. Des cordes. Quelle expression. Les pendaisons, les flagellations. Elle pense aux flagellations dans la Bible, la façon dont ils attachaient un criminel à un pieu et le fouettaient jusqu'à ce que le sang apparaisse, et le fouettaient encore jusqu'à ce que les marques soient comme des stries sur une carte en relief d'un terrain rocheux quelconque. Ce monde peut se montrer cruel. Même si certains le méritent. Certains méritent de mourir. Ceux qui font le mal. Elle pense qu'elle devrait être flagellée elle aussi. Ou lapidée comme une sorcière du Moyen-Âge, la tête et les mains dans un carcan. Trop bien pour elle ?

Son fils va continuer. Il tentera peut-être autre chose. Il n'a pas si bien réussi jusqu'ici. Mais les choses vont s'améliorer. Elle a foi en lui. Elle n'a plus foi en grand-chose d'autre. Son Dieu l'a peut-être abandonnée. Mais pas la pluie. Elle savait qu'elle viendrait.

Ça ira, Bernard. Ça ira bien, très bientôt. Prends les bonnes décisions. Ne tourne pas le dos.

Elle contemple les vagues noires. On ne dirait pas du tout un lac ce soir. On dirait plutôt la mer. Le vent fait de grosses vagues. Elles se démontent.

Ne pars pas plein d'espoir, comme ça, tout ne sera que meilleur. Tu ne seras pas déçu.

Elle se penche lentement pour enlever ses chaussures. Fut un temps, elle les aurait enlevées d'un coup de talon. À Inch avec John, ou à Rossbeigh, quand ils se fréquentaient, quand les vagues n'étaient pas là pour vous engloutir mais pour vous faire flotter. Quand vous aviez la force de prendre le monde en charge, de le dominer. Ils enlevaient leurs chaussures d'un coup de talon et balançaient leurs vêtements par terre, et s'il n'y avait personne d'autre qu'eux à Dundag, ils plongeaient nus. Nus, effrontés et beaux au clair de lune. Quand le monde était romantique. En d'autres temps. Avant que tout ne devienne minable, avant que la pourriture ne s'installe.

L'aiguille transperce la chair ferme. La grosse jument s'ébroue, le Dr. Murphy espère que ce n'est pas de douleur, de colère ou de peur, mais de soulagement. S'ensuit un léger hennissement, puis un sifflement lugubre, et c'est fini. Terminé. Après quelques minutes de silence, il vérifie les battements de son cœur. Rien. Puis il vérifie ses yeux et sa réactivité cornéenne, très vive chez les chevaux. Mais rien. Puis il lui caresse le cou et lui murmure doucement : *Bonne nuit, vieille branche.*

Les yeux de Bernard sont posés sur son public et ceux du public sur lui. Les yeux de Marian sont remplis d'espoir, et Linda et Mike, sur la touche pour le moment, essaient de ne pas le regarder dans les yeux du tout. Ce jeu de regards se propage dans le bar, certains baissent les yeux, d'autres fixent l'assistance, mais tout le monde assiste à la scène.

« Quand tu veux », dit Tom, en faisant un petit mouvement en direction de Bernard, encourageant, pour essayer de soulager la pression.

Bernard commence par un long raclement à la guitare.

« Désolé, ce n'est pas le bon accord. Je recommence. »

Le public glousse. Ils ont l'air aussi nerveux que lui. Ils veulent qu'il joue bien. Il a beau être cinglé, il est l'un des leurs. Ils ne veulent pas qu'il échoue.

« Pas de souci, Bernard, dit Jeremy. Prends ton temps. On ne s'en va nulle part. »

Son rire chaleureux aide Bernard. Il va faire de son mieux. Il n'est plus timide. Il était peut-être timide quand il était jeune, handicapé par son besoin constant de solitude, mais plus maintenant. Il brave la tempête avec sa musique. Il reprend.

Woke up this morning, feeling blue,
Seen a good looking girl, can I make love to you ?
Hey, hey babe I've got, blood in my eyes for you,
Hey, hey babe I've got, blood in my eyes for you.

Marian est assise telle une mère fière de son fils, et Mags n'arrive pas à croire à l'expression qu'elle voit sur le visage de son amie. Mais que se passe-t-il ce soir ? Est-ce que tout le monde à Killarney est devenu fou ? Quelques jours de beau temps et tout le monde est fou à lier. Heureusement qu'il se remet à pleuvoir. Ça va tous les rafraîchir.

I went back home, put on my tie,
Gonna get the girl, that money will buy,
Hey, hey babe I've got, blood in my eyes for you.
I've got blood in my eyes for you babe
I don't care what in the world you do[1].

Au fur et à mesure qu'il joue, Bernard est de moins en moins nerveux, comme les vagues brunes dans le verre tulipe du barman, qui commencent à noircir, à prendre en densité et en volume. Presque solides. Accomplies.

Mags fait un signe de tête à Marian, impressionnée. Impressionnée et abasourdie. Marian hausse les épaules.

She looked at me, begin to smile,
Said "Hey, hey man, can't you wait a little while ?"
No, no babe, I've got blood in my eyes for you.
No, no babe, I've got blood in my eyes for you[2].

Bernard racle à la guitare et Tom se lance dans un solo à l'harmonica sous les applaudissements enthousiastes des clients. La nuit ne fait que commencer.

La mère du guitariste contemple toujours le lac. La noirceur du lac et du ciel devant elle. Les arbres sont des silhouettes fantomatiques. Sont-ils toujours comme ça ou est-ce

---

1. Je suis rentré chez moi, j'ai mis une cravate,
   J'vais me faire une fille, avec mon argent,
   Hé, hé, baby, j'ai les yeux qui saignent pour toi.
   J'ai les yeux qui saignent pour toi baby
   Et peu m'importe ce que tu fais.
2. Elle m'a regardé, m'a souri,
   Elle m'a dit « Hé, hé, mon gars, pas si vite, tu veux ? »
   Non, non, baby, j'ai les yeux qui saignent pour toi.
   Non, non, baby, j'ai les yeux qui saignent pour toi.

qu'ils ont pris un aspect mélancolique gothique pour la nuit ? Ses cris lents et ses larmes de tristesse se sont transformés en sanglots convulsifs.

J'ai protégé mon fils. C'est tout ce que j'ai toujours voulu. Je suis désolée, je suis désolée, je suis désolée, je suis désolée.

Elle tombe sur les genoux au bord du lac. La pluie s'abat sur elle. En trombes.

Je suis désolée, oh Jack, je suis tellement désolée.

Elle se penche à présent, une vieille femme. Elle pourrait avoir quatre-vingts ans, cent ans, tellement ses mouvements sont lents. Ses pieds nus refroidissent immédiatement au contact mordant de l'eau, toute la chaleur est bannie du monde ; ses orteils se refroidissent d'abord, puis le dessous de ses pieds, puis ses chevilles, puis ses genoux, puis ses cuisses, puis sa taille.

J'arrive, John, dit-elle. Et puis, *désolée.* Et puis, *désolée,* une fois encore. Une dernière larme et puis un dernier souffle, cette larme se mêle aux larmes de son mari, et à toutes les autres larmes des trois lacs, immergées et oubliées, indétectables, comme si elles n'avaient jamais existé.

Bernard joue un solo. Tom l'accompagne tout bas à l'harmonica, seulement par intermittence, pour donner à Bernard de la place. Il n'y en a que pour le *jarvey* maintenant, des rythmes balancés, émaillés de riffs onduleux, ou pincés. Il fait tout ce qui lui passe par la tête si ce n'est qu'il ne tient pas sa guitare comme Hendrix et ne joue pas avec les dents. Mais ça marche. Seulement lui maintenant, en solo, il va falloir qu'il s'habitue, à faire les choses tout seul. Tom a complètement arrêté de jouer et tout le bar se concentre sur Bernard. Des années pour arriver à ça. Et elle est là. Elle le regarde. Marian. Elle apprécie ce qu'elle voit. Il peut la voir du coin de l'œil. Ayant peur de lever la tête et de lui faire face directement, il reste penché. Il regarde ses doigts. Les années qu'il a passées à les exercer. Agiles comme ça. Adroits comme ça. Souples. Le long des touchettes jusqu'en haut et de retour en bas jusqu'au manche. Le rythme calé avec le côté de la main sous l'ouïe, ce rythme qui descend jusqu'aux pieds et qui retentit sur le sol, comme chez John Lee Hooker, ou Bukka White. Les cordes vibrent pour lui, et font ce qu'il leur demande de faire ; le son qu'il veut, *son* son à lui. Des années de pratique pour ça. Et des années, des décennies de blues. Elles sont encore là, après tout ce temps, qui résonnent dans la nuit. On pourrait être au Laura Lee's ou dans un autre bar de bastringue ou dans un *juke-joint* du Sud profond, disons à Vicksburg ou à Selma. Ce pourrait être un bar dans une cabane dans un quartier pauvre de l'est de St. Louis, chaud et humide. Mais ce n'est pas le cas. On est dans un pub confortable du sud de l'Irlande, avec à la barre un homme mince, blanc, tout récuré pour la soirée, des plus élégants, et quelle que soit l'année, les gens ont encore le rythme et le blues pour les propulser dans la nuit.

John Dunphy circule à vélo dans toute la ville. Il pédale vite. Il ne veut parler à personne. Il ne peut pas s'arrêter. Il a un trou dans la tête et l'eau s'y engouffre rapidement. Comme le vieux bateau de Bill Moynihan qui a heurté un rocher, causant seulement un petit trou, mais l'eau a vite rempli le bateau et il s'est bientôt retrouvé les bottes dans une flaque tandis que le foutu rafiot coulait sous lui. C'était il y a longtemps. Il avait raconté ça à Brigid. Il y a longtemps. Bill Moynihan était mort depuis longtemps. Il serait bientôt mort lui aussi, bientôt, mort, lui aussi. Mais pour le moment sa tête se remplit d'eau, il se noie, comme si son cerveau se préparait pour cet affreux remplissage, cette suffocation, pour anticiper la capitulation.

Ses jambes pédalent vite. Ses larmes s'envolent de son visage. Il les a laissées couler. Sa jolie femme. Son beau garçon. Il n'aurait jamais dû. Il n'aurait jamais dû.

211

Il connaît les scènes de ses crimes. Ce pauvre garçon. Le pauvre ami de Bernard. Et les autres photos qu'il a cachées dans la cabane du jardin. Quelqu'un lui avait donné ces photos. C'était James Mulla, qui était parti en Thaïlande et un salaud lui avait vendu ces photos. Vendu. Comme on vend des cigarettes. Comme on vend des bonbons. Et il les avait données à John Dunphy, peut-être pour rire, mais ce n'était pas drôle. John les avait cachées. Ce n'était pas drôle. Pourquoi les avait-il même acceptées ? Quelle drôle de conversation dans un coin au pub : « Regarde ce que j'ai là, regarde-les, t'as déjà vu ça quelque part ? » Et il n'avait jamais vu ça, son visage s'était enflammé de honte en les regardant. Peu importe où la Thaïlande se trouve, putain. Et comment Mullan s'était retrouvé là-bas ? C'était vrai ? Les photos étaient vraies. Rien de truqué sur les photos. Et il les avait glissées dans sa poche parce que Mark Casey arrivait avec des pintes pour eux trois, et Mullan n'a jamais demandé à les récupérer et peut-être qu'il voulait se débarrasser de ces foutus trucs de toute façon, et ils ont repris leur conversation quotidienne comme si de rien n'était, en buvant des pintes, les hommes du monde.

John avait trouvé une cachette pour elles et il s'était promis qu'il les jetterait. Mais il ne l'a pas fait. Il a commencé à les regarder de plus en plus, et quelque chose a changé en lui, et quand il regardait ces mauvais hommes, ça l'excitait, et une fois, une fois, il était agité, et il a ouvert sa braguette, et il l'a fait encore et puis encore et encore. Quel démon sortait de lui ? Etait-il enfoui en lui depuis toujours, latent ? Comment pourrait-il regarder sa femme, ou quiconque ? Tout ce qu'il voyait maintenant, c'était ces quatre photos, des mauvais hommes, qui n'ont sans doute jamais été inquiétés, et puis John l'a fait encore, et encore et encore.

Il parcourt les rues à toute allure et quitte la ville pour filer à Muckross et se rendre à l'embarcadère où son bateau est amarré. Son visage est couvert de larmes froides et sa respiration est pénible. Plus vite tout cela sera terminé, mieux ce sera.

Une chose pareille arriverait-elle à John Dunphy ? Est-ce que sa vie prendrait l'eau avant qu'il ne puisse lancer sa ligne ? Lui faudrait-il écoper, saurait-il réparer un trou s'il le voyait à temps ?

Non, il ne saurait pas. Et donc il coulerait.

18

Jack qui tremble. Sombre Jack. Jack Moriarty la menace. Jack strident. Jack instable. Jack a dit. Jack est sorti de sa boîte et il est assis sur un tabouret haut, il regarde ses mains jointes sur le comptoir. Jack est défait et sale, il aimerait pouvoir tout plaquer. Ses pensées sont troubles, visqueuses, absolument pas linéaires, elles ressemblent plutôt au corps d'une salamandre, qui rampe dans son cerveau, ne reste pas dans une position donnée, et quand un de ses membres est tranché, un autre aussi glissant repousse aussitôt. Le visage de ce Polonais apparaît sous ses yeux. Il est partout. Il croit pouvoir l'éviter, sa stupide moustache, ses yeux bleus limpides. Mais il ne peut pas. Le visage n'arrête pas de réapparaître, avant et après. Avant le sang et après. Crac. La pierre sur le crâne.

Il sirote son whiskey, en pensant que la brûlure qu'il lui procure pourra peut-être adoucir l'épisode récent, difficile. Mais c'est beaucoup trop récent. Seulement quelques heures. Il va falloir un sacré bout de temps pour s'en débarrasser complètement. Si jamais il y arrive. Putain de merde. Ce n'est pas de sa faute. Pas vraiment. Il ne voulait pas tuer cet homme. Il ne pensait pas que ça irait si loin. C'était un accident. Il ne connaissait pas sa force. Jack ne devrait pas avoir de remords. Il pourra oublier ça avec le temps. Avec le temps.

Une tape dans le dos le réveille. Retour à la réalité. Même les lumières tamisées du pub semblent aveuglantes.

« Tiens, tiens, qui est là ? Lui-même en personne. Paie-nous à boire, Tony. Jack et moi avons une affaire en cours. Viens, Jack. »

Tony se tient debout près de deux touristes espagnoles bavardes qui attendent au bar pour être servies, tandis que Jack prend son verre et suit Jim vers une table dans un coin.

« Alors. Tu as fait le boulot ? Le polack ?

– C'est fait.

– Bien. Je savais que tu ne me laisserais pas tomber. Tu lui as filé les chocottes, hein ? »

Une femme sort des toilettes à côté et passe devant les deux hommes. Jim lui dit bonjour d'un signe de tête. L'air de ne pas y toucher.

« Ces salauds pensent qu'ils peuvent venir dans notre ville et prendre nos boulots et nos femmes. Ce connard ne va pas réessayer de sitôt. »

Jack pense : *Ça, c'est sûr.*

Jack pense : *Tu peux le dire.*

Jack pense : *Tu ne connais pas la moitié de l'histoire.*

« T'es déjà saoul ? Il est encore tôt. Tu fêtes un truc, Jack ?

– Pas vraiment.

– Eh bien, tu devrais. On s'est bien entendus, mon ami. J'ai foutu la frousse à Bernard et toi en retour, tu as donné une bonne raclée au polack. C'est comme ça que les affaires devraient marcher, hein ? »

Jim parle toujours affaires. Il parle toujours de tout régler. Jack ne supporte pas ce salaud mais il préfère se faire apprécier de lui. Jim est connu dans toute la ville pour se fourrer dans de sales histoires. Il est bien connu de la police, bien connu des clients et des patrons de pubs, de tous, il est juste *très connu.*

Tous les lundis matin, on peut le voir dans sa fourgonnette livrer le pain dans les magasins et sur les étagères. Et tous les lundis matin, ses gestes sont lents, sous le coup de la gueule de bois, et son visage est souvent marqué de quelques bleus qui révèlent la teneur des événements de la soirée précédente.

Tony dépose trois pintes de Guinness bien crémeuse devant eux.

« Tu l'as bien rétamé, le polack, hein Jack ? Ce connard a besoin qu'on le remette à sa place.

– Ouais, ouais, et parle moins fort, bordel.

– Bien joué. Connards. Tous autant qu'ils sont. »

Jim et Tony regardent le barman par-dessus l'épaule de Jack. Un étranger. Et ils le regardent avec méfiance. Le barman parle aux touristes en espagnol, quel que soit le pays d'où il vient.

Jack pose les lèvres sur la mousse de sa nouvelle pinte. Il ferme les yeux. Comme si c'était un remède. Un baume. Il boit comme n'importe quel Irlandais, en plongeant doucement mais profondément dans la crème pour y former un trou et aspirer, comme un pêcheur perce la glace pour y découper une entrée étroite, et il aspire par cette brèche, une première aspiration plus qu'une gorgée. Il en est ainsi avec la bière brune.

« Jim et moi, on lui a réglé son compte à Bernard.

– Je sais.

– Putain de connard. »

Jack n'était pas là pour voir l'homme avec qui il a grandi, allongé dans le caniveau. Il n'était pas là pour les voir le frapper, le battre, le cogner. Mais il l'imagine. Il sait ce que la violence signifie. Il est dans cette violence lui-même. Tout a été chamboulé. Il y a des mois de cela, quand ils en ont parlé, il avait donné le feu vert pour tout ça. Jim voulait démolir des étrangers, une vision stupide du patriotisme en tête, en réalité de la xénophobie à l'état pur, de la pure méchanceté. En retour, il avait promis de rendre un service à Jack. Jim avait dit que ce *jarvey* à la noix méritait bien une leçon lui aussi, vu la façon dont il embêtait sa cousine. Jack avait répondu oui, *fous-lui les jetons*. C'était à sa demande. Sur ordre de. Pourquoi ? Jack ne sait pas. Pourquoi voudrait-il faire peur à son ami ? Une revanche ? Ça n'avait pas grand sens. Rien n'a plus grand sens pour Jack. Certainement pas après la journée qu'il a eue. On dirait que rien n'aura plus jamais de sens. Pourquoi est-ce que Jim et Tony ne pouvaient régler le compte de ce connard de Polonais eux-mêmes ? Qu'est-ce qui les arrêtait ? Pourquoi Jack était-il leur pion ? Dans quels jeux s'était-il fourré ? Quelle mauvaise alliance ?

« Drôle de type, c'est vrai.

– Il en pince pour ma cousine. Je ne peux pas lui en vouloir, en même temps. Si ce n'était pas ma cousine, je lui collerais au cul aussi.

– Elle est sexy, ouais, un peu bêcheuse cela dit, dit Tony.

– Tu peux le dire. Tu verrais sa mère. »

Jack reste en dehors de la conversation. Trop las. Trop inquiet.

« Elle viendra au mariage accompagnée ?

– Sa mère ?

– Non, putain ! Elle s'appelle comment… Marian ?

– Je sais pas. Pourquoi tu lui demandes pas ?

– Peut-être. Je demanderai peut-être.

– Tu viendras aussi, hein, Jack ? Au moins pour prendre un verre le soir ? »

Jack relève la tête du creux de son bras. La soulève de la table. Il se cramponne à sa pinte comme si c'était une branche dans la tempête.

« Si je n'ai pas trop à faire, je suppose, ouais, je viendrai. Si je ne suis pas en prison d'ici là.

– En prison, dit Jim, trop fort, ce qui fait se retourner les touristes au bar. À son regard furieux, elles se retournent aussitôt vers le comptoir.

– Tu ne penses pas qu'ils vont trouver qui a fait ça ? Comment est-ce qu'ils auraient des preuves ? »

Jack revoit la scène. A-t-il été assez prudent ? Pas de caméras, c'est sûr. Pas d'autres voitures, bien. Puis il voit sa propre salive atterrir sur la chemise de la victime. Que valaient les policiers irlandais, les *Guards*, en termes d'investigation ? Est-ce qu'ils effectuaient des tests d'ADN comme on les voit faire dans les séries télévisées ? L'Irlande est au fait avec tout ça ? Les cheveux et les fibres et tout ce qui a bien pu tomber. Quoi d'autre ? Les traces de pneus ? Le sol était dur, il n'y a peut-être rien à craindre de ce côté-là, ce n'est pas comme s'il avait laissé une grosse empreinte dans la boue. Le mégot de cigarette qu'il a jeté par la fenêtre. OK, ce n'était pas terrible mais bon, ça devrait aller. Nan, en gros, il n'y avait rien qui l'incrimine. Il s'en sortirait. Personne ne le montrerait du doigt. Et puis son sang ne fait qu'un tour, comme s'il était à trente mille pieds d'altitude et que son avion venait de plonger vers le sol. Cathy. Merde. Elle ne ferait pas ça, si ? Elle n'irait pas tout avouer. Si ? Merde. Nan. Elle ne le ferait pas. Il faudrait qu'il s'assure qu'elle ne dise rien. Comment allait-il s'y prendre ? La tuer, ou l'épouser. Il n'y avait que cette solution. C'était aussi grotesque que ça. Elle ne voudrait plus faire l'amour avec lui. Pas après une chose pareille. Il a fini de s'amuser. Soit il la menace, lui dit qu'il va la tuer si elle ne se tait pas – elle le croira peut-être, elle a vu ce qu'il est capable de faire –, ou alors il la priera de lui pardonner, lui demandera de ne plus y penser et de continuer à vivre sa vie. Si elle est sur la même longueur d'onde, il suffira peut-être d'en rester là. Sinon, il faudra peut-être qu'il lui mente, et lui dise qu'il l'aime et qu'il veut l'épouser. Il est même possible que la salope le croie et succombe. Ce n'est pas l'arrangement idéal, mais ce sera peut-être sa carte-pour-ne-pas-aller-en-prison. Merde.

« T'étais tout seul, non ?

– Seul ? Comment il pouvait faire ça tout seul ? dit Tony. Je croyais que le plan, c'était de baiser dans la voiture et d'attendre qu'un pervers se pointe ? C'est le paradis des pervers putain, par là-bas. Ils y vont tous.

– Le plan, dit Jim, en faisant traîner sa voix avec une sorte de lassitude qui montre que ce n'est pas la première fois qu'il doit expliquer les choses à son ami, le plan, c'était de *faire semblant* de baiser, espèce de bouffon. En s'allongeant sur une poupée gonflable par exemple, et puis d'attendre que le pervers se pointe. Sans témoins.

– Et si quelqu'un d'autre s'était pointé ? Et pas ce pervers de polack ?

– Eh bien, il fallait prendre le risque sur ce point. Mais les polacks n'habitent pas loin, et je l'avais prévenu qu'il y aurait de l'action dans l'après-midi.

– Comment ?

– Par SMS.

– Comment t'as eu le numéro ?

– T'es de la police ou quoi, putain ?

– Je demande juste.

– Un ami à lui me l'a donné. Un type que je connais qui bosse en cuisine dans un hôtel.

– Quel hôtel ?

– Qu'est-ce que ça peut te faire ?

– Et ça n'éveille pas les soupçons ?

– Bah, non, parce que le type en question me doit quelques faveurs. Et il sait que s'il dit quelque chose, il se fera défoncer la tête. De toute façon, il ne va pas s'inquiéter plus que ça. Son pote s'est fait mettre une raclée, ces connards sont habitués. Si on jouait les parasites en Pologne, on recevrait le même genre de traitement. Vu la situation économique en ce moment, on se tirera bientôt d'ici de toute façon. Les Irlandais se barreront encore en Amérique je suppose, la même merde que d'habitude. On pourrait penser qu'on a évolué depuis. On devrait attaquer le gouvernement, et ces putains de ministres et de banquiers, voilà ce qu'on devrait faire. »

Jack fixe d'un air absent les vieux posters Guinness sur le mur. Une otarie tient un ballon en équilibre sur son museau. Un toucan une pinte sur son bec. Ils ont l'air si charmant, tous ces animaux en équilibre, à faire de la publicité. Ils ne savent pas. Le toucan, et l'otarie, l'autruche et cet homme sympathique à moustache, une casquette bleue sur la tête, ils ne savent pas, ils savent peut-être comment tenir en équilibre quelque chose sur leur tête, mais ils ne savent pas à quoi ressemble le bruit que fait une pierre sur le crâne d'un homme. Tony et Jim non plus. Et ils ne savent pas que cet homme est mort, raide mort, et qu'il ne reverra pas son ami en cuisine. Juste *une bonne raclée*, plutôt un meurtre commis de sang-froid, ou un homicide, ou comme le juge voudra bien l'appeler.

« Alors, où t'as trouvé la poupée gonflable ? »

Jack doit se plier au jeu des questions-réponses maintenant ; ce sera pareil quand les policiers l'auront attrapé.

« Oh, j'ai des relations.

— Jack, c'est l'homme idéal, hein. Avec les vraies, comme avec les gonflables ! » s'exclame Jim, en espérant que cette fois-ci, les Espagnoles se retournent pour le regarder. Mais elles n'en font rien. La peur. Purement et simplement.

« Qu'est-ce qu'il y a ? Tu n'es pas fier de tes actes ? dit Tony.

— Je crois que je suis allé un peu trop loin.

— Y a pas de mal. Il le méritait.

— Non, vraiment. Je suis allé trop loin cette fois.

— Oh bah, ce n'était pas de ta faute. Ce connard sera sur pied dans un jour ou deux. Il avait juste besoin d'un avertissement. »

Jack se lève et titube.

« Bien.

– Bon, OK, dit Jim. Bah, merci encore pour tout ça. J'apprécie. C'est un plaisir de faire affaire avec toi, je savais qu'on pouvait te faire confiance. »

Les rues de Killarney sont déjà saturées d'eau. Ça ne met pas longtemps. High Street est aussi mouillée que New Street, qui est aussi mouillée que Main Street et College Street où Jack tangue maintenant avec indifférence. Les gouttes tombent sur lui et la chemise légère qu'il porte est complètement trempée en quelques minutes ; les trois ou quatre boutons du haut sont ouverts et dévoilent sa forte poitrine, et si les touristes veulent une photo d'un Irlandais typique sous la pluie typique, eh bien, ils sont servis. Il pourrait les faire payer pour prendre la photo, le prix d'un verre au moins. Il trébuche devant un certain nombre de pubs, où on joue de la musique, des pubs qui promettent du divertissement, du *craic*, pour tous ceux qui y croient. Les touristes sont là pour cette raison, pour avoir un peu de *craic*, les habitués, eux, veulent juste un verre. Deux fêtardes sortent d'un taxi et ouvrent leur parapluie, elles foncent devant lui et le font presque tomber au sol. Mais il réussit à rester debout. Il pourrait leur crier une insulte. Mais rien ne lui traverse l'esprit assez vite. Elles sont parties. Il y en a qui auront de la veine ce soir. Mais ce ne sera pas Jack. Il peut à peine marcher pour le moment, alors demander à sa bite de se lever et de faire son devoir…

Dans une ruelle sombre, la même que celle où Bernard s'était pris une raclée quelques semaines plus tôt, quelques adolescents boivent à la bouteille. Ils ont joué au football au parc plus tôt aujourd'hui. Ils ont passé la journée à suer sous le soleil estival. Ils se sont gavés de burgers pas chers et de frites pour le dîner et il leur restait assez d'argent pour convaincre un de leurs amis plus âgés de leur acheter deux bouteilles de cidre. Ils sont prêts à se murger. Ils ont assez sué pour aujourd'hui. Ils croient qu'ils méritent de boire. Mais ils ne se contentent pas de boire. Boire, c'est ce que font les gens plus vieux dans les bars, avec des dessous de verre, ou de plus en plus, chez eux, où ils boivent du vin bon marché. Ces jeunes se murgent, ils avalent copieusement, à la honte de leurs aînés, à la honte de la nation. Ces garçons et ces filles font la une des journaux, partout dans le pays, en Angleterre aussi, les mêmes problèmes, ce comportement asocial. Ces garçons et ces filles représentent l'avenir.

L'un d'eux parle fort au téléphone, les deux autres se blottissent l'un contre l'autre sous un maigre abri, regardent la pluie voler du toit d'un entrepôt abandonné et dégouliner massivement. Jack regarde en direction de la ruelle et se demande s'il ne devrait pas pisser un coup là. Il essaie de se concentrer, et il ne sait pas si ces gens là-bas sont assis en train de boire… ils boivent, il les voit maintenant, ce sont des gamins, pas moyen de pisser dans cette ruelle en tout cas. Un des jeunes remarque que Jack les a vus.

« Qu'est-ce que tu regardes, ducon ?

– Tu veux te ramener par là et me sucer, espèce de pédé ? »

Les adolescents ricanent. L'un d'eux se penche, ramasse une bouteille de bière vide et la lance sur Jack. Mais il est trop loin et la bouteille manque de vitesse, elle ne l'atteint même pas. Il continue à marcher.

Il n'y a personne dans la ruelle suivante. Seulement quelques poubelles dans un coin sombre, et il est content de se soulager contre l'une d'elles. *Pas de cendres incandescentes*, indique l'autocollant sur la poubelle. En voilà une idée. Il pourrait retourner chercher le corps avant que quelqu'un ne le trouve et le brûler. En cendres. À moins qu'il ne soit déjà trop tard ? On a trouvé le corps ? Alors il pense aux feux de l'Enfer. Pas de cendres incandescentes ? Merde. L'Enfer : rien qu'un brasier, son âme serait en cendres en un rien de temps. Les prêtres à l'école lui avaient bien enfoncé ça dans le crâne. Les catholiques fous furieux et leurs idées folles furieuses sur la façon dont les choses marchent. Les anges. Les démons. Le feu et le soufre. Parfait pour un beau conte mais franchement ? Enfin bon, c'est quand même un peu vrai, pense Jack Moriarty, car sa tête est un enfer, et les feux qui l'habitent se déchaînent.

Il n'a besoin que d'une minute. Il a une envie pressante. Il n'a besoin que d'une minute sans interruption et sans qu'un membre de la belle institution qu'est la police, la *Garda Síochána*, en bleu marine, ne vienne arrêter son flot tonitruant. Et c'est tonitruant, et merveilleux. Faut pas croire. Il se retenait depuis quelque temps et maintenant ça sort en gros jet et à toute allure. Comme un cheval. Comme la pisse épaisse d'un cheval de trait de *jarvey*. Comme Ninny ! Jack est soudainement ravi de son propre humour, se demande si Ninny est mâle ou femelle, il a oublié, mais il est ravi, aussi, parce qu'il a obtenu la minute dont il avait besoin, et il est reparti. La nuit ne se finira peut-être pas si mal.

Il continue, donc, pour aller boire une autre pinte. Une de plus. Ou deux, peut-être, pour la route. Avant qu'il ne soit complètement ivre. Avant qu'il ne s'écroule et qu'on ne le retrouve dans un coin sordide le lendemain matin. Une autre. Pour l'aider à enterrer le polack pour de bon. Salaud de mes deux. Ce n'était pas du tout la faute de Jack. Une autre. La nuit ne finira peut-être pas si mal.

Un tonnerre d'applaudissements et les deux musiciens sourient fièrement et donnent quelques poignées de main. Un travail bien fait. Mike et Linda s'apprêtent à y aller, quand le public conquis se met à réclamer un bis. Mike et Linda s'écartent d'un air penaud en pensant que ce n'était peut-être pas une si bonne idée de laisser ces deux-là sur scène, ils leur volent la vedette, ce sont les nouveaux héros en ville. Heureusement que Tom sera bientôt parti. Le monde de la musique, comme partout, est rempli de médisances acerbes, d'envie, de vernis craquelé.

Bernard et Tom se regardent, pour décider quoi jouer. Que faire maintenant ? Ça s'est passé mieux que prévu. Le *jarvey* n'était pas sûr de la façon dont ça se déroulerait à ce stade. Mais il avait les années, les années derrière lui. Il n'a pas à se plaindre. Beaucoup mieux passé qu'il n'aurait jamais pu l'espérer, en réalité, car Marian était là ; Marian regardait, voyait le garçon qui s'épanouissait, Marian était bien là, elle l'avait vu et elle était ravie.

Des noms de chansons et d'artistes lui traversent la tête à toute allure. Devrait-il s'en tenir aux vieilles chansons folks, Woody Guthrie, Leadbelly, The Weavers, ou tenter un peu de Dylan ? *Meet me in the Morning* ? *Buckets of Rain* ? Et pourquoi pas Muddy Waters, un air que les gens connaissent peut-être : *Mannish Boy* ? *Got my Mojo Working* ? Tom les connaît ? Bien sûr que oui.

« Alors ? » dit Bernard, de plus en plus tendu à nouveau. Le faire une fois, c'est une chose, c'est la chance du débutant, mais saurait-il le refaire ? Voilà en quoi consistait vraiment le monde de la musique. La deuxième fois. Pas le tube miraculeux, mais le deuxième album, toujours le plus difficile.

« Ce que tu veux, je m'adapte. »

Tom est comme ça. Facile. Facile à vivre. Un accompagnateur facile. Les pintes descendent facilement aussi. C'était une bonne idée de venir en Irlande en vacances, il est content que sa sœur l'ait forcé à venir.

Bernard se gratte la tête, toute gominée. Il a oublié que c'était tout dur, il veut secouer tout ça, se passer la main dans les cheveux, comme il le ferait s'il était sur sa calèche, en sentant le vent se lever depuis les lacs. Mais il est tout fringant là, il n'a jamais été aussi beau, mieux vaut les laisser gominés, il est sur scène après tout. Il n'a jamais été aussi beau.

Il pense qu'il va tenter un truc simple, *Goodnight Irene*, ça peut marcher, ça peut même vraiment marcher, mais il n'a même pas le temps de jouer le premier accord que la porte

224

s'ouvre, et un Jack Moriarty échevelé entre d'un bond, clairement imbibé d'alcool, ses vêtements dégoulinent, ses chaussures font ventouse sur le sol. Tout le monde se retourne pour entendre le vent fort mugir brièvement entre les deux portes qui claquent, et puis, et puis, tous les regards se portent sur la silhouette larmoyante qui d'un coup a raflé l'événement. La colère et la peine se lisent sur son front, les épaules voûtées comme un chien fou battu pour avoir désobéi à son cruel maître, tous les regards sont posés sur Jack, le mauvais, le brisé.

Il titube jusqu'au bar et fait signe au barman. Dermot, comme n'importe quel bon barman, flaire les ennuis, sait quand les choses peuvent mal tourner, et préfère refuser l'entrée à certains clients avant que ça ne tourne mal. Pas besoin d'être un génie pour pressentir cela à ce moment précis, ils peuvent tous le sentir, et Dermot est celui qui a le devoir de chasser les ennuis.

« T'as déjà bu un coup de trop, Jack ?

– Un dernier pour la route, pas d'ennuis, c'est promis. Je pars après celui-là. »

Dermot est face à un dilemme. Comment peut-il refuser un verre à un bon client, un habitué qui n'a jamais causé de problèmes dans ce pub avant ? Bien sûr, il a sans doute donné des coups de pied à quelques tibias sur le terrain dans son temps – et Dermot l'a vu, il l'a soutenu depuis les tribunes, Jack dans son maillot noir et ambre, un bolide, tout en grandiloquence et en bagarre – mais il est difficile de faire sortir un honnête client de son bar, il va lui donner le bénéfice du doute.

« Un verre, Jack. Et c'est fini pour ce soir, OK ?

– Merci, Dermot. Et un pour toi aussi. Je fais la fête.

– Et tu fêtes quelque chose en particulier ? demande Dermot.

– Oh, tu sais : la vie, la mort. »

Il s'empare d'un tabouret vers lui et grimpe maladroitement dessus. Dermot commence à tirer la pinte, doucement en arrière, le bec contre le verre, mais ses yeux méfiants ne quittent pas le footballer, à aucun moment. C'est du sang sur sa chemise ou c'est le motif du vêtement ? La pluie a délavé le rouge en un rose trouble. Si c'est une sorte de motif ou de dessin, alors il n'est pas très réussi.

C'est alors que Jack remarque les musiciens dans leur petit coin. Il est estomaqué de voir Bernard sur le tabouret bas, sa guitare sur les genoux, un inconnu à ses côtés, et le micro devant eux. Que se passe-t-il ici, bordel ?

Bernard essaie de sourire pour saluer son ami. Pour une raison ou une autre, il devient nerveux quand Jack est dans les parages. Comme s'il devait toujours impressionner son vieux pote. Ça a toujours été comme ça. Cette pression. Son cœur bat la chamade.

Jack dans sa stupeur essaie de comprendre ce qui se passe. C'est nouveau ? Un nouveau concert ? Où est passée la jeune fille sexy qui chante habituellement avec Mike Daly ? Il repère alors Linda, qui traîne près du mur du fond. Et là, il assemble tous les morceaux : Bernard a été convié à monter sur scène. Un invité. Un invité spécial, très spécial. Bordel de merde. Toutes ces années dans sa chambre et il a fini par révéler au monde ses talents cachés. Il n'est pas handicapé du tout, il est juste spécial, n'est-ce pas, le bluesman. Bien joué, Bernard, bien joué, tu t'es lancé. Même la fille que tu traques est ici, elle te regarde, ça change, que ce soit elle qui te regarde. Et voyez donc le visage inquiet de cette vieille salope, comme si j'allais me radiner et lui frapper ses joues maquillées avec ma bite. Et cette chère Margaret. Tu ne viens pas me dire bonjour ? Tu es ma copine après tout ! Tout le monde évite le mec bourré ?

« Je crois que je vais m'asseoir ici et profiter de la musique un petit moment, Derm. Allez, va.

– Bien, mais je te l'ai dit, Jack, un verre, et seulement un.

– Il n'y a jamais besoin de plus, mon grand. Un seul. Un mauvais type. Un mauvais tacle. Un carton jaune de plus et t'es viré, mon gars. »

Il rit dans sa barbe. Il commence à apprécier sa soirée à nouveau. Content que ces deux autres nigauds, Jim et Tony, soient partis. Content de pouvoir oublier les événements de l'après-midi.

Bernard regarde ses pieds. Mags et Marian, apeurées, honteuses, essaient de ne pas regarder dans la direction de Jack. Le jeu des regards continue.

« Tout le monde s'amuse bien ? Vas-y, joue, Bernard ! Je ne savais pas que tu avais le cran de te lever et de chanter ton blues. Bravo. Je ne voudrais pas interrompre la cérémonie. »

La voix de Jack porte, elle retentit dans le pub blindé. Les gens remuent sur leur siège avec gêne. Mags est celle qui semble remuer le plus. Putain, qu'est-ce qu'il a ? Il débarque comme ça, saoul, et il se donne en spectacle ? Putain, mais il fait quoi, là ? Elle se demande si elle ne peut pas se faufiler jusqu'à lui et lui dire quelque chose. Lui dire de rentrer chez lui. Ou mieux, de rentrer chez lui et de lui faire promettre une bonne partie de jambes en l'air. C'est la seule chose qui l'intéresse de toute façon. Elle peut l'emmener hors d'ici avec son vagin comme un âne suit une carotte. Ça le ferait taire un temps. Il est probablement trop saoul pour faire quoi que ce soit. Pauvre con. Elle est encore vexée qu'il l'ait laissée devant le stade de foot, qu'il soit parti comme ça alors qu'il fallait que quelqu'un la dépose. Ce n'est pas à elle de faire le premier pas maintenant, c'est à lui, et il devrait lui faire des excuses, correctement, et pas juste dire merde pour le plaisir.

« Je vois que tu as un nouvel ami là. Un joueur de blues lui aussi ? Désolé, je n'ai jamais appris à jouer à tes côtés, Bernard. Je n'ai jamais eu la patience d'apprendre à jouer d'un instrument. »

Il boit une gorgée de sa pinte. Soupire de satisfaction après cette première goulée, même s'il en a déjà bu au moins huit.

« Je suis un peu raide, mes doigts sont trop épais. Je suis meilleur au ballon. Je me débrouille mieux sur le terrain pour repousser les tacles difficiles. »

Les joueurs d'échecs se regardent, se demandent s'ils doivent intervenir. Devraient-ils lui glisser un mot poli à l'oreille ? Ou est-ce que cela empirerait les choses ? C'est toujours cet éternel dilemme pour eux, comme sur le plateau : en allant par là, on peut se retrouver dans le pétrin, en prenant un autre chemin, eh bien, ce peut être tout aussi effrayant. C'est un pub rempli d'Hamlet tous trop lents pour se déplacer, tous hésitants, voués à la procrastination.

« Pas le temps de faire de la musique, moi. J'avais d'autres combats à mener. Bien sûr, ton père jouait du blues, hein ? Un autre imposteur comme toi, Bern. La musique irlandaise n'est pas assez bonne. Il faut jouer de la musique étrangère, tu crois que ça impressionne les filles. Ça t'impressionne, Marian ?

– Ah, Jack, allez, je crois que… »

Les interjections de Dermot ne sont pas assez fortes pour tacler le fugitif, il a le ballon et il veut encore marquer. Il est curieusement sobre à nouveau, ou moins saoul on dirait. Il ne titube plus et ne trébuche plus comme quand il est entré dans le pub, il articule mieux aussi ; ce qu'il a à dire a pris de l'importance, un mécanisme s'est déclenché dans son cerveau pour reconnaître cela, et il met de l'ordre dans ses pensées, ce qui le fait soudainement articuler distinctement.

« Toutes ces cassettes, Marian ? Les jolies chansons qu'il a écrites. Eh bien, c'est une belle fin, si tant est que ça existe. Mon Dieu, il pourrait même te demander en mariage ce soir ! Regarde-moi ses cheveux ! »

Jack est le seul à apprécier la blague, et personne ne l'arrête. Bernard supporte le tout comme un garçon que l'on gronde, tête baissée.

« Ah, c'est bon, cette Guinness. Elle ne sera jamais aussi bonne en Amérique. Il faut être chez soi, dans cette chère vieille Irlande, pour en avoir une aussi noire et fraîche. Vas-y maintenant, bordel. Tu dois en avoir assez de m'entendre. Vas-y. Un blues de hors-la-loi. *Stack-O-Lee*. Ton père la connaissait, celle-là, non, Bernard ? »

Il chante, faux, indifférent : *You're a bad man, bad man, Stack-O-Lee !*

Gorgée. Goulée.

« Tu la connais, celle-là ? »

Bernard secoue la tête.

« Je t'ai posé une question. J'ai dit, tu la connais celle-là ?

– Non.

– Tu la connais pas.

– Je la connais. Simplement, je ne sais pas la jouer, Jack.

– Autant oublier, alors. Si tu ne la connais pas, je veux dire. Ce que tu ne connais pas ne te dérangera pas. Laisse faire quelqu'un d'autre. Quelqu'un d'autre peut prendre ça en charge. »

Il y a un long silence dans le bar. Dermot regarde le verre de Jack, voudrait qu'il soit vide. Presque, quelques gorgées supplémentaires et ce sera terminé. Alors il pourra gentiment lui demander de partir. Tout devrait bien se passer. Ça ne devrait pas s'envenimer. Et il n'aimerait pas que ça s'envenime avec ce grand gaillard de footballer. Ça pourrait être moche.

Marian n'a jamais vu Jack comme ça. Elle l'a vu saoul. Elle les a tous vus saouls. Mais jamais avec autant de venin dans les yeux. C'est ce que Mags avait repéré. Ce quelque chose qu'il cachait. Le dealer sans drogues. Le « virage » en lui. D'homme talentueux sur le terrain de football à tacleur mesquin, d'amant passionné dans la chambre à tâteur obscène. Un fil tendu ? Elle ne sait pas pourquoi il démolit Bernard de la sorte. Ils sont amis, non ?

« Je suis désolé, dit Bernard, les yeux toujours rivés sur ses chaussures.

– Quoi ?

– Je suis désolé, Jack.

– Désolé ?

– Oui. »

Bernard lève la tête pour regarder son ami en face. Ils se regardent intensément dans les yeux. Tous les corps sont immobiles et Jack brise le silence de la scène seulement en levant son verre à sa bouche et en buvant à grand bruit. Après une autre longue pause, il jette un œil faussement interrogateur au joueur de blues.

« Désolé ? Désolé pour quoi ? »

Personne dans le bar ne sait sur quoi porte la conversation. Le jeu des regards continue dans le bar, mais les yeux réticents, timides s'ouvrent grand, interrogent, les sourcils rehaussés par la curiosité. Que se passe-t-il entre ces deux-là : le joueur de football gaélique coriace et menaçant, le guitariste *jarvey* excentrique ? Que se passe-t-il ici en fait ?

« Pour tout. Désolé pour tout. »

La bière dans le verre de Jack est presque terminée. Un petit reste. C'est allé vite.

« C'est un peu tard, non ? »

Ils se regardent encore dans les yeux un moment, puis Bernard les baisse au sol à nouveau. Jack dépose son verre vide sur le comptoir.

« Tu vois ? Je t'avais dit que je n'en boirais qu'une. Je suis un homme de parole. »

Alors qu'il descend de son tabouret haut, la porte s'ouvre sur une autre rafale due au temps inclément du dehors. Pendant un instant, l'esprit grésillant de Jack Moriarty pense voir un cavalier fantôme au visage familier qui passe à vélo devant la porte, un homme extrêmement pressé, mais il n'a pas le temps de s'arrêter sur cette image surnaturelle, car deux policiers font leur entrée, deux *Guards*, défenseurs de la loi et de l'ordre irlandais, ceux qu'ils appellent *Les flics*. Imperturbable, Jack Moriarty tend les bras devant lui, relève les manches de sa chemise légère, mouillée, pour dévoiler la peau de ses bras bronzés.

« Pas besoin de menottes pour le moment, dit l'un des policiers. Tu vas juste marcher jusqu'à la voiture avec nous et on aura une petite discussion au poste. »

Les sourcils se lèvent maintenant au plafond. Nom de Dieu ! Qu'est-ce qu'a fait Jack ? Mags, qui remue, se tortille et bouge de curiosité, puis d'embarras, puis de curiosité à nouveau, est d'abord sidérée, puis agitée. Mon Dieu ! Il a fait quelque chose à Bernard ? Bernard lui a fait quelque chose ? Ils se sont bagarrés, ou quoi ? Elle sait qu'il est brutal, mais bordel, ce n'est pas un criminel !

Il est costaud. Vraiment. C'est un meurtrier, en fait. Jack ne sait pas ce que chacun d'eux, y compris les policiers, sait. Mais il sait ce qu'il est. Il sait ça, au moins.

Janet et Cathy entrent alors dans le pub, Janet en tête naturellement, la tempête dehors n'est rien comparée au mépris et à la violence qu'on peut lire sur son visage. Cathy à côté d'elle a l'air plus fatiguée qu'autre chose, elle aimerait juste que la journée soit finie. Ça avait si bien commencé : le soleil, les promesses. Maintenant, c'est le lot des mauvais rêves, illogiques, réels mais qui semblent irréels, à moins que ce ne soit l'inverse ? Achevez cette journée, putain, laissez-la rentrer chez elle avec sa sœur et boire un thé, pleurer et regarder n'importe quoi à la télé et faites que lundi arrive avec des choses à faire, comme le boulot, et peut-être seulement ça : le boulot.

Mags regarde Cathy. Tout à coup tout s'éclaire ; que ressent-elle – la trahison ? Ça y ressemble : le visage de Janet se lit de plus en plus clairement ; ses lèvres pincées, sa colère. Cathy et Jack ? Impossible. Ils n'auraient jamais… et pourtant, peut-être, peut-être qu'ils auraient pu. Alors, oui. Bien évidemment. Les appels sans réponse. Les disparitions mystérieuses. Jack se tape aussi Cathy. Dans son dos. Impossible. Et pourtant, peut-être. Oui. Bien évidemment. Ou Janet ? Laquelle ? Merde. Qu'a fait ce connard ?

Marian est tout aussi frappée de stupeur que n'importe qui dans le bar. Elle a le visage déformé par la confusion et les efforts pour comprendre. Elle regarde en direction de Bernard, commence à éprouver de la pitié pour lui. C'est ce qu'elle ressent ? Seulement de la compassion ? Est-il juste un cas navrant, un pauvre con ? Ne mérite-t-il que la pitié, rien d'autre ? Même les millions d'euros magiques de Mags ne pourraient pas l'amadouer, même pas les liasses éventuelles que Mags a proposées. Mais quand il a chanté, il chantait si bien. Il paraissait raffiné et tout en maîtrise. Il semblait qu'il savait ce qu'il faisait. N'était-ce que l'espace de ce moment fugace ? Va-t-il redevenir le crétin maladroit qui lui envoie des cassettes ? Est-ce tout ce qui lui est réservé ? Comment peut-elle même envisager une telle perspective ? Sa mère a raison. Il faut qu'elle arrête de boire avec ces idiotes. Il est temps d'être sérieuse. Même son imbécile de cousin hooligan se marie. Même Jim McDowell. Et quelle est la donne avec Jack Moriarty, merde ? Et putain, que font les policiers avec lui ?

« Je suis désolé, Dermot. Je n'ai même pas réglé mon verre. Mais mon bon ami Bernard Dunphy s'en chargera. Il me doit bien ça. »

Jack contemple l'établissement tandis que les policiers, de chaque côté de lui, le poussent discrètement en avant. Ils auraient pu entrer maladroitement, dans le fracas, et ils auraient pu le malmener et lui faire honte devant tout le monde, mais non. Bien joué.

« Mon Dieu, tout le monde est désolé ce soir. Tout le monde a le blues. »

Il ricane sous cape, puis il incline la tête pour sangloter, et bientôt on voit sortir du nez de cet homme saoul une morve épaisse et verte que personne ne veut contempler.

Janet lui envoie des regards perçants, et alors qu'il est conduit vers la porte elle lui crache le seul mot qui lui passe par la tête, ou qui lui soit jamais passé par la tête quand elle a la malchance de croiser ce visage arrogant : *connard*.

Cathy tourne la tête vers le mur et le plâtre qui s'écaille. C'est vraiment vieux ou c'est juste du « faux-vieux » ? Quel était le mot de six lettres qui lui manquait pour ses mots croisés l'autre jour ? Ersatz. Serait-ce ce qu'est cet endroit ? Qu'est-ce qui est vrai, qu'est-ce qui ne l'est pas dorénavant ? Elle est contente que Janet soit avec elle. Comment se fait-il que sa sœur cadette soit tellement plus mûre ? Que penseraient sa mère et son père s'ils la voyaient là ? Une épave. Télé, boulot, peut-être que c'est tout ce dont elle a besoin.

Bernard ne sait absolument pas pourquoi Jack est embarqué et il ne peut plus retenir sa curiosité. Il se lève et laisse sa guitare tomber de ses genoux. Le son retentit et Mike Daly grimace : c'est une Gibson, il faut y faire attention. Bernard prend le micro et essaie de retenir ses propres larmes :

« Pourquoi ils t'emmènent, Jack ? »

Le criminel, déjà presque sorti et à nouveau dans la nuit hostile, crie à son compagnon d'autrefois :

« On était vraiment amis il y a bien longtemps, Bernard. Je te reverrai un jour. »

Aucun cycliste ne passe. Aucun fantôme. Pas de cavalier sans tête. Rien. Seulement le vent et la pluie. Même les corbeaux ont assez de bon sens pour s'abriter.

Un policier chuchote à celle qui regarde le mur, qui tient à peine debout, Cathy Connor :

« Il va falloir qu'on se reparle, mademoiselle.

— Ça ne peut pas attendre ? balance Janet.

« – Demain matin au poste, à la première heure », dit le policier, sachant qu'ils ne tireront pas grand-chose d'un homme saoul avant de toute façon.

La porte se ferme et les yeux recommencent à bouger, cherchent à croiser les yeux des autres pour y trouver d'éventuelles réponses. Des yeux bleus croisent des yeux verts, qui à leur tour croisent des yeux bruns, mais tous sont aussi ahuris les uns que les autres. Certains tiennent des bouts de solutions et d'autres n'ont que le commencement d'une série de réponses à certaines des questions. Ensemble, ils pourront peut-être établir une sorte de récit, une plus grande image que les simples fragments qu'ils ont pour le moment. Les joueurs d'échecs regardent à nouveau le plateau auquel ils n'ont pas touché depuis une heure. Un des rois semble encore vulnérable, et on dirait qu'un des cavaliers est prêt à sonner le clairon et à mener une ruée au combat. Mais ils n'ont pas bougé depuis des heures, et ne bougeront sans doute plus du tout cette nuit.

19

Ça demande de la volonté. Ça demande de la volonté de se noyer. Ça demande une volonté énorme. Énorme. Le corps de Brigid Dunphy a d'abord frissonné et frémi quand l'eau l'a saisie, et ses frissons et ses frémissements ont donné suite à des crises frénétiques et à des convulsions paralysantes tandis que ses poumons se remplissaient d'eau et que son système cérébral luttait pour comprendre quel cataclysme s'emballait soudain et boursouflait furieusement son noyau central essentiel. Une volonté énorme, gigantesque, pour continuer à couler quand le corps et le cerveau disaient que non, qu'il ne devait pas en être ainsi. Et que voyait Brigid avant le grand trou noir et puis plus rien ? Une lumière ? Un tunnel de lumière qu'elle pouvait atteindre et vers lequel elle pouvait aller ? Mon Dieu, qui l'appelait, lui montrait le chemin, de sa main tendue bienveillante ?

Non, elle n'a rien vu de la sorte.

Quoi alors ? Quoi, alors qu'elle flottait parmi les poissons et la fronde ? Quoi ? Son mari ? Le fantôme aux lèvres bleues des rêves de son fils, flottant là, les yeux ouverts, la bouche ouverte, l'air surpris puis arborant un grand sourire en la voyant se joindre à lui pour aller à Tír na nÓg ?

Non. Elle n'a rien vu de la sorte.

S'il avait été possible de formuler quelque chose dans cette fraction de seconde avant qu'elle, elle tout entière, son corps et son cerveau, et son cœur, et tout le mécanisme de tic-tac, tout ce qu'il y a de fils et de nerfs et de ligaments et de vaisseaux et d'artères et de synapses et de corpuscules, abandonne complètement, elle tout entière, ç'aurait pu donner un mélange confus de blues dégoulinant comme suit :

Salut, oui, c'est Brigie à l'appareil. Elle est presque partie. Je regrette de vous faire venir, mais Frère Kennedy a dit que les faibles hériteraient un jour de la terre, c'est une affirmation extraordinaire, et le ciel bleu, le vert luxuriant, les visages réjouis couverts de crème glacée, le soleil qui répand sa chaleur sur le plus bel endroit de toute l'Irlande, oh oui, la fierté apparaît quand on parle d'une ville natale, ou d'un fils. Une femme comme elle peut facilement se laisser emporter. Bernard, il va mieux. Beaucoup mieux. Au moins, il vous regarde dans les yeux maintenant, la plupart du temps en tout cas, au moins il sait l'amour que sa mère lui porte. Pour l'amour de Dieu, c'est ton père. Tu ne le reverras jamais. Il y a, bien sûr, des centaines d'autres filles sur terre, et beaucoup seraient ravies de sortir avec un joli garçon comme lui. Je regrette que mon clown de fils tourmente votre ravissante fille depuis des années. Et désolée, Jack. Et tout ira bien, Bernard, la paix maintenant, reste tranquille, et désolée une fois encore.

Ça n'a pas grand sens, tout ça. Mais ça n'a duré que quelques secondes, des pensées ultra-rapides. Ça n'a demandé que très peu de temps. Et une volonté énorme. Son dernier sentiment : le regret. Et ce *désolée* réverbérait. Envoyait des étincelles à travers l'eau, éclairait les anguilles électriques, faisait frétiller les nageoires des poissons dans les profondeurs, envoyait des vagues jusqu'au lac autour de Library Point et dans les Copper Mines et sur la pelouse surélevée de

Muckross House et mugissait comme un tsunami à travers le Gap de Dunloe, se déchaînait au-dessus de Eagle's Nest et faisait des cercles tout autour de la vallée, inondant la ville de plus de pluie, encore, comme si Dieu les avait punis pour tous leurs péchés et que les eaux s'élevaient jusqu'à la statue de The Speir Bhean, les marches de The Friary, et même jusqu'à Lewis Road après le stade Fitzgerald, et jusqu'à la bretelle et encore plus loin vers le Deer Park et les bois sombres perdaient leurs aiguilles de pin de frayeur.

Le Dieu de Brigid les punissait peut-être tous, les péchés des pères, des fils, des fantômes noyés tout au fond, les péchés des mères et des filles aussi. Si Brigid Dunphy avait pu les voir à l'heure de sa dernière heure, qu'aurait-elle ressenti ? Son fils, là, une guitare à ses pieds, son succès éclipsé progressivement par la terreur soudaine des événements de la journée, le meurtre sinistre, les confessions d'un saoulard, les excuses, les indices et les récriminations, les insinuations de la foudre dans le ciel cherchant un endroit où frapper, ramassera-t-il sa guitare et s'en sortira-t-il en chantant, ou est-ce qu'il se noiera lui aussi, dans le déluge de la nuit ? Les grandes eaux. Ils sont tous dans l'Arche, à présent ? Tous. Marian, Margaret, Cathy, Janet, Dermot le barman, les Américains, tous à bord et qui rament pour se sauver. Est-ce qu'ils ne peuvent compter que sur eux ? Car la pluie continue à tomber. Continue, continue de tomber. Le soleil ne se montrera peut-être plus jamais. On est à Killarney. Ils ont peut-être eu leur lot. Tout est maintenant terminé ?

Le pays tout entier a foutu le camp à cause de ces politiciens véreux et de ces banques incompétentes, ou l'inverse peut-être, ces banques véreuses et ces politiciens incompétents ? L'été est fini et toutes les fleurs meurent. Les temps durs ne reviendront plus. Mais ils sont revenus, ils sont revenus n'est-ce pas ? Et l'eau monte. Les grandes eaux, partout. La digue va se briser. Le pub Yer Man's ballotte au gré des vagues, deux par deux, ils se cramponnent l'un à l'autre dans le tumulte, des paires qui s'accrochent, et le bateau semble basculer et les vagues battent contre lui. Un autre verre ou deux pourraient peut-être les apaiser, ou au moins une autre chanson pourrait stabiliser le bateau, au moins donner aux rameurs de quoi se réconforter, une chanson alors, pour la bande de voyous, ohé, une autre bouteille de rhum, que va-t-on faire de ces pleurnichards enivrés ?

Ça n'a pas grand sens, tout ce tumulte, toutes ces histoires. Mais c'est seulement une tempête dans un petit verre comparé à ce qui tourbillonne dans l'esprit de Jack Moriarty.

Regardez-le. Sa cellule. Dans les films, on verrait des barreaux et des tasses en fer-blanc. On en est loin. Ça ressemble plutôt à une chambre. Les murs sont nus. Un banc. Un lit. Ça demande de la volonté pour lui aussi pourtant. De la volonté pour empêcher ses larmes de tomber et de venir s'ajouter à la saturation générale de la ville. Ça demande de la volonté d'apaiser les hoquets au fond de lui et de répondre aux questions qu'on lui pose, d'arrêter le bourdonnement de son esprit, de se calmer et de s'exprimer, de formuler des phrases correctes. Il aurait bien besoin d'un verre.

Il faudra qu'un avocat soit présent, bien sûr. Mieux vaut ne rien dire jusque-là. Pour l'instant, il dit simplement qu'il ne connaît pas de Ambrozy Zawadski. C'est quoi, ce nom ? Jamais entendu parler de lui. Connais pas de Polonais de toute façon, ou de Polonaises d'ailleurs. Jamais joué à ce jeu de voyeurs avant. Ils le prenaient pour qui ? Une sorte de pervers !

Ils lui disent de dormir d'abord. Ça ne sert à rien de lui parler dans un état pareil. Il faut qu'il soit sobre. Ils lui parleront demain matin. En attendant, il faut qu'il dorme.

Un calme qui donne le frisson. Les clients ne savent pas quoi faire maintenant. Comment aborder le sujet ? Vont-ils simplement continuer à boire : et s'endormir dans un état d'indifférence ? Linda Mackey pense que les chansons vont marcher. Ils ne comprendront peut-être pas ce qui s'est passé au bar ce soir, ils auront tout le temps d'en faire des commérages, mais ils sont payés pour jouer et c'est ce qu'ils vont faire, elle sait que les chansons viendront peut-être colmater les brèches de la soirée, ça marche toujours en Irlande. Ça, au moins, on peut compter dessus. La musique. Quand tout le reste échoue. Venez dans l'arrière-salle. Remontez-moi ces jupes, ces jambes encore bonnes pour danser. Renversez l'un de ces vieux tabourets en bois et tapez dessus comme sur un *bodhrán*. Éclaircissez-vous la voix et apprêtez-vous à brailler.

Bernard est à la fois déçu et soulagé de rendre la guitare. Il aurait pu jouer une autre chanson. Peut-être aurait-il pu chanter toute la nuit. Mais l'occasion ne lui est pas donnée, et il lâche le micro et retourne sur son siège à côté de la lumineuse Laura Willis qui l'attend avec des sourires et des compliments. Elle n'a aucune idée de ce qui s'est passé, ne savait absolument pas qui était cet affreux saoulard, ne le reverra probablement jamais, mais elle a entendu Bernard chanter et il s'est très bien débrouillé. Tout comme son frère, qui s'avance vers le bar pour payer sa tournée. Beaucoup de temps perdu pendant ce petit épisode, qu'il vaut mieux rattraper en buvant dès maintenant, le bar fermera bientôt. *Qui* était ce fou que les policiers ont embarqué ? De quoi s'agissait-il ? Peu importe. *Barman, soyez assez aimable.*

« On va encore jouer quelques morceaux, si ça convient à tout le monde. Je pense qu'un peu de musique nous fera sans doute du bien à tous ce soir. C'est soit ça, soit écouter la tempête au-dehors. »

Mags se tourne vers Marian.

« Je crois qu'elle veut dire la tempête au-*dedans*. »

Mike commence à jouer et Linda prend son violon. Il vaudrait mieux mettre un peu d'allant. Animer tout le bar. Plus de ballades sur la famine pour l'instant, pas de morceaux traditionnels déprimants. Mieux vaut faire aller les battements de pieds, les claquements de mains, c'est le moins qu'ils puissent faire.

Même si la musique bat son plein et que les pieds commencent en effet à frapper le sol, tous les clients ruminent encore sur la débâcle de Jack. Mags savait que ce n'était pas exactement un gentleman, mais qu'a-t-il bien pu faire d'aussi atroce pour justifier l'arrivée de deux policiers ? Elle essaie de ne pas y penser mais elle ne peut s'empêcher d'avoir un mot monstrueux à l'esprit : viol. Il n'aurait pas fait ça, il n'aurait pas pu, tout de même ? Pourquoi est-ce que Janet a toujours l'air aussi renfrognée ? Il ne l'aurait pas forcée à… mais c'est Cathy qui semble complètement abattue. Il lui a fait mal ? Il l'a forcée à faire quelque chose qu'elle ne voulait pas faire ? Mags se repasse leurs moments au lit. Il y avait des fois où il était brutal, trop physique, elle devait souvent lui demander de ralentir, d'être plus doux. Il répondait : *Mais oui, elles disent toutes ça, mais elles en veulent plus* ou *j'peux pas faire autrement, je suis juste un sale joueur de foot, habitué aux tacles violents*. Aurait-il dépassé les bornes, fini par aller trop loin avec sa force ? Le dernier carton rouge, la dernière expulsion. Pas de retour possible cette fois.

Marian croit qu'il s'est battu. C'était du sang sur sa chemise ? Elle l'a vu boire avec son cousin Jim et cette fouine de Tony Mulcahy quelquefois. Il y a deux semaines, pas plus, ils s'étaient retrouvés tous les trois au McSweeney's en méchant comité. Elle ne serait pas surprise le moins du monde que ces trois-là se soient retrouvés dans une bagarre stupide. Elle n'arrive pas à croire que cet imbécile de Jim va se marier, et que sa mère veut qu'elle aille au mariage. Putain. Les hommes de Killarney, quelle publicité. Elle ne sait pas ce que cette nouvelle Américaine fiche ici. Mieux vaut se barrer, jeune fille. Rien de bon par ici.

Laura dit à Bernard et à Tom qu'ils ont très bien joué. Les Américains ne tardent pas à évacuer le drame, ils ne savent pas vraiment qui est impliqué de toute façon, et Bernard, à le voir, a besoin d'être réconforté. En fait, ils ont tous besoin d'être réconfortés.

« Pourquoi on ne leur dirait pas de venir s'asseoir avec nous ?

– Qui ? dit Bernard.

– Tes amies, la jolie fille que tu aimes bien, et la fille à côté d'elle.

– Oh, je ne sais pas, je ne crois pas... »

Mais Laura s'avance déjà vers leur table. Sa fière allure, sa confiance posée, elle ne peut être qu'américaine.

« Salut, je m'appelle Laura. On se demandait si vous ne voudriez pas vous joindre à nous. On met quelques tables ensemble et peut-être...

– Oh, ah, ouais, ah... »

Marian ne sais quoi répondre. Et Mags n'est pas mieux.

« Je veux dire, je ne sais pas ce qui s'est passé ce soir avec vous tous, mais on peut boire quelques verres et... »

Elle laisse sa proposition en suspens. Elles n'ont pas vraiment d'autre choix que de la suivre.

« Ouais, d'accord, dit Marian. Pourquoi pas ? »

Il n'y a plus que deux autres « amies » à convoquer. Cathy et Janet se tiennent toujours debout contre le mur du fond. Cathy pense qu'elles devraient simplement partir, il y a déjà eu assez de dégâts pour la soirée, mais sa sœur lui explique qu'un verre pourrait leur calmer les nerfs. En plus, il est grand temps que Cathy ait une conversation avec Mags, qu'elles règlent toute cette merde une fois pour toutes. Si Cathy n'avoue pas ce qu'elle a fait dans le dos de Mags, alors Janet devra lui dire elle-même. Elles devraient se réjouir d'être débarrassées de lui toutes les deux. Il n'apporte, n'apportait, que des ennuis. Il est parti maintenant. Elles peuvent aller le voir en prison si elles sont si inquiètes pour lui, putain. Doivent-elles tout dire ce soir ? Raconter à tout le monde pourquoi Jack a été livré dans ce piètre état ? Et pourquoi pas. Tout le monde en ville le saura demain de toute façon. Ces histoires ne mettent pas longtemps à s'ébruiter.

Laura ne se gêne pas, une seconde fois, tout à fait de la même manière, pour formuler son invitation : Janet et Cathy acceptent en bégayant. Ils sont tous ensemble maintenant, personne d'autre à inviter à leur tablée crispée, les joueurs d'échecs se contentent assez bien de leur propre angoisse devant le plateau, ça ressemble à une fin de partie, l'un ou l'autre va-t-il s'en rendre compte ?

Les nouvelles connaissances s'assoient alors que la musique continue, les tentatives des musiciens pour mettre de l'entrain ne sont pas concluantes pour le moment, tout le monde a les yeux baissés, ou rivés sur son verre, ou sur son entrejambe.

Mags retire l'étiquette de sa bouteille, Bernard joue avec son briquet.

« Bien, plus on est de fous, plus on rit, dit Laura, pour essayer de soulager la tension. Mon frère, Tom.

– Bonsoir, tout le monde », dit Tom, gêné, en avalant une gorgée de Guinness.

Tout le monde lui répond, mais les sourires sympathiques mettent du temps à apparaître.

Mike Daly regarde son public. Personne ne sourit. Personne ne tape du pied. Linda remarque cette apathie elle aussi. Putain, ils ont du pain sur la planche ce soir.

TROIS MOIS PLUS TARD

*the sun's gonna shine
on my back door someday*

20

Au mariage de Jim McDowell et Maura Dineen, avant les discours, James Corbett a embrassé Mags Brosnan, d'abord sur la joue, en étant poli et trop nerveux pour aller plus loin, puis soudain, dominé par le désir, et encouragé par la Heineken, il a rassemblé ses forces et s'est avancé vers elle pour l'embrasser carrément sur les lèvres. Tous les deux ont jugé cela satisfaisant puisqu'ils se sont regardés droit dans les yeux, sans cligner, et ont souri. La glace est brisée. Une nouvelle histoire d'amour en vue. Il est bon de pouvoir laisser le désastre de son ex-amant criminel derrière elle et de s'engager avec un homme gentil, beau, normal. Ce sera difficile à l'école une fois que ça se saura. Les élèves – les *branleurs*, selon sa nomenclature préférée – s'en donneront à cœur joie, en tireront le maximum. Pourrait-elle garder cette liaison secrète ? Sans doute pas. Ça se saurait de toute façon. Peu importe, merde alors. Ce n'est pas grave. Le prof de sport (qui se trouve être un cousin de la mariée, le monde est petit) est sexy. Et jusque-là, il est normal.

La fille de dix-neuf ans ?

Juste une aventure, avait-il dit alors qu'ils plongeaient leur cuillère dans le cocktail de crevettes servi en entrée. Rien d'important. Il s'amusait un peu. Evelyn s'était révélée trop puérile. James veut maintenant quelqu'un de plus mûr, quelque chose de plus consistant.

Consistant ?

Il faudra que Mags vérifie auprès de Marian ce que ça signifie exactement. Elle connaît le mot. Elle n'est pas bête. Mais ça pouvait avoir des implications. Des nuances. Cela pouvait signifier beaucoup de choses. Et elle espère que « mûre » ne veut pas dire vieille ou périmée. Impossible, cela dit ? Elle devrait être contente, elle devrait l'accepter comme un compliment, ce qu'il est. Ne pas être si paranoïaque. Elle a vaincu une fille de dix-neuf ans, sans doute avec un corps plus ferme, de l'endurance, et une soif de vivre. Des choses que peu de trentenaires réussissent à garder. C'est bien. N'est-ce pas ? Elle a vaincu ça, au moins. Elle verra comment ça se passe. Naturellement, il était curieux et lui avait posé des questions sur sa liaison avec Jack le fou. C'était comment ? Qu'avait-elle ressenti quand elle avait découvert qu'il avait tué le Polonais, et qu'il fréquentait sa meilleure amie dans son dos ? *T'as dû morfler.* C'était ses mots. Comme dans une série américaine à l'eau de rose. Ouais, morflé, c'est sûr.

Les journalistes lui avaient posé à peu près les mêmes questions debout sur le seuil de sa porte avec leurs petits carnets et leurs enregistreurs. Ils la questionnaient sur la trahison, et lui demandaient si elle était heureuse qu'il soit derrière les barreaux pour longtemps. Mais à ce stade, elle en avait fini avec lui, fini avec tout ça, essayait d'aller de l'avant, et avait demandé à un grand nombre de journalistes de la laisser tranquille, et de lui accorder un peu d'intimité ; au fil des jours, elle leur avait simplement dit d'aller se faire foutre.

James lui avait demandé si elle avait trouvé étrange de le voir comme ça, avec des menottes, et pendant un instant elle avait été frappée par cette image d'*elle* avec des menottes, quand elle et Jack avaient joué à des pratiques sexuelles un peu perverses : lui, faisant tout ce qu'il voulait avec elle, et elle, ligotée comme ça, immobile. Ouaaah. Quel lien ! Quel rapport : d'abord, c'est elle qui a les menottes, et son impuissance lui plaisait vraiment ; ensuite, c'est lui qui est menotté, mené au tribunal, les flashs des journalistes de partout, les Polonais l'insultent et portent des bannières qui disent sûrement quelque chose en polonais comme *Honte*, ou *Disgrâce*. Oui, c'est un jeu d'un autre ordre qui se déroule, un jeu bien plus sérieux, mortel même. La vie : rien ne pourra jamais l'égaler.

Mags ne va pas se laisser envoûter par ce type cette fois. Elle va y aller doucement. Pas de menottes avant au moins le quatrième rancard.

Cathy et Janet n'assistent pas au mariage. Elles n'ont pas de lien avec le malotru ni avec sa future femme. Elles essaient d'avoir des relations avec le moins de gens possible ces temps-ci, elles se sont efforcées de rompre les liens, de faire profil bas. Janet garde un œil sur sa sœur aînée tout le temps, elle sait à quel point elle est devenue fragile, à l'intérieur, même si ce n'est pas directement perceptible de l'extérieur. Elle sait que le traumatisme de cette journée ensoleillée dans la campagne reste ancré en elle, ne la quitte pas. Nul repos.

Cathy la voit partout où elle va, cette grosse pierre en l'air, le regard fou de Jack, et le bruit sec, ça surtout, le craquement assourdissant. Ça la réveille d'un coup la nuit. Elle se réveille en hurlant. Les terreurs nocturnes, les sueurs nocturnes, les cauchemars ; ça arrive. Ses draps trempés le prouvent.

Elle a dû tout raconter aux policiers. Tout ce qu'elle pouvait se rappeler. Elle leur a raconté leur partie de jambes en l'air ce matin-là. L'état d'esprit de Jack. Même les choses crues. Elle a tout évacué. Toute l'histoire, depuis le matin jusqu'au crâne fendu. En entier. La brutalité de leur rapport sexuel. Son visage contre la tête de lit. Tout. Leur rapport dans la voiture. La course après l'homme et le tacle, comme si c'était du sport. Mais même sa façon de jouer au foot – qui ne suivait aucune règle d'après elle, elle n'avait aucune idée de ce qui justifiait une faute –, même ça, ce n'était qu'un jeu de gamin comparé à ce qu'il avait fait : cet énorme coup, qui a mis à terre le grand et malheureux étranger, puis le déchaînement du monstre et la sauvagerie. Elle a vu. Elle a tout vu. Clairement, distinctement, comme dans ses rêves nocturnes. Il fallait qu'elle raconte, qu'elle laisse tout sortir. Pas d'autre moyen. Il fallait qu'elle se disculpe. Qu'elle explique qu'elle ne voulait rien faire de tout ça. Elle ne voulait même pas être sur la route de Dingle en fait. Dingle ? Pourquoi avait-elle même suggéré d'y aller ? Elle voulait simplement dire *n'importe où*. Listowel, Kenmare, n'importe où vraiment. Avait-elle vraiment besoin de Jack Moriarty à ce point, pour se retrouver en voiture avec lui, à foncer quelque part, n'importe où, juste pour le garder pour elle ? Était-il si important pour elle ? Était-il si exceptionnel, putain ? Elle n'aurait pas pu le sortir du lit ce matin-là ? Tiens, voilà une saucisse et une tasse de thé, tu as déjà pris ta douche, alors maintenant, fous le camp, on se verra le week-end prochain. Le sexe ne lui suffisait pas ? Elle voulait vraiment lutter avec Mags pour l'avoir ? Son amie. Une promenade dominicale ? Putain.

Les policiers avaient d'abord été indulgents. Puis ils s'étaient montrés plus durs avec elle. Leurs questions plus insidieuses. Deux grands hommes, l'un avec un nez bulbeux de buveur de whiskey, l'autre ressemblant à une hermine, menaçante. Depuis quand fréquentait-elle Jack Moriarty ? Elle aimait l'amour brutal elle aussi, le genre brutal au lit, quoi ? Elle avait fait du *dogging* ? Elle connaissait le terme ? Saurait-elle où aller si quelqu'un était intéressé ? Se considérerait-elle comme une nymphomane ? Savait-elle que Jack avait d'autres maîtresses ?

Puis plus de révélations.

Janet leur avait évidemment raconté pas mal de choses concernant l'homme qui faisait partie de la vie de sa sœur, l'homme qui conduisait la voiture rouge, l'homme qui gémissait dans la chambre voisine.

Cathy savait-elle, par exemple, qu'il avait fait des avances à sa sœur à plusieurs reprises ?

Non. Cathy ne savait rien de tout ça. Janet avait eu le bon sens et la loyauté de ne pas lui en dire un mot. Sous tous les angles, Janet : la protectrice. Mais c'était ressorti, dans le rapport de Janet, et les flics n'avaient montré aucune clémence concernant ces faits.

Comme tout le reste, ça l'a surprise : *Vos parents ont trouvé la mort dans un terrible accident de voiture.*

Votre petit ami, ou du moins l'homme que vous baisez dans le dos de votre amie, veut aussi baiser votre sœur, et non seulement ça, mais il a une pierre à la main et s'apprête à fracasser le crâne d'un homme avec.

La plus jeune sœur se sent encore coupable. De ne pas avoir appelé Mags à temps. De ne pas avoir mis un terme à tout ça quand elle le pouvait. Elle s'est excusée auprès de sa sœur, mais Cathy n'accepte aucune excuse, elle pense qu'il n'y a aucune raison de s'excuser. Une seule personne devrait être désolée, et c'est celui qui est heureusement incarcéré, et elles prient toutes les deux pour qu'il le reste. Justice est faite d'une certaine façon. Plutôt satisfaisant pour l'instant. Au moins, il est hors de leur vue.

Cathy n'était pas complice. Cathy n'est pas une criminelle. Ce qu'elle *a été* : une femme qui s'est amourachée du mauvais type, et tout est parti à vau-l'eau. En un mot : stupide. Ce qu'elle *est* : une femme qui garde un profil bas, évite de traîner, cuisine beaucoup à la maison – des recettes audacieuses sorties de livres de cuisine audacieux – et elle regarde beaucoup la télé. Elle lit aussi. Quand elle ne travaille pas. Plein de romans. Historiques pour la plupart : des épisodes du temps passé, bien avant sa naissance. Bien avant que ses parents aient fini mutilés dans une voiture percutée à toute allure par un conducteur ivre qu'ils n'avaient pas pu éviter. Il y a bien, bien longtemps. Quand les gens portaient des vêtements différents et se comportaient différemment. Du temps d'avant les voitures. Mieux en un sens. Quand les gens se respectaient. Étaient plus purs. Quand la galanterie existait encore. Pas douteux comme ils le sont maintenant. Quand ils ne mettaient pas tout en pièces comme maintenant. Le monde en lambeaux. Mais c'est peut-être injuste de sa part.

Elle s'est réconciliée avec Mags. En quelque sorte. De très grosses larmes et de très gros câlins ont gommé l'amertume, et elles se considèrent encore amies, mais en réalité, la trahison est pareille à un de ces poissons qui vit dans la boue et ratisse le sol dans les profondeurs troubles, il reste là, n'a pas besoin de lumière, se contente de remuer au fond, dans l'obscurité, en refusant de s'en aller. Elles le savent toutes, et elles ne se donnent pas la peine de l'admettre ; elles présument que tout, leurs liens, leurs attaches, se déliteront naturellement, se dégonfleront comme un ballon de la fête de l'an passé, qu'on retrouve derrière le canapé, tout flasque, et que quelqu'un finit par jeter en faisant le ménage.

Janet et Cathy n'ont pas été invitées au mariage. Pas de lien de ce côté-là, heureusement.

Mike et Linda ont été invités au mariage parce que Mike et Linda se chargent de la musique. Quelqu'un avait dit à Maura que ces deux-là jouaient très bien et, surtout, dans le climat actuel d'économies de bouts de chandelle, qu'ils n'étaient pas chers, et *ils ne seraient pas libres ce week-end-là ?* Ouaip, libres comme l'air. Pas du tout occupés. Libres de jouer. Libres mais pas gratuits. Personne n'est aussi bête. Ils se sont mis d'accord. Marché conclu.

Et les voilà de nouveau sur scène, sous les regards attentifs, les oreilles tout ouïe, sachant qu'il faut qu'ils proposent un programme varié : quelques ballades romantiques pour les jeunes mariés, un set tout ce qu'il y a de plus ordinaire, quelques airs à chanter en chœur pour faire participer tout le monde, et puis bien entendu, quelques morceaux plus enlevés qui feront tournoyer les plus vieux sur la piste, leur feront grincer les genoux, les feront swinguer un peu, au moins jusqu'à ce que le DJ arrive et que la jeune génération envahisse la piste, laissant les parents récupérer leurs sacs à main et chercher un taxi.

Le dos de Mike lui en fait voir. Ça ne va pas mieux. Il devrait vraiment prendre rendez-vous avec le médecin et régler tout ça. Sa vie amoureuse n'est pas aussi douloureuse. Ennuyeuse oui, plutôt vide ces temps-ci, mais au moins, ce n'est pas douloureux. Il a abandonné l'idée de s'asseoir un jour avec Linda et de lui dire ce qu'il ressent pour elle. Pas la peine. C'est une amie. Décevant. Juste une amie. Et une partenaire de musique. Mais il n'y peut pas grand-chose. Trop tard. Encore plus tard désormais.

Linda chante merveilleusement bien. Elle y met tout son cœur comme elle met tout son cœur dans tout ce qu'elle fait. Même pour être serveuse. Elle était ravie quand Bernard Dunphy lui a dit qu'elle était aussi inspirée que les grandes chanteuses de blues classiques : Ma Rainer, Bessie Smith, Victoria Spivey. Elle lui a avoué qu'elle ne connaissait aucune de ces chanteuses, et Bernard lui a dit qu'elle devrait les écouter, lui a dit qu'elle pourrait très bien interpréter un ragtime bien enjoué, peut-être *There'll Be a Hot Time in the Old Town Tonight*. Linda a dit qu'elle ne pouvait que le croire sur parole.

Il faut qu'elle rentre chez elle bientôt. Elle n'arrête pas de dire ça. Elle a reporté ses projets. Elle va attendre encore un peu avant de rentrer. Elle aime cette ville. Elle a quelque chose. C'est difficile de partir. Elle a rencontré des gens d'autres comtés, d'autres pays ; ils se baladent, aiment bien l'endroit, et finissent par rester. C'est un endroit difficile à quitter. Elle avait prévu de n'y rester que quelques mois, mais ça se prolonge.

Elle aime la compagnie de Mike. À un moment, elle a cru qu'il aurait bien voulu que les choses tournent autrement. Qu'il aurait bien aimé lui faire des avances. Mais il n'en a rien fait. Peut-être qu'il veut qu'ils soient amis. Ou simplement des partenaires de musique. Elle a dû se faire des idées. Elle aurait accepté. S'il l'avait dit franchement. Elle aurait accepté. Elle l'aime bien. C'est un brave type. Pas seulement parce que n'importe qui serait mieux que son ex, l'infâme Declan. Non, Mike est honnête, sans complications, s'il lui avait demandé, s'il avait poussé un peu la porte, elle est certaine qu'elle aurait accepté. Il n'y a rien de mal à voir un couple en duo sur scène, rien de mal du tout. Dommage qu'il n'ait rien fait. Tant pis.

Elle est en grande forme ce soir. La foule semble apprécier ce qu'ils jouent. Ça se passe bien. Elle ne chante pas *Hard Times* ce soir. C'est un mariage, il faut garder un rythme cadencé. Rien de funèbre. Pas de blues. Elle voit Bernard Dunphy à une table, qui s'attaque au gâteau. Il mange comme un cheval, le nez dans l'assiette. Elle ne va pas lui demander de chanter. Ce n'est pas à elle de décider. Elle avait apprécié la chanson qu'il a jouée avec cet Américain il y a des mois de ça, au Yer Man's, le soir de la terrible tempête. Mais mieux vaut le laisser savourer son gâteau. Elle ne laissera personne lui prendre le micro avant l'heure.

À des milliers de kilomètres de là, à Amarillo au Texas, Laura Willis et son frère Tom se baladent. Ils entrent au Becky Bo's Diner, et les visages de leurs amis s'illuminent en les voyant. Ils ne se sont pas vus depuis des lustres et ils ont décidé de se retrouver en ville, pour parler des événements récents, des excursions, des potins.

Étreintes. Bises sur les joues. Les hommes : poignées de main, mains dans le dos, sourires.

« Alors, vous n'avez pas bronzé en Irlande, ça c'est sûr !

– Il faut se lever tôt pour bronzer en Irlande.

– Il pleut tout le temps ?

– Pas tout le temps. Il y a eu de belles journées. C'était plutôt agréable. Vraiment. La pluie était plaisante. Un jour de tempête, mais c'est une autre histoire », dit Laura.

Elle montre les photos de son séjour irlandais. Ses amis admirent les châteaux, le paysage, et observent le temps changeant : sur une photo, un ciel clair et bleu, sur la suivante, une pluie battante. Ils s'intéressent à ce qu'elle leur raconte sur le concept de la calèche et rient quand ils apprennent le nom de la jument. Ils sourient, aussi, quand ils voient l'Irlandais typique, ses cheveux mal soignés et son sourire édenté. Quand ils lui demandent comment il était, elle répond : *Bizarre, mais sympa.*

Bernard Dunphy a maintenant une rangée de dents parfaite. Quand il sourit, il est fier de montrer qu'il n'y a plus de trou, qu'elles brillent, l'émail étincelle de mille feux, son dentiste lui a fait un bon détartrage tant qu'il y était. Elles n'avaient pas brillé comme ça depuis son enfance. Il n'aurait pas pu se rendre au mariage dans l'état où il était, il lui fallait quelques réparations, il a toujours été comme ça : il a besoin de réparations. C'est sa vie. Une case en moins : faut réparer. La maladresse sociale : faut réparer. Sa mère aurait été tellement déçue s'il était arrivé au mariage sans sa dent, elle se retournerait dans sa tombe, et elle en ferait du tapage si elle pensait qu'il continuait à sortir comme ça. Ça n'aurait pas fait joli du tout sur les photos, son large sourire avec ce gros trou, on aurait dit un bel idiot. C'était la chose à faire, en remettre une.

Ses cheveux sont tout gominés cette fois encore. Il les coiffe ainsi depuis. Depuis quand ? Depuis la soirée où il a chanté au pub, la soirée où il a eu le courage de se lever et de jouer seul. Et non plus le crétin, celui dont on se moque au pub. *C'est le* jarvey *bizarre dans son manteau noir, regarde dans quel état il est. Franchement ?* Il s'est levé et a chanté et Marian le regardait, en public pour la première fois. Il n'avait plus besoin de lui envoyer des cassettes. Elle avait vu la chose en vrai : en public, en représentation, pour un soir seulement. Il les avait subjugués par son jeu ; jamais plus ils ne le prendront pour un bouffon.

Elle avait cédé. Comme il en avait rêvé pendant des années. Elle avait finalement accepté, oui, elle sortirait avec lui un soir, comme il avait fini par rassembler assez de courage pour le lui demander.

Tout s'est passé des semaines après la nuit de la tempête. Jack était sous les verrous et la ville tout entière avait su pourquoi assez vite. Les gens cancanaient sur le sujet dans les pubs. Ils cancanaient aussi sur la pauvre Brigid qui s'était noyée dans le lac. La pauvre *créature*. Quelle vie elle avait eue. Son beau mari John s'était suicidé et le fils n'avait pas toute sa tête. Puis elle était partie et avait fait la même chose, était tout bonnement entrée dans l'eau et avait mis fin à ses jours. Bernard avait eu le cœur brisé. Sa mère partie. Ninny morte elle aussi. Sa vie se déchirait en morceaux. Tout ce qu'il aimait lui avait été enlevé, comme ça, en une nuit seulement. Alors qu'a-t-il fait ? Il a fait ce que n'importe quel Irlandais qui se respecte peut faire dans un état si calamiteux : il est allé se saouler. Au whiskey. À la Guinness. Il commandait n'importe quelle boisson alcoolisée qui lui traversait l'esprit, soir après soir. Il la commandait et la buvait. Aussi simple que ça. Il ne mangeait pas. Pas beaucoup en tout cas. Un sandwich de temps en temps, rien à voir avec ceux que sa mère lui faisait, gigantesques, débordant de partout, plutôt quelques bouts de jambon sur du pain rassis. Son estomac lui faisait mal. Le saisissait et le brûlait. Il avait été assez sobre pour l'enterrement, pour serrer la main des gens et recevoir leurs condoléances. Il était resté assez sobre pour tout ça. Mais une fois l'enterrement terminé, il était retourné à la Guinness, et au whiskey, et aux autres alcools, et à tous les cocktails qui lui venaient à l'esprit, son esprit englouti, assommé.

Vas-y Bernard, pour l'amour de Dieu, c'est ta mère. Tu ne la reverras jamais.

Une voix fantomatique le lui avait dit à l'enterrement. Son père, ou quelqu'un qu'il avait croisé au carrefour dans un de ses rêves ?

Et il aurait pu penser : *Non, je ne le ferai pas. Je ne la regarderai pas. Pas après ce qu'elle a fait.*

Mais il l'a regardée. Il est allé la voir. Et il a touché son visage froid, cireux, et l'a remerciée pour tout ce qu'elle avait fait pour lui.

Elle lui manquait. Terriblement. Il l'aimait. Et il ne lui en voulait pas. Il était au courant pour la tumeur. Il n'était pas aveugle à ce point. Il avait vu les pilules qu'elle devait prendre. Une conversation avec le médecin à l'enterrement avait confirmé l'état dans lequel elle se trouvait. La douleur. Les nausées. Le médecin n'allait pas lui mentir. Personne n'avait plus besoin de lui mentir. Il avait entendu assez de mensonges dans sa vie. Assez de dissimulation. *Une bourrasque soudaine. Un banc de sable.* Assez.

Bernard Dunphy avait enterré sa mère et il savait qu'elle l'avait mis dans cette situation pour une bonne raison. Elle savait qu'il pouvait se débrouiller. Cela devait être un nouveau départ pour cet homme. Ses parents étaient morts. Même sa fichue jument était morte. Soit il s'organisait et devenait un homme d'expérience, soit on continuait à se moquer de lui, à ricaner, et l'appeler un clown, un loser. Il ne supporterait plus jamais ça.

Voilà ce qui lui traversait l'esprit lorsqu'il buvait du whiskey ou du gin ou de la vodka ou tout ce qui se trouvait dans son verre. Et même dans ce brouillard d'ébriété post-enterrement, un semblant de bon sens flottait, un clipper sorti des nuages. Quand il avait chanté cette chanson... Marian l'avait vu. Elle avait applaudi et crié aussi fort que tout le monde dans le bar. Son temps était venu. Le climat avait retrouvé son cours normal, des averses, des nuages, des éclaircies, et puis encore des averses. L'été était terminé. Le calendrier disait peut-être qu'on était le premier juillet, et puis août, mais tout le monde savait que le soleil estival était parti, il ne devait pas rester longtemps. Jamais.

Un jour Bernard a posé son verre, regardé par la fenêtre d'un pub, vu les nuages s'amonceler, comme ils le font toujours, et il a dit, et merde, il achèterait un autre cheval. Un beau et fort avec des yeux brillants, comme Ninny, et il remonterait dans sa calèche en un rien de temps. Il l'appellerait peut-être même aussi Ninny. C'était un nom stupide, d'accord, mais peu importe, ça faisait rire les gens. Ninny. Ninny deux. Ou Ninny Eile. Ou même Capitaine Nestor Deux. Et il proposerait à Marian de sortir avec lui. Peut-être juste un soir. Pour dîner peut-être. Ou pour prendre un pot. Un pot, juste. Pas une beuverie. Un rendez-vous galant, autrement dit. Il la convaincrait de s'asseoir avec lui le temps d'une soirée, une seule suffirait, même si ce devait être la dernière chose qu'il ferait de sa vie.

Elle avait cédé. Comme il en avait rêvé pendant des années. Il l'avait vue au Murphy's, des semaines après l'enterrement. Elle était venue à l'enterrement bien sûr, et avait rendu un dernier hommage quand il se tenait près du cercueil, et un soir, elle l'avait vu et elle était venue lui parler, lui demander comment il allait. C'était au moment de la soirée où il avait déjà bu quelques verres, mais pas trop. Il était relativement sobre. Assez jovial, au vu de tout ce qui s'était passé. Alors, il lui avait dit qu'il allait bien. Qu'il s'en sortait. Qu'il faisait face. Il lui avait demandé en plaisantant si les cassettes lui manquaient, celles qu'il avait l'habitude de lui envoyer, ça lui manquait ? Elle avait répondu oui. Et ça lui manquait vraiment. Elle les écoutait toutes. Elle avait même pris goût au blues. Ça avait pris du temps peut-être, mais elle avait fini par aimer, elle avait même acheté une anthologie du blues et l'écoutait dans la voiture.

Bernard n'en revenait pas. Elle avait fini par aimer le blues ! Mon Dieu, elle était désormais, plus que jamais, plus que jamais : la femme de ses rêves.

Était-ce l'occasion à saisir ? Était-ce sa chance à ne pas manquer ? Il n'en aurait peut-être pas d'autre.

« Je me demandais, en fait, si tu étais libre un soir, on pourrait discuter de tout ça, la musique et tout. Si tu es libre, tu sais, un de ces jours. »

Elle a souri à son manque d'éloquence et a répondu : *Bah, oui, peut-être.* Et puis une idée lui est venue, et elle savait que Mags ne la lâcherait pas avec ça, ne la laisserait jamais en paix, mais elle l'a dit quand même, elle lui a dit : *En fait, mon cousin se marie dans deux mois. Ça te dirait de m'accompagner au mariage ?*

Tomber sur Jim était à peu près inévitable. Bernard se demandait en laçant ses chaussures ce matin-là, comment il allait réagir quand il verrait la brute en marié au mariage. Tout comme le visage crispé de Tony Mulcahy. Que dirait-il ? Et *eux*, qu'auraient-ils à dire ? Est-ce qu'ils allaient tous faire comme si de rien n'était ? Comme s'il ne s'était rien passé. Ou prétendre qu'il s'agissait d'une blague inoffensive ? Mais ce n'en était pas une. Rien d'inoffensif à cela. Rien de blagueur non plus. Ils l'avaient bien dérouillé. Il avait pensé l'espace d'un instant, alors qu'il était allongé dans une flaque et qu'il avait craché sa dent, qu'il ne pourrait peut-être plus entendre correctement, tellement ça bourdonnait fort dans ses oreilles. C'était leur jeu ? Ils s'assuraient comme ça d'être les caïds de la ville ? Les durs ? Les intouchables ? Des hommes avec lesquels il faut compter ? Et qu'est-ce que le passage à tabac de Bernard leur avait apporté ? Quel intérêt ?

Jim ne s'était pas caché le visage ce soir-là. Pas une fois il n'avait tenté de cacher son identité. Il devait être fier de ses actes. Il ne se souciait pas d'être reconnu.

Jim s'avance à la table de Bernard.

Le *jarvey* lève les yeux de son gâteau, des miettes aux commissures des lèvres, et un instant, pris d'une peur soudaine, il contracte les testicules. Il veut lui dire : *Pourquoi, Jim ? Putain, ça rime à quoi tout ça ? Qu'est-ce que je t'ai fait ?* Mais les mots restent coincés dans sa gorge, et tout ce qu'il parvient à dire alors qu'il s'essuie la bouche, d'une voix tremblante :

« Jim, félicitations.

– Merci Bernard, sans rancune, hein ? Je suis content que tu aies réussi à venir. »

Réussi à venir ? Bernard pourrait comprendre ça de bien des manières. *Réussi* à venir au mariage, de toute évidence. *Réussi* à sortir de la ruelle indemne, avec une nouvelle dent et tout. Ou *réussi* avec sa cousine, qui est maintenant assise à côté de Bernard, fronçant les sourcils à l'idée d'une éventuelle expédition coups de poings. C'est le mariage de Jim, mais on ne sait jamais, tout pourrait démarrer à la seconde. Même quand il était petit à l'école, c'était comme de regarder du pop-corn sur le feu, on attendait que le premier grain éclate, et puis ça arrivait, tous les grains semblaient répondre au premier et commençaient à sauter dans tous les sens dans la casserole. C'est la première fois que Bernard et Marian vont au mariage d'un gangster, mais ils sont sûrs que ça se passe comme ça. Des bagarres arrosées aux mariages. Il en est ainsi.

Réussi ? Réussi ? C'est tout ce que Jim a pu trouver ? Même pas une once d'excuse ?

Bernard examine le visage de Jim, pas une trace de remords, juste la suggestion habituelle que d'autres terreurs sont à venir, qu'elles attendent d'être lâchées, mais que pour l'instant, le pit-bull est muselé.

C'est au tour de Bernard de trouver quelque chose :

« Ouais, content d'être ici. »

Il est costaud. Il est content d'être assis avec son grand amour à cette table. Content qu'elle ne lui en veuille pas de s'attaquer au gâteau comme s'il n'en avait jamais goûté avant. Il ne mange pas beaucoup ces temps-ci, la cuisine de sa mère lui manque, les ragoûts fumants, les sandwiches vertigineux. Il prendra ce qu'il trouve désormais.

Il est satisfait, c'est sûr. S'il y a une chose dont il peut se réjouir et qui soit le résultat de toute cette récente merde, c'est bien ça, de se retrouver assis là avec Marian. Elle ne l'embrassera peut-être pas. Elle ne lui donnera peut-être pas la main. Mais au moins, ils sont attablés tous les deux et elle l'a invité et elle… elle est avec lui. Elle sait pour les coups qu'il a reçus et elle ne veut plus jamais qu'une chose pareille lui arrive. Il n'est pas seul ce soir.

La nuit suit son cours comme dans tous les mariages. Après les discours, les gens dansent. Certains s'amusent. D'autres s'ennuient à mourir. Quelques-uns ont filé à l'arrière de l'hôtel pour fumer un joint. D'autres vomissent dans les toilettes après avoir englouti trop de punch au cocktail. Mais il n'y a pas encore de coups de poings. Pour Marian, c'est de toute façon excessif : les robes kitsch, le maquillage outrancier ; les gens qui essaient de faire de leur mieux pour avoir l'air beau mais qui vont toujours un peu trop loin. Elle hait aussi le côté factice, les sourires feints pour la photo. Personne ne le fait mieux que sa mère, un sourire ostentatoire dans un ensemble pêche qu'elle n'aurait pas dû mettre, tapageur, maladroit. Elle aurait pu la conseiller sur ce point. Mais sa mère n'était pas réapparue à sa porte pendant quelques dimanches, peut-être qu'elle n'avait pas eu besoin d'aller à la messe, ou de prendre un café. Peut-être avait-elle abandonné, pas besoin de sa fille après tout.

Le sourire de sa mère flanche complètement quand elle voit son mari Marcus faire son entrée pour féliciter Jim et la mariée. Marcus est tout en mouvement. Son langage corporel montre qu'il ne peut rester longtemps, qu'il est simplement passé glisser cette enveloppe à Jim et qu'il fiche le camp à nouveau, pour retourner à l'hôtel sans doute, où sa secrétaire blonde et plantureuse l'attend. Au moins il ne l'a pas amenée avec lui. Ils peuvent tous lui en être reconnaissants. Il a eu assez de bon sens pour ça. Il est mince, a l'air en forme. Il est même plus beau que quand il vivait à Killarney. La vie dans la capitale doit bien lui aller.

Marcia veut aller lui dire quelque chose. Elle n'a pas idée de ce qu'elle pourrait lui dire. Elle pourrait le maudire, le maudire d'avoir piétiné son bonheur, le maudire d'avoir l'air fort et en bonne santé alors qu'elle s'effondre et s'écroule en dedans.

Marian veut aller lui dire quelque chose elle aussi, mais, comme sa mère, elle observe, figée, incapable. Elles auraient dû se préparer, ces deux femmes. Elles auraient dû savoir qu'il ferait une apparition. C'est l'oncle de Jim, il fait partie de la famille, il a le droit d'être là comme tous les autres. Et pourquoi n'étaient-elles pas prêtes à ça ? Elles le regardent toutes deux partir. Ses belles chaussures. Son costume parfaitement repassé. Armani peut-être. Sûrement avec un nom chic cousu sur la poche intérieure de toute façon. Il les voit, sourit et fait un signe de la main. C'est tout ce qu'il se permettra de faire. Il n'envisage pas un seul instant d'aller les voir, de les embrasser, ou même de leur serrer la main, formellement, en cette occasion formelle.

Le cœur de Marian bat fort dans sa poitrine, sa gorge semble se resserrer. Elle a dû perdre son père pour de bon, quelle que soit la planète sur laquelle il habite. Comment pourraient-ils jamais espérer réparer ? Elle se dit qu'elle devrait le suivre, dire quelque chose, simplement ouvrir le dialogue. Son propre père ne veut pas la perdre, tout de même. Ça lui suffit d'avoir Georgina à Dublin, il peut l'oublier, elle ? Elle devrait le rattraper et lui demander. Bernard hoche la tête pour l'encourager, y aller, le rattraper, parler pour l'amour de Dieu, ne pas attendre qu'il soit trop tard. La vie est trop courte. Puis Bernard reporte son attention sur le gâteau que Marian a laissé.

Marcia a envie de vomir la tranche qu'elle a mangée, le goût marqué du glaçage ou de la pâte d'amandes réapparaît soudain dans sa bouche et lui donne la nausée. Dès que Marcus est définitivement sorti du bâtiment, elle se relâche, s'accroupit dehors, dans un endroit sombre derrière la cuisine de l'hôtel, et laisse le dîner qui était si bien passé lui brûler l'œsophage et sortir tout fumant dans l'air frais de la nuit. Les fumeurs avoisinants écrasent du pied le joint qu'ils ont partagé, le pilent dans les gravillons. C'est bien la conseillère Yates qu'ils voient là ? Elle est en train de vomir tripes et boyaux ? Merde alors.

Quand Marian rattrape enfin son père à sa voiture, en train d'attacher sa ceinture, elle ne se trouve pas face à l'intrus froid, calme et distant auquel elle s'attend, mais face à un homme en pleurs, des larmes lui coulent sur les joues, et il a le nez mouillé et bouché comme un gamin de quatre ans qui pleurniche parce qu'il a gâché la fête d'anniversaire. Un homme en pleurs, qui s'effondre, accablé. Elle frappe à sa vitre et il ouvre. Alors soudain il détache sa ceinture et sort de la voiture. Il enlace sa fille et la serre contre lui, ses larmes tombent sur ses épaules et puis les larmes de Marian, chaudes et abondantes, coulent aussi.

Personne à l'intérieur de cet hôtel ne parle de Jack Moriarty. Personne *en dehors* du mariage ne parle de lui non plus d'ailleurs, ni les joueurs qui lui passaient le ballon, ni les piliers de bar qui buvaient avec lui, ni même les femmes qui s'agrippaient à lui et l'attiraient à elles comme si leur vie en dépendait. Ils l'ont tous oublié. C'est facile de partir. C'est facile d'oublier. Surtout quand on est un sale type. Surtout quand on est mauvais. Quand vous êtes le dernier des derniers, vous êtes facilement rejeté. Si on vous mentionne, c'est avec dérision, mépris, mais en réalité, les gens préfèrent vous oublier complètement.

Ambrozy Zawadski allait devenir papa avant que la pierre de calcaire ne se fracasse sur lui. Il n'aurait pas dû vouloir coucher avec des inconnus ; la bande rouge sur la barrière aurait dû lui servir de mise en garde et non le pousser à la tentation ; mais il ne méritait pas de se faire exploser le crâne pour autant. Jack M doit retourner tout ça dans sa tête. Des heures à penser à la même chose. Encore et encore. Il ne peut pas le sortir de sa tête. Le bruit de la pierre sur son crâne. C'était ça. Le pire. La pire chose qu'il ait jamais faite. Ce n'était pas la vision. Pas le sang. Pas le regard vide dans les yeux de cet homme après. Non, c'était le bruit. Le bruit de ce craquement dans la campagne tranquille. Le bruit. Le bruit qui le hantait. Tous les jours, le bruit devenait de plus en plus fort et ses maux de tête empiraient. Il pourrait s'agenouiller s'il pensait une seconde que Dieu existe. Mais il n'est pas bête. Brutal, violent, criminel, oui, mais pas bête. Dieu n'existe pas. Il n'y a qu'un univers chaotique qu'il a d'une certaine manière rendu plus chaotique.

Il pleure la nuit, et crie que ce n'était pas de sa faute. Pas de sa faute. Pas de sa faute. Il n'a jamais nommé personne, jamais soufflé mot sur Jim et Tony. À personne. C'est au moins ça. Au moins, il épargne les autres. Il a chuté seul. Au moins, cette noble tournure. Bien entendu, ils n'ont pas vraiment fait quoi que ce soit. Ils lui ont juste mis ces idées folles dans la tête et l'ont poussé, comme un adulte pousse un enfant sur un petit vélo, sans roulettes pour la première fois, et l'enfant part, perd l'équilibre et tombe peu après.

Non, Dieu n'existe pas. Mais le Diable était là ce jour-là sur le tapis quand il jouait avec son Dark Vador, et il était là aussi cet autre jour sous le soleil, Jack en est persuadé, il l'a senti derrière ses yeux, a entendu ses acclamations dans le bruit assourdissant. Il ne voulait pas tuer cet homme. C'est à cause de ce qui lui est arrivé quand il était jeune, dans une certaine mesure en tout cas. Pas besoin d'un psychologue pour lui dire ça. Il sait. Il l'a compris de lui-même. Mais il n'a personne à qui raconter ses histoires sur John Dunphy. Personne pour écouter la façon dont ce salaud le tripotait. Le tenait, en prétendant être gentil. Personne pour entendre comme l'histoire s'est mal terminée. Son souffle chaud, qui puait la bière. Qui l'écouterait ? Personne. Ils sont tous partis. Ils font autre chose. Ils travaillent peut-être, ou ils dansent, ou ils baisent et se disent qu'ils s'aiment. Les uns les autres. Ils ont ça. Il ne l'a pas. Il n'a que lui. Personne d'autre.

Les psychologues prennent un air inoffensif, et les prêtres qui arrivent, tout sourire et dans leur grasse bienfaisance, essaient de le pousser à s'ouvrir, *à se repentir, à se repentir*, disent-ils. Mais plus ils le harcèlent, plus il se renferme. Il faudra qu'il change de tactique. Pour les laisser croire qu'il n'est pas un danger. Pour gagner leur confiance. Alors, il pourra enlever la lame du rasoir jetable et se l'enfoncer dans le corps, ou bien attacher ses draps et en faire une corde solide pour se pendre du lit du haut. Ça peut se faire. Ainsi va la vie. Les choses peuvent s'en aller soudainement. Juste un autre suicide. Un de plus ? Ce n'est rien.

Épilogue

Bernard Dunphy est assis dans sa chambre, seul. Le vieux manteau noir est pendu dans son armoire, entouré d'habits neufs, chics, de vêtements qu'un homme moderne de trente ans doit porter. Il garde le manteau en souvenir. De ce qu'il a été autrefois. Il l'a fait nettoyer. Il ne sent plus le cheval et la sueur. Il a une odeur de produit chimique, et il est enveloppé dans un plastique transparent, une pièce de musée, un aperçu du passé pas-si-lointain, et une indication sur le chemin parcouru.

Il n'y a plus de posters sur son mur ; il les a tous enlevés. Pas besoin de lever les yeux pour se rappeler qui sont ses héros. Ils sont enfouis au plus profond de lui, il ne pourrait pas les gommer même s'il le voulait.

Il n'y a pas de photos cachées. Celle de la jeune fille de quinze ans sur la plage, celle qu'il a en fait achetée à sa camarade Claire Brennan il y a de nombreuses années, est partie elle aussi, il a décidé qu'il n'en avait plus besoin ; ce n'était pas bien d'être si attaché au passé, il devait vivre dans le présent et viser l'avenir. Ce n'était pas bien de garder une photo d'elle adolescente. Si on l'avait trouvée, on aurait pu le

265

prendre pour une sorte de pervers. Il n'en est pas un. Il est normal. Normal. Ce pour quoi il a lutté toutes ces années.

Les CD sont rangés par ordre alphabétique ; tout comme les piles de vieux disques – certains ne sont même plus en état de marche, ça fait bien, bien longtemps qu'ils ont tourné.

La photo de Jack Moriarty, son ami, est restée. Pourquoi devrait-il la cacher ? Pourquoi la jetterait-il ? Jack Moriarty est un ami, depuis l'enfance. Et les amis se serrent les coudes. Même dans les moments difficiles. Surtout dans les moments difficiles.

L'autre photo dans la chambre de Bernard est une photo de mariage de John et Brigid. Ils sont sur les marches de la cathédrale St. Mary, tout sourire ; ils pensaient que tout se passerait bien, que tout se déroulerait paisiblement. Ils avaient tort. Mais c'étaient tout de même ses parents. Ils l'avaient fait. Et il était là. Encore.

Il y a d'autres choses dans sa chambre : une carte postale du Texas. *Un grand bonjour d'Amarillo, Tom te dit bonjour lui aussi, pourquoi tu ne viendrais pas nous voir un jour ? Voir les joueurs de blues en vrai, jouer leur musique.*

Il ira peut-être. Il ira peut-être bien un de ces jours.

Quoi d'autre ? La guitare. Avec de nouvelles cordes. Il a nettoyé le corps en le frottant avec un peu d'huile de citron. Pour garder le lustre. Une petite boîte remplie de médiators, un bottleneck, des cordes en plus et un capo, car parfois dans la vie, il faut changer de clé, on ne peut pas jouer tout le temps les mêmes accords.

Et un cygne orange. Qui est là dans la chambre lui aussi. Ce jouet de bain qui date maintenant a réussi à se faire une place parmi les objets importants qui trônent fièrement dans la chambre. Il l'a gardé. Il ne peut pas le jeter. C'est grotesque, bien sûr, il le sait, et pourtant sous tout ce blanc il y avait un éclat lumineux, criard pour certains peut-être, mais on ne pouvait pas ne pas le remarquer.

Il écrira peut-être une chanson sur tout ça. Sa vie. Ou ses cauchemars peut-être. Parce qu'il fait toujours des cauchemars. Pourquoi ne pas écrire sur eux ? Et l'appeler simplement *Fantômes* ou *Lac* ou même *Cygne orange*. Ça pourrait être un blues *low down*, marécageux, et il taperait sur le corps de sa vieille Gibson pour un effet de rythme, ou à la guitare slide peut-être, en forçant le bottleneck, et en tirant sur le premier mi ; marécageux, prenez Elmore James ou Lightnin' Slim, une vibration Nouvelle-Orléans, même si bien sûr on n'est pas à La Nouvelle-Orléans. Il le sait, il ira un jour, c'est certain, mais ça, là, ce n'est pas la Louisiane, il faut juste qu'il fasse semblant, pour s'échapper un temps. On est à Killarney, sous la pluie, ce n'est pas le bayou, c'est le lac ; cette chanson parle du lac et de ce qui s'y trouve tout au fond, dans ce lac, dans le lac-cerveau de Bernard, profond-profond, il pourrait appeler la chanson comme ça, *Profond-profond*, comme *Grisgris* de Dr. John, et les paroles feraient allusion aux poissons et à la fronde, et aux choses qui flottent là-bas, les épaves du lac, les vélos mis au rebut, les bottes, les rames, les bagues jetées par des amants en colère, ou juste par des amants, qui flottent, et aux deux fantômes. Il y aurait deux fantômes dans la chanson, deux fantômes l'un près de l'autre, séparés pendant si longtemps et qui se retrouvent à nouveau ensemble, *woke up this morning*, pour un nouveau départ peut-être, *woke up this morning*, pour essayer de faire bien les choses cette fois, les péchés balayés, une nouvelle tentative, la bonne cette fois, *woke up this morning*, deux fantômes, les yeux paisiblement fermés, qui s'enlacent.

Remerciements

Je ne pourrai faire autrement que de commencer par remercier les grands chanteurs/musiciens qui m'ont tellement inspiré pour écrire ce livre. Voici la liste des artistes et de leurs chansons qui apparaissent dans le texte :

Death Letter Blues – Son House

Blood in my Eyes – Traditional/Mississippi Sheiks

Hoochie Coochie Man – Muddy Waters

Mannish Boy – Muddy Waters

Hard Times – Stephen Collins Foster

I am Peetie Wheatstraw – Peetie Wheatstraw (William Bunch)

Stack-O-Lee – Ma Rainey

There'll Be a Hot Time in the Old Town Tonight – Bessie Smith

Je tiens à remercier chaleureusement tous ceux qui m'ont aidé à faire paraître ce livre : mon agente, Svetlana Pironko, pour son soutien indéfectible, elle m'a épaulé et a courageusement ouvert des portes quand d'autres se fermaient ; Niall Griffiths pour ses encouragements intarissables et ses conseils avisés, sans parler de l'inspiration que procure sa prose sans pareille ; Laurence O'Bryan pour ses suggestions pertinentes et sa patience remarquable ; Bill Blizzard pour ses magnifiques photos et ses discussions toujours aussi enthousiastes sur la musique ; la ville de Killarney bien entendu, qui n'a jamais vraiment le blues et qui brille même dans les moments les plus sombres ; les habitants de la ville aussi, les merveilleux personnages qu'on peut rencontrer à chaque coin de rue, chacun d'eux mériterait un roman à lui seul ; ma famille et mes amis pour avoir rendu chacune de mes visites à Killarney si extraordinaire, et mes délicieux enfants, Reinan et Nina, pour m'avoir fait sourire dans le vrai monde alors que les virgules et les personnages de mon roman me paraissaient déplacés ; et enfin ma femme, Yuki, qui n'a jamais manqué de croire en moi et a insisté pour que tout cela aboutisse.

Pour en savoir plus sur Colin O'Sullivan, visitez le site
http://osullivancolin.wordpress.com
et
www.betimesbooks.com